ИРОНИЧЕСКИЙ
ДЕТЕКТИВ

**Читайте романы
примадонны иронического детектива
Дарьи Донцовой**

Сериал «Любительница частного сыска Даша Васильева»:

1. Крутые наследнички
2. За всеми зайцами
3. Дама с коготками
4. Дантисты тоже плачут
5. Эта горькая сладкая месть
6. Жена моего мужа
7. Несекретные материалы
8. Контрольный поцелуй
9. Бассейн с крокодилами
10. Спят усталые игрушки
11. Вынос дела
12. Хобби гадкого утенка
13. Домик тетушки лжи
14. Привидение в кроссовках
15. Улыбка 45-го калибра
16. Бенефис мартовской кошки
17. Полет над гнездом Индюшки
18. Уха из золотой рыбки
19. Жаба с кошельком
20. Гарпия с пропеллером
21. Доллары царя Гороха
22. Камин для Снегурочки
23. Экстрим на сером волке
24. Стилист для снежного человека

Сериал «Джентльмен сыска Иван Подушкин»:

1. Букет прекрасных дам
2. Бриллиант мутной воды
3. Инстинкт Бабы-Яги
4. 13 несчастий Геракла
5. Али-Баба и сорок разбойниц
6. Надувная женщина для Казановы
7. Тушканчик в бигудях
8. Рыбка по имени Зайка
9. Две невесты на одно место

Сериал «Виола Тараканова. В мире преступных страстей»:

1. Черт из табакерки
2. Три мешка хитростей
3. Чудовище без красавицы
4. Урожай ядовитых ягодок
5. Чудеса в кастрюльке
6. Скелет из пробирки
7. Микстура от косоглазия
8. Филе из Золотого Петушка
9. Главбух и полцарства в придачу
10. Концерт для Колобка с оркестром
11. Фокус-покус от Василисы Ужасной
12. Любимые забавы папы Карло
13. Муха в самолете

Сериал «Евлампия Романова. Следствие ведет дилетант»:

1. Маникюр для покойника
2. Покер с акулой
3. Сволочь ненаглядная
4. Гадюка в сиропе
5. Обед у людоеда
6. Созвездие жадных псов
7. Канкан на поминках
8. Прогноз гадостей на завтра
9. Хождение под мухой
10. Фиговый листочек от кутюр
11. Камасутра для Микки-Мауса
12. Квазимодо на шпильках
13. Но-шпа на троих
14. Синий мопс счастья
15. Принцесса на Кириешках
16. Лампа разыскивает Алладина
17. Любовь-морковь и третий лишний

Дарья Донцова

Любовь-морковь и третий лишний

Москва
ЭКСМО
2005

ИРОНИЧЕСКИЙ ДЕТЕКТИВ

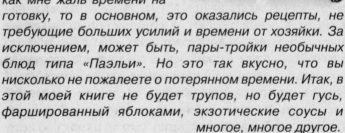

Глава 1

Жизнь дается человеку только один раз, потому что во второй никто ее не выдержит. Сия мысль пришла мне в голову ровно в восемь тридцать утра на относительно небольшой улочке, на перекрестке около супермаркета «Мечта гурмана». Глядя в полной безнадежности на красный сигнал светофора, я понимала, что надежды устроиться сегодня на новую работу испаряются столь же быстро, как кусочек паштета, украденный утром пронырливой мопсихой Капой со стола. Тот, кто уже встречался со мной, хорошо знает, что, имея в кармане диплом арфистки, я никак не могу найти достойную службу, практически перебиваюсь случайными заработками. Мои родители в свое время постарались дать любимой единственной дочери отличное образование. Мама, оперная певица, нажала на нужные кнопки, и ее не особо талантливая дщерь поступила в консерваторию, кою я без всякого блеска закончила в срок. Мама в принципе рассудила правильно: если чадо категорически не способно к наукам, то его следует обучить достойному ремеслу, пусть дочь получит возможность заработать себе на кусочек хлеба, а уж маслице, сыр и икорку к нему принесет любящий муж. Мамуля, практически бросившая свою карьеру ради меня и папы, наивно полагала, будто счастье женщины в семье, работать надо лишь по двум причинам: чтобы с гордо поднятой головой заявить: «Я вполне самостоятельна» — и еще обладать возможностью продемонстрировать новую шубку. Поэтому профессия арфистки показалась ей наиболее пригодной для дочурки. Но, увы, благими намерениями вымощена дорога в ад. Времена сильно изменились, девушки, мягко говоря, «за тридцать», способные перебирать струны здоровенного агрегата, оказались не слишком востребованы на рынке труда страны, стихийно въехавшей в фазу дикого капитализма. И теперь я постоянно ломаю голову: ну где найти работу?

Увы, в моей анкете сплошные минусы. Первый — это возраст, те, кому исполнилось, хм, тридцать пять, хорошо меня поймут. Увидев даму, перешагнувшую рубеж пресловутого бальзаковского возраста, кадровики мигом навешивают на лицо мрачное выражение и сообщают:

— К сожалению, вакансия занята, мы только вчера взяли человека.

Еще никому из нанимателей не нравятся отрицательные ответы на вопросы анкеты. «Наличие семьи? Не замужем. Знание иностранных языков? Не владею. Умение пользоваться компьютером? Не умею». Ну и так далее.

Неделю назад Сережка, придя домой, нашел меня в слезах с очередным вопросом на устах:

— Ну почему я опять пролетела, как фанера над Парижем?

— Дура ты, Лампа, — сказал парень, — ну кто же про себя правду в вопросниках пишет. Ясное дело, никогда на службу не возьмут незамужнюю тетку с полным отсутствием всяких навыков.

— И что делать? — плаксиво поинтересовалась я.

— Зачем тебе хомут? — пожал плечами Сергей. — Проблем с деньгами особых нет, веди домашнее хозяйство, готовь котлеты.

Я вздохнула.

— Скоро Двадцать третье февраля, а потом Восьмое марта, надо покупать сувенирчики Кирюшке, Катюше, Лизе, Юлечке...

— Эка задача! — засмеялся Сережка. — У тебя же заначка есть.

Действительно, в шкафу в моей спальне лежит большая коробка из-под печенья, играющая в нашей семье роль сейфа, я торжественно складываю туда все сэкономленные деньги и совершенно спокойно могу вытащить сейчас из «ячейки» нужную сумму на мелочи. Но, согласитесь, очень странно покупать человеку подарки на его же деньги, лично я в последнее время ничего на «счет» не вносила. Радио «Бум», где мне так сладко работалось ведущей, перешло к другому владельцу, который моментально уволил всех прежних сотрудников. Правда, у меня есть небольшая сумма, полученная при увольнении.

— Нет, — воскликнула я, — мне нужна работа! Срочно!

— Вот глупости! Сиди дома!

— Не хочу.

— Твое упрямство — отвратительно! — рявкнул Сережка.

— Может, и так, но я к нему привыкла, и, в конце концов, это мое упрямство, — шмыгнула я носом.

— Еще заплачь! — обозлился Сергей.

— Очень хочется, — призналась я. — После тридцати пяти жизнь не заканчивается, или мне пора ползти на кладбище? Ну не все же женщины молоды и обладают универсальными знаниями!

— Нет, конечно, — ухмыльнулся Сергей, — полно идиоток, которые даже телефоном не способны воспользоваться. Вот сегодня я был в одной конторе, пообщался с менеджером, полный мрак! Представляешь, попросил: «Дайте адрес». А тетка мне начала диктовать: «Индекс...» Я ее перебиваю: «Мыло!» Дальше следует изумительный диалог.

— Какое мыло? Впрочем, в туалете есть жидкое!

— Е-мейл!

— Что?

— Электронный адрес!

— Какой?

Сережка набрал полную грудь воздуха и, старательно держа себя в руках, объяснил:

— Хочу переслать письмо по компьютерной почте!

Тетка раздраженно воскликнула:

— Так бы сразу и говорили, что нужен адрес со щетками!

— С чем? — изумился до крайности парень. — С какими щетками?

Менеджер снисходительно глянула на собеседника, потом ткнула пальцем в экран:

— Вот. Надо учиться владеть техникой, вон они, щетки.

Сергей уставился на монитор и, забыв про хорошее воспитание, захохотал во весь голос. Перст дамочки указывал на буквы www.

— Вот видишь, — окончательно расстроилась я, — я не сморозила бы такой глупости. Но ту тетку взяли на службу, а мне стабильно отказывают. Ну почему, а?

— Честная ты слишком, — захихикал Сережка, — а это качество сильно осложняет жизнь. Если б родители знали, как их дети станут страдать, говоря правду, мигом бы обучили ребяток лгать. Ну с какой радости ты отвечаешь на вопросы с прямотой Буратино?

— На какие?

— Да на все! Вот предположим: семейное положение. И ежу ясно, что не окольцованную бабу твоего, прости, конечно, Лампа, возраста, никогда не возьмут.

— Но почему? — возмутилась я.

— Дурында! В голове у любого кадровика мигом начинает крутиться простая мысль. Так, у бабенки нет семьи, значит, она сейчас активно ищет мужа, работница из нее фиговая, башка забита личными проблемами. А еще, не дай бог, устроит в коллективе сканцал, начнет «охотиться» внутри фирмы, отобьет мужика у другой сотрудницы. Нужен нам такой геморрой? Нет! Отказать!!!

— И как ты предлагаешь мне поступить? — уныло поинтересовалась я.

— Пиши в анкете: замужем.

— С ума сошел, а где свидетельство о браке?

Сережка улыбнулся:

— А его в девяноста случаях из ста не спрашивают, если, конечно, ты не решила пристроиться личным секретарем к президенту или не надумала работать на заводе, производящем ракетное топливо. Начнут потом требовать бумагу, отвечай: «Принесу». Стопудово забудут про документик. И еще укажи в анкете: «Имею двух сыновей, Сергея и Кирилла, уже взрослых, не пеленочных младенцев». Молодых матерей в кадрах тоже недолюбливают. Ясно?

— Ага, — растерянно кивнула я.

— Едем дальше, — вдохновился Серега. — Владение иностранным языком — английский, могу изъясняться, читаю со словарем.

— Но я не произнесу ни слова!

Сережка хмыкнул:

— Попрощайся со мной на англицком, говорю тебе: «Гуд бай!»

— Гуд бай, — машинально ответила я.

— Вот! Значит, можешь!

— Но это все!

— Даже «о'кей» не скажешь?

— «О'кей» произнесу, еще «плиз» знаю и...

Из глубин памяти выплыли остатки знаний, полученные троечницей Романовой в школе.

— Морнинг, афтер найт[1]...

— Класс! Супер! Послушай, я ошибаюсь или ви-

---

[1] Утром, после ночи (*искаженный до неузнаваемости английский*).

дел, как ты весьма бойко переводила Кирюшке текст из газеты? — вдруг оживился Сережка.

— Было дело, — призналась я, — в общем-то, это просто. Берем словарь, ищем в нем нужное слово, складываем фразу...

— Во! — восхитился Сережка. — Следовательно, ты особо и не соврешь, великолепно умеешь работать с нужной литературой. Значит, когда в следующий раз станешь заполнять анкету, везде пиши: «Да». Усекла?

Я кивнула и решила покривить душой. Не скажу, что чувствовала себя комфортно, «дакая» на все вопросы анкеты, но тем не менее послушалась Сергея.

Кадровик прочитал бумагу, потом снял очки, положил их на стол и резко сказал:

— Замечательно, но вы нам не подходите.

— Почему? — воскликнула я.

Мужчина посмотрел на меня.

— Буду откровенен, руководство фирмы настороженно относится к людям с такой биографией и с такими проблемами, как у вас!

— Вы это о чем? — растерялась я.

Дядька снова водрузил на нос очки.

— Вот вопрос: имеете ли вы судимость? Ответ: «Да».

— Ой, я ошиблась! Нет, конечно! Да посмотрите на меня, неужели я похожа на бывшую уголовницу?

Кадровик пожал плечами:

— Я просто озвучиваю написанное вами. Следующая графа. «Страдаете ли каким-либо из перечисленных заболеваний: сифилис, СПИД, гепатит, туберкулез. И снова: «Да». Я ценю вашу откровенность, но вы хотели трудоустроиться няней в приличную семью. Сами понимаете, бывшая заключенная, пораженная неприятной инфекцией, никак не может претендовать на место возле ребенка.

— Ой, я ошиблась! Я совершенно здорова! Абсолютно!

Работодатель нахмурился:

— Евлампия Андреевна, мы давно на рынке труда, хорошо себя зарекомендовали и дорожим добрым именем агентства. Вас бы все равно отправили на медкомиссию, поэтому нам лучше расстаться сразу. Кстати, мы обязательно проверяем претендентов по компьютеру, у фирмы имеются связи с МВД. За сим прощайте!

— Поверьте, это дурацкая описка!

— Вы ничем не больны?

— Да, то есть нет.

— Так как?

— Ну совершенно по-идиотски задан вопрос, — возмутилась я, — на него же невозможно ответить. Скажешь «да» или «нет» — разницы никакой! Так нельзя формулировать!

— Спасибо, что указали мне на ошибки, прощайте, — сухо каркнул дядька и уткнулся в экран компьютера.

Я вернулась домой и налетела на Сережку:

— Хороший совет ты мне дал, нечего сказать!

Узнав суть дела, Серега развеселился.

— Ну, Лампудель, ты сильно выступила! Заставь дурака богу молиться, он лоб расшибет. В следующий раз все же читай вопросы, не везде надо ставить «да», а то и в неприятности вляпаться можно. Вдруг у тебя спросят что-то типа: «Вы одобряете терроризм?»

Я уничтожила Сережку взглядом и решила в дальнейшем писать в анкетах только истину, в конце концов сумею устроиться на службу и со своими данными!

Неделю после этого я тщательно просматривала объявления и в результате отрыла интересное предложение. Собеседование было назначено ровно на десять утра.

Но, очевидно, судьба решила бесповоротно воспротивиться моему устройству на работу, потому что все, как только я встала с кровати, пошло наперекосяк.

Для начала Муля на прогулке, запутавшись в поводке, стала жалобно ныть, на вопли подруги моментально кинулись остальные члены стаи, и через секунду передо мной возник многолаповый комок тесно сплетенных между собой тел. Пришлось потратить много времени, чтобы купировать неприятность.

Потом убежал кофе, у брюк сломалась «молния», а на куртке невесть откуда обнаружилось жирное пятно самого отвратительного вида. В довершение ко всему моя машина решила не заводиться.

В полном отчаянье я стукнула кулаком по рулю, еще раз повернула ключи и... о чудо! Мотор ровно затарахтел.

Мысленно перекрестившись, я выехала со двора, осторожно пересекла проспект, повернула направо, налево и оказалась на перекрестке. Светофор тревожно горел красным глазом. Впереди стояли две практически одинаковые машины — «Жигули» цвета сгнившего баклажана, — и в той и в другой за рулем сидели женщины, мне, притормозившей в левом ряду, были видны их кудлатые головы.

Светофор поменял цвет на зеленый. Правые «Жигули» начали медленно двигаться вперед, левый автомобиль стоял. Я рассердилась: встречаются среди водителей «тормозы», пока такой сообразит, что можно ехать, снова загорится запрещающий сигнал. Ну почему она не шевелится? Может, побибикать?

Но не успела я переместить ладонь на клаксон, как на перекрестке разыгралась драма, которая длилась буквально секунды. «Жигули», осторожно пересекавшие дорогу, были торпедированы здоровенным грузовиком, вылетевшим слева, с той стороны, где транспорту предписывалось терпеливо ждать зеленого сигнала. Улочки, идущие крест-накрест, небольшие, пользуются ими лишь местные жители, желающие объехать пробку на проспекте. Сейчас свидетелей происшествия практически не оказалось, только одна женщина, плохо одетая, похоже, нищенка, быстро шла по тротуару. Других пешеходов не наблюдалось, да оно и понятно почему, третий день в Москве бушует метель, пронизывающий ветер швыряет в лицо пригоршни колкого снега. На земле образовалась каша, под которой блестит лед, высунуться на улицу в такую погоду способны лишь те несчастные, которым никак нельзя остаться дома. Кстати, машин на дорогах стало меньше, и это единственная радость, которую принес москвичам буран.

Грузовик, превратив ни в чем не повинный «жигуленок» в груду искореженных железок, на секунду замер, потом подал назад, объехал кучу металлолома и скрылся с глаз. С воплем: «Стой!» — я выскочила на дорогу.

Куда там, виновника аварии и след простыл. Не зная, что делать, я растерянно озиралась по сторонам. Сзади послышался визг тормозов, я прыгнула влево.

— Эй, девушка, — заорал, высовываясь из окна шикарной иномарки, толстый дядька, — чего случилось?

— Так... вот... там... ее... грузовик, — попыталась я объяснить ситуацию.

— Ментов вызвала? — перебил водитель.

— Не успела.

— Ну, бабы, — недовольно буркнул он, — никакого от них толку!

С этими словами он схватил мобильный, а я, еле-еле передвигая ноги, подошла к останкам «Жигулей» и крикнула:

— Не волнуйтесь, сейчас «Скорую» вызовем.

Изнутри груды обломков не раздалось ни звука.

— Вы меня слышите?

Тишина.

— Скоро врачи подъедут.

Молчание.

— Отзовитесь, пожалуйста.

Нет ответа.

— Вам плохо?

— Хорош дурака валять, — раздалось сзади, — чего орешь?

Я растерянно замолчала. Хозяин иномарки кряхтя выбрался наружу и, осторожно ступая замшевыми ботинками по «супу» из реагента, снега и грязи, дошел до места аварии, глянул через разбитое лобовое стекло и констатировал:

— Парень труп.

— Умер? — ужаснулась я.

— Ты бы тоже концы отдала, «поцеловавшись» с многотонной махиной, — отреагировал мужик. — Ну вообще! Ничего себе денек начинается.

— За рулем сидела женщина, — пролепетала я.

— Откуда ты знаешь?

— Ну... я видела, пока стояли на светофоре, прическу кудлатую, волосы до плеч.

— Это мужик шевелюру отрастил, — сплюнул дядька, — небось пидор! А че та машина стоит? Никто не вылазит? Вон гаишники прутся, быстро, однако, прилетели. Небось где-то рядом толкались, синие птицы.

Забыв про меня, он бодрым шагом потопал к мрачным патрульным, нехотя вылезавшим из машины. Я приблизилась к «Жигулям», тосковавшим на перекрестке, увидела внутри девушку, вцепившуюся в руль, и постучала пальцем в окно. Она вздрогнула и уронила голову на баранку. Сообразив, что незнакомка находится в шоке, я решила успокоить ее и дернула дверцу, та неожиданно открылась.

— Не пугайтесь, — быстро сказала я, — все в порядке. Хотите воды? У меня есть бутылка.

Незнакомка подняла голову, и я невольно поразилась ее красоте. Большие голубые глаза были окружены частоколом черных изогнутых ресниц, красивые брови разлетались к вискам, масса мелко завитых волос ниспадала на плечи, тонкий нос, пухлые губы, словно нарисованные гениальным художником, довершали картину идеального лица.

— Не волнуйтесь, — продолжала я, — сейчас приедут врачи, сделают вам укольчик.

Красавица вдруг подняла руку и указала в сторону автобусной остановки, находившейся в паре метров от места трагических событий.

— Ты видишь красного зайца? — прошептала она. — Вон он на скамейке сидит!

Сначала я решила, что у небесного создания от стресса помутился рассудок. Длинноухий в центре Москвы? К тому же красного цвета? Наверное, у дамы реактивный психоз. Но тут мой взгляд невольно упал туда, куда указывала изящная ладошка женщины.

На остановке, под стеклянной крышей, на скамейке сидела огромная плюшевая игрушка пурпурного цвета, видно, кто-то забыл ее, залез в автобус и уехал, не вспомнив про косого.

— И правда! — воскликнула я. — Зайчик!

— Красный!

— Да.

— Это не сон, — прошептала девушка и, странно всхлипнув, лишилась чувств.

Глава 2

На собеседование я, естественно, не попала. Сначала меня допросили гаишники, собственно говоря, их волновали две вещи: могу ли я назвать номер грузовика и описать, как он выглядел.

— Все произошло слишком быстро, — робко объясняла я. — Вжик — и он уехал! Номера я не запомнила.

— Совсем? — деловито осведомился один милиционер.

— Нет, ни одной цифры!

— А буквы?

— Тоже.

— Попытайтесь описать грузовую машину, — потребовал второй гаишник.

Но и тут я потерпела полнейшую неудачу.

— Такая, большая... железная, с колесами!

Менты переглянулись.

— Отличная примета, — вздохнул один, — я имею в виду колеса, потому что транспорт по Москве в основном передвигается при помощи гусениц!

Ощутив себя полнейшей идиоткой, я пошла к машине и вздрогнула, раздался противный протяжный звук, это спасатели при помощи резаков пытались освободить тело несчастного парня.

— Девушка, — тронул меня за рукав мужчина в синей куртке с надписью «Скорая помощь», — помогите бумаги оформить.

Плохо понимая, о чем он говорит, я влезла внутрь белого микроавтобуса и увидела красавицу, лязгающую зубами на носилках.

— Она не хочет с нами разговаривать, — пояснил врач, — может, вы поможете? Знаете ее имя?

— Нет, откуда? Впрочем, наверное, у девушки есть права, а там все данные. Может, принести из машины ее сумочку?

— Вам не трудно будет? — прищурился доктор. — Нам не разрешено трогать чужие вещи, еще пропадет чего, на меня свалят.

Я посмотрела на незнакомку и ласково попросила:

— Попробуйте сами вспомнить, как вас зовут?

Голубые глаза слегка расширились.

— Заяц там?

— Да, да, сидит на скамейке.

— Возьми его.

— Хотите игрушку?

— Да.

— С удовольствием принесу ее вам, а сами пока попробуйте сказать свои данные.

— Жанна Львовна Кулакова, актриса театра «Лео», — вполне спокойно ответила девица.

— Вот и славно, — обрадовалась я, — сейчас притащу зайчика.

— Ты его сунь в мою машину, — прошептала Жанна.

Я дошла до остановки, схватила плюшевое чудовище и принялась стряхивать с него налипший снег. В стеклянной крыше остановки имелась дыра, и длинноухий медленно, но верно превращался в сугроб. Оставалось удивляться фантазии производителей, сшивших зайчика абсолютно нереального цвета.

Открыв незапертые «Жигули» Жанны, я хотела положить мягкую игрушку на заднее сиденье и осторожно подвинула большую сумку. В ту же секунду изнутри донеслось недовольное ворчание и наружу высунулась крохотная мохнатая мордочка, внутри саквояжа мирно спал до моего появления крохотный йоркширский терьер.

— Ой, какой ты хорошенький, — умилилась я.

Но собачка сочла, что это ниже ее достоинства — общаться с незнакомой женщиной. Чихнув, она снова скрылась в недрах переноски. Я захлопнула дверь и побежала в микроавтобус. Жанна, уже не такая бледная, поинтересовалась:

— Забрала?

— Да, да, не беспокойся. А зачем он тебе?

— Это мой лучший друг, — прошептала Кулакова, — хочу выпить за его здоровье, если б не заяц, лежать бы мне в пластиковом мешке. Спаситель... милый...

Я не удержалась и участливо погладила Жанну по спутанным волосам. Очень хорошо знаю, что человек, счастливо избежавший смертельной опасности, часто бывает неадекватен.

— Может, все-таки съездим в больницу? — предложил врач.

— Нет, — категорично отрезала Жанна.

— Вам нельзя за руль, — предостерег доктор.

Девушка посмотрела на меня и вдруг заявила:

— Вот она меня отвезет!

Наверное, услыхав сие наглое заявление, мне следовало возмутиться, и именно так я бы и поступила в обычной ситуации, но сейчас кивнула.

— Конечно, только адрес скажи и дай ключи, отгоню твои «Жигули» на парковку к супермаркету.

Все равно на собеседование я опоздала, да и нельзя бедную Жанну оставлять, лучше доставить ее домой.

Сев в мою машину, Жанна воскликнула:

— Ой, принеси ириску.

— Что?

— Ириску.

— Где они?

— У меня в машине.

Я покорно вернулась на парковку, порылась в бардачке, внимательно осмотрела пластмассовую корзиночку возле ручки переключения скоростей, потом зашла в магазин, купила на кассе пакетик конфет и принесла его Жанне.

— Вот, держи.

— Это что? — удивилась девушка.

— Конфеты.

— Я не ем сладкое, мигом толстею от него, а мне нужно думать о фигуре.

— Но ты сама же просила.

— Я?!

— Ты. Сказала: «Принеси из моей машины ириски». Извини, я ничего в «Жигулях» не нашла, поэтому купила на свой вкус, если эти не нравятся, могу раздобыть другие.

Жанна улыбнулась одними губами.

— Не ириски, а Ириску, собачку, йоркшира, она в переноске спит.

Тут только я вспомнила про крохотное мохнатое существо и ощутила укол совести, ну надо же, ведь видела терьера и совершенно забыла о нем, а несчастный мог замерзнуть в брошенной машине.

— И зайца прихвати! — крикнула мне вслед Жанна.

Наконец суета закончилась, я умостилась за рулем и сказала:

— Говори адрес.

В ответ раздалось тихое похрапывание, я обернулась. Положив голову на плюшевое чудовище, Жанна мирно спала. Пару секунд я колебалась, но потом развернулась и покатила домой. Живем мы недалеко, пусть Жанна проведет некоторое время у нас, наверное, не следует таскать ее сейчас по пробкам.

Очутившись во дворе, я осторожно потрясла девушку.

— Очнись, пожалуйста.

— Мы где? — сонно прошептала та.

— Пойдем ко мне, попьем чаю.

Совершенно не сопротивляясь, Жанна вышла наружу, прижимая к себе сумку с Ириской.

— Зайца не забудь, — напомнила она.

Я вытянула из машины красного монстра.

Крохотная Ириска оказалась полнейшей пофигисткой. Увидав стадо наших собак, она не потеряла меланхоличности, преспокойно выбралась из переноски, попила воды, а потом развалилась на подстилке Мули. Мульяна, тоже невозмутимая, словно скала, подняла глаза и деликатно осведомилась:

— Гав?

— Это не навсегда, — ответила я, — просто в гости.

Мопсиха шумно вздохнула и ушла на диван, Ада, Феня и Капа последовали за ней, Рейчел устроилась под столом, а Рамик прогалопировал в мою спальню, появление Ириски никого не взбудоражило. Хотя йоркшир такой крохотный, что наше зверье, скорей всего, приняло его за хомячка, а к грызунам стая настроена дружески.

— Хочешь супу? — спросила я у Жанны.

— Спасибо, не ем первого, от него толстеют, — раздалось в ответ, — лучше дай водки!

Я пришла в замешательство: согласитесь, странное желание для молодой женщины среди бела дня. Водки! Ладно бы вино, коньяк, виски, в конце концов, но беленькая!

— Я не алкоголичка, — объяснила Жанна, — вообще не пью! Но сейчас хочу опрокинуть стопочку за красного зайца, он мне жизнь спас.

Я ощутила тревогу. Похоже, Кулакова повредилась умом, и как мне поступить? Дома никого нет, Лиза и Кирюшка на занятиях, Катюша укатила в командировку, Костин на службе, Сережка и Юлечка тоже на работе, вернутся все поздно.

— Я не имею никакого отношения к алкоголикам, — повторила Жанна.

— Да, да, — с самым глупым видом закивала я.

Очень хорошо знаю: с психопатами нужно соглашаться, в противном случае вы можете вызвать бурную аффективную реакцию полувменяемой личности. Больной человек способен схватить нож, швырнуть в собеседника чугунную сковородку...

— И не потерявшая ум баба, — добавила гостья.

— Ну как ты могла решить, что я такое подумала!

— У тебя на лбу все мысли написаны.

— Э... э... вовсе нет.

— Ладно, — скривилась Жанна, — сейчас все объясню. Вчера вечером раздался звонок. Я только что со спектакля прирулила, он в одиннадцать заканчивается, пока переоделась, туда-сюда... около полуночи приперлась. Слышу, телефон заходится как припадочный!

Жанна схватила трубку и почти зло спросила:

— Ну кто там еще?

— Можно Жанну Львовну? — прохрипел странный то ли мужской, то ли женский голос.

— Слушаю, — ответила она.

— Вас беспокоит помреж сериала «Загробные тайны», — начали сипеть из трубки, — Коваленко Саша.

Так и не поняв, какого пола Коваленко Саша, Жанна рухнула в кресло. Здесь следует слегка отвлечься от основной темы повествования и сказать пару слов о Кулаковой.

Жанночка, сколько себя помнила, мечтала быть актрисой. Наверное, ей достались гены мамы, очаровательной Лидочки, страстной поклонницы сцены. Но Лиде не повезло, ее родители, папа — профессор математики и мама — историк, услышав от девочки слова: «Пойду учиться на актрису», пришли в ужас и категорически запретили Лидочке даже думать о сцене. Пришлось ей поступать в обычный педагогический институт. Лида все студенческие годы являлась самой активной участницей самодеятельности, а потом удачно вышла замуж, родила дочь и занялась ее воспитанием. С самого раннего детства Жанне внушали, что сцена — это все. Со временем Лида сумела пристроить дочь в театральное училище и каждое утро повторяла ей:

— У меня ничего не получилось, родители растоптали мой талант, но у тебя есть все возможности, помогу чем смогу.

Жанночка изо всех сил старалась стать великой лицедейкой, но получалось у нее плохо, господь не отсыпал девушке таланта полной мерой. Одни из ее однокурсников, несмотря на строжайший запрет ректората, начали сниматься в сериалах, другие уже пристроились в театральные коллективы, Жанна оказалась никому не нужна. Она бы давно сложила лапки, но мама упорно вселяла в дочь надежду, отнесла ее фотографии в актерскую базу на «Мосфильм» и ухитрилась сделать так, что Жанну после получения диплома взяли в театр «Лео», в коллектив, где безраздельно правил Валерий Арнольский. Но это было последним мамочкиным благодеянием, она скончалась относительно молодой, попав под машину. Перебегала дорогу на красный сигнал светофора и была сбита водителем, который ухитрился скрыться с места происшествия.

Жанна осталась одна, но в депрессию не впала, ее ничто не лишало хорошего расположения духа. В театре Жанночку считали балластом, но не выгоняли. Известные актрисы неохотно соглашаются на крохотные «проходные» роли, но во многих пьесах есть действующие лица, не произносящие ни слова, Жанна была одной из «безмолвных», в балете такие называются «восемнадцатый лебедь в девятом ряду за озером». Другая бы на ее месте давным-давно отчаялась, но Жанна радостно выходила каждый раз на сцену. Она подавала баронессе стакан воды, приносила шляпку маркизе, ставила на этажерку графин. Впрочем, была и роль со словами, в одной современной пьесе Жанночка с воплем: «Он приехал!» — пробегала по сцене в конце первого акта.

Понимаете теперь, отчего у Жанны подкосились ноги, когда она услышала про сериал? В наше время, если засветишься в многосерийной «фильме», считай, карьера состоялась.

Помреж, в чьи обязанности входило приглашать актеров на пробы, словно не подозревая о буре чувств, которую вызвал у Жанны, вещал бесполым голосом:

— Вас планируют на роль Насти, это одна из центральных фигур фильма, сто двадцать серий, показ на Первом канале. Вы свободны сейчас? Других обязательств нет?

— Сейчас посмотрю в ежедневнике, — дрожащим голосом сказала Жанна, потом помолчала пару секунд и принялась лихо врать: — Очень удачно получается, только что завершился один проект, я пока не занята.

— Отлично! Завтра приезжайте на «Мосфильм», только не опаздывайте, — рявкнули из трубки и отсоединились.

Всю ночь Жанна не могла сомкнуть глаз, она провертелась в кровати, постанывая от счастья. Сто двадцать серий! Наверное, мамочка пробилась к самому господу и вымолила роль для любимой дочки. К утру веки Жанны стали слипаться, и тут затрезвонил телефон. Девушка вздрогнула и глянула на часы: четыре утра. Страшно разозлившись на идиота, решившегося побеспокоить ее в такое время, актриса схватила трубку.

— Да!

— Жанна? — прошелестело в ухе.

— Именно так.

— Кулакова?

— Что надо? — рявкнула она. — Офигели совсем?

— Послушай, — шуршало из трубки. — Ты во сколько собралась выезжать из дома?

— В девять утра, — машинально ответила Жанна.

— На машине «Жигули» цвета баклажан, номерной знак...

— Да кто вы такая? — окончательно обозлилась девушка.

— Ни в коем случае не ходи на пробы, оставайся дома, на улице тебя ждет смерть.

Жанна хмыкнула. Понятно, конкурентки зашевелились. Тот, кто считает, что люди экрана и сцены дружат между собой и, думая только о творчестве, лишены чувства зависти, глубоко заблуждается. Профессия актера очень зависимая: нравишься режиссеру — снимаешься. Не пришлась по душе — вали вон. Самое страшное для артиста — оказаться в простое. Сидишь дома в кресле, смотришь в тоске на экран телевизора, а телефон молчит. Весь мир забыл про тебя, зритель первый. Не мелькает лицо перед народом, и все, с глаз долой, из сердца вон — не сегодня придуманная поговорка. А в телевизоре крутят фильмы, в них играют другие, раздают потом интервью, получают гонорары, премии. И что остается делать? Только врать на ехидно сочувственные вопросы заклятых подруг.

— Ну почему ты не снимаешься? Отдохнуть надумала?

— Мне неохота тратить себя на всякую чушь, отказываюсь от ролей, жду настоящего, хорошего сценария.

Ох, не верьте этой фразе. Тот, кто, пренебрежительно сморщив нос, произносит нечто подобное, просто не интересует режиссеров, находясь в простое, актер схватится за любое предложение, только чтобы не умирать дома от осознания собственной непригодности. Но главных героев мало, а претендентов на их роли много, и частенько творческие люди идут на любые уловки, дабы вышибить из седла конкурента. Жанне небось сейчас звонит одна из приглашенных на кастинг актрис, наверное, надумала запугать Кулакову. Если Жанна не придет на «Мосфильм», роль достанется другой.

— Пошла на... — вполне миролюбиво сказала актриса.

— Значит, поедешь?

— Естественно.

— Ох, не надо, там тебя смерть ждет!

— Послушай, — вздохнула Жанна, — можешь не стараться, меня не запугать, не надейся на роль, она моя.

— Что ты, — захрипел голос, — как ты могла такое подумать, я Нелли, экстрасенс и маг. Сейчас увидела в магическом шаре страшную картину автокатастрофы и решила тебя предупредить, поверь, завтрашний день лучше провести дома, иначе беда случится.

Как все актеры, Жанна слегка суеверна, она вздрогнула, но решила не сдаваться.

— Что ж, спасибо за предупреждение, сколько я вам должна?

— Я действую абсолютно бескорыстно, за предвидение нельзя деньги брать, иначе дар пропадет!

— И откуда у вас мой телефон? — усмехнулась актриса.

— Тоже в шаре увидела, — не растерялась экстрасенша.

Жанна расхохоталась.

— Ты мне не веришь? — залепетал голос. — Я и машину рассмотрела цвета баклажан, номерной знак три семь...

— Хватит!

— Погоди, умоляю, дослушай!

— Что еще?

— Ты погибнешь!

— Ага.

— Молодой!

— Понятненько!

— Исчезнет нереализованная великая актриса.

— Ладно, спокойной ночи.

— Я помогу тебе совершенно бескорыстно, ничего мне не надо: ни денег, ни услуг, только запомни мои слова.

— Валяй говори, — разрешила Жанна, зевая.

— Тебя спасет красный заяц!

— Кто? — развеселилась актриса.

— Красный заяц!

— Прикольно!

— Будь особенно осторожна на перекрестке около супермаркета «Мечта гурмана». Прежде чем ехать, посмотри по сторонам. Увидишь красного зайца, ни в коем случае не двигайся, стой на месте. А еще лучше, бросай машину и уходи, заяц — знак, предупреждение...

Тетка продолжала вещать дальше, но Жанне надоела дурацкая история, она швырнула трубку, не забыв отключить ее от сети, и попыталась заснуть. Куда там, Морфей.

Злая на весь свет, Жанна сначала пошла пить кофе, потом, пошатавшись по квартире, снова легла в постель, подумав: «Полежу полчасика, затем стану собираться», и тут, как назло, девушка погрузилась в глубокий сон.

Очнулась Жанночка в восемь пятнадцать и в ужасе заметалась по комнате. Нужно признать, мерзкая конкурентка почти добилась своей цели, Жанна выглядит просто отвратительно: зеленый цвет лица, под глазами синяки, волосы уже не успеть помыть и причесать как следует.

В состоянии, близком к бешенству, Жанна влезла в автомобиль, нажала на газ, доехала до супермаркета, затормозила на перекрестке, машинально посмотрела в сторону и обомлела: на автобусной остановке ярко алел плюшевый заяц невероятных размеров.

Глава 3

— Дальнейшее ты знаешь, — тихо сказала Жанна и зябко поежилась. — Я замерла от неожиданности, а стоящая рядом машина двинулась, потом вылетел грузовик... Это была моя смерть, но она другому досталась, я обманула старуху с косой, подсунула вместо себя иного человека. Ужасно, да?

— Простое совпадение, — фальшиво бодро воскликнула я, — шофер, очевидно, был пьян.

— С утра?

— Подумаешь, некоторые люди никогда трезвыми не бывают!

— И он сел за руль?

— Придурков много.

— Нет, это предназначалось мне. Зря я не узнала координаты ясновидящей.

— Ерунда, нельзя предвидеть будущее.

— Оказывается, можно, вон он, красный заяц!

— Это совпадение.

Жанна вцепилась правой рукой в свои кудряшки, потом резко спросила:

— Ты когда-нибудь видела зайчиков такого цвета?

— В реальной жизни нет, а на прилавках игрушечных магазинов сколько угодно! Послушай, ты вся трясешься.

— Есть немного, — призналась Жанна, — меня колотит и подташнивает.

— Иди ляг на диван, поспишь, и все пройдет, на кастинг тебе не попасть сегодня.

— Господи, за что мне такая невезуха? — жалобно воскликнула Жанна.

Огромные прекрасные глаза молодой женщины наполнились слезами, я вспомнила про свои муки на ниве поиска работы и бодро воскликнула:

— Не беда!

— Просто ты не понимаешь! — нервно воскликнула Жанна. — Такое предложение редко делают.

Прозрачная слеза потекла по щеке девушки, за ней вторая, третья.

— Не реви, — велела я, — ну-ка, тебе звонил режиссер?

— Помреж.

— Не важно! Саша Коваленко, сериал «Загробные тайны»?

— Верно.

Я улыбнулась:

— Сейчас я улажу ситуацию. Ты спокойно засыпай, а я позвоню на «Мосфильм», найду координаты этого или этой Саши и скажу: «Жанна Кулакова попала в аварию, но завтра непременно приедет!»

Актриса затряслась еще сильней.

— Давай ложись, — велела я, — и Ириску бери, она тоже вся дергается, небось простыла.

— Нет, — промямлила Жанна, идя в гостиную, — она чешется!

— Давно?

— Ну... Я Ириску получила неделю назад, она еще крошка.

— Наверное, у нее блохи.

— Нет, ее брали в дорогом питомнике, — вялс возразила Жанна, — заводчица сказала, что все йорки до полугода обязательно чешутся.

Уложив осунувшуюся от переживаний Жанну на диван, я плотно задернула шторы.

— Разбуди меня в четыре, — прозвучало из-под одеяла, — на спектакль надо.

— Будет сделано, — ответила я, вернулась на кухню, взяла телефон и, набирая номер справочной, посмотрела на Ириску. Крошечное создание, постанывая и покряхтывая, отчаянно чесало ухо задней лапой.

— Перестань, — велела я, — до крови раздерешь.

Ириска жалобно глянула на меня и снова заработала лапкой, похоже, зуд сильно мучил щенка.

Время до обеда я потратила на поиски Саши Коваленко. Телефон раскалился от напряжения, блокнот покрылся записями, в конце концов мне стало ясно: сериала «Загробные тайны» не существует. Никто даже не слыхивал о подобном проекте. Может, он и должен запускаться, но только сегодня на «Мосфильме» никто не проводил для него кастинг. Не успокоившись, я позвонила своей приятельнице, журналистке Свете Сафоновой, пишущей о телесериалах, и велела ей:

— Немедленно узнай, кто задумал стодвадцатисерийный фильм «Загробные тайны».

— Ничегошеньки не слышала о столь масштабном проекте, — мигом сказала Светка, — а ко мне стекается вся информация.

— Это точно?

— Сейчас проверю, — деловито пообещала Сафонова.

В пятнадцать ноль-ноль она сообщила:

— Такого сериала нет.

— Вообще?

— Ага.

— Ты уверена?

— Послушай, Лампа, — возмутилась Светка, — это мой хлеб. Стодвадцатисерийный фильм — огромная затея, о ней бы давным-давно языками мололи. А тут полнейшая тишина. И все мои информаторы о «Загробных тайнах» не слыхивали. Ты вообще откуда сведения нарыла?

— Значит, я напутала!

— Похоже, что да, — согласилась Светка.

Я выпила чаю, дала непрерывно чешущейся Ириске молока, потом пошла будить Жанну.

— Что такое? — с трудом простонала она.

Я осторожно изложила ей отчет о своих поисках. Жанна потерла глаза кулаками.

— Твоя Света не врет?

— Нет, конечно.

— Она компетентный человек?

— Не первый год в журналистике и специализируется именно на телесериалах, знает обо всех проектах будущего года, но «Загробных тайн» среди них нет.

— Ловко, — протянула Жанна, потом она села и с криком «Ой!» обвалилась на подушку.

— Что такое? — испугалась я.

— Голова кружится и болит дико! Плохо мне очень.

Я пощупала лоб Жанны.

— Да у тебя температура.

— Нет, просто все кружится, кровать куда-то уплывает!

Я сбегала за градусником и через пять минут, взглянув на ртутный столбик, сообщила:

— Тридцать девять и пять.

— Не может быть!

— Лежи спокойно, сейчас принесу что-нибудь жаропонижающее.

— Мне надо встать.

— Ни в коем случае.

— У меня спектакль вечером.

— С ума сошла, да?

Внезапно Жанна разрыдалась:

— Ты не понимаешь, я не имею права пропустить работу.

— С гриппом на сцену?

— Да.

— Это невероятно!

— Арнольский меня ненавидит, — хлюпая носом, сказала Жанна, — только и ждет, чтобы прочь выставить: не явилась на работу, пошла вон!

— Бюллетень возьмешь.

— У нас не принято.

— А если, к примеру, человек ногу сломал?

— На костыле приковыляет. И вообще, даже если умер, изволь явиться, выступи, а потом ползи на кладбище.

— Ну и дикость!

— Кулисы — это джунгли сознания, — выпалила Жанна и схватила меня за руку, — помоги!

— С радостью бы, но что я могу?

— Сыграй спектакль!

Я подскочила:

— Ни фига себе! Каким образом?

Жанна молитвенно сложила ладони у груди:

— Меня выгонят вон, на улицу, устроиться я никуда не смогу, пока числюсь актрисой театра «Лео», имею хоть какой-то статус, а оказавшись на улице, мигом потеряю все, даже ту маленькую надежду на съемки, которая есть сейчас. Арнольский не должен знать, что я пропустила спектакль, следующий лишь через неделю, я успею поправиться. Мне, ей-богу, дико плохо, не встать, все ходуном ходит, помоги, умоляю, больше надеяться не на кого.

Я попыталась воззвать к голосу рассудка.

— Жанночка, я не знаю текста!

— Его нет, — закричала девушка, — все элементарно! Второй акт начинается с того, что я выхожу на сцену с подносом, на котором стоит чашка с водой. Медленно пересекаю пространство, подхожу к креслу, в котором сидит баронесса, и, сделав реверанс, подаю ей чашку. Баронесса недовольно морщится, тычет пальцем в столик и велит: «Туда, Амалия, туда». Я снова делаю реверанс, ставлю принесенное на указанное место и удаляюсь. Ерунда, любой с этим справится.

— Ладно, на такое я и впрямь способна, но лицо? Мы с тобой совершенно не похожи!

— Ошибаешься! — воскликнула Жанна. — Фигуры у нас одинаковые, платье горничной на тебя легко налезет.

— Верно, — протянула я, — а волосы? У тебя роскошные кудри, а у меня жалкие перья.

Жанна улыбнулась.

— Это парик, — сказала она и в ту же секунду сдернула буйные локоны с головы, — видишь, с прической у меня совсем беда, измучилась просто! Чего только ни делала — концы подстригала, касторкой мазала, всякие процедуры применяла, толку ноль, не растут совсем, вот я и перешла на парики. Зимой, кстати, это удобно, вместо шапки, тепло и красиво. Да ты примерь.

Я натянула на голову «шевелюру» и глянула в зеркало. Надо же, мне, оказывается, идут мелким бесом вьющиеся волосы.

— Ладно, с «оперением» понятно, но само лицо-то! Неужели никто из твоих коллег не заметит подмены?

— Нет! — воскликнула Жанна, пытаясь сесть и претерпев очередную неудачу. — Нет!

— Они идиоты?

Актриса натянула плед до подбородка.

— Нет, — устало ответила она, — кретин Валерий Арнольский. Он поставил спектакль совершенно диким образом, все актрисы одеты одинаково: баронесса, горничная, молодая любовница и престарелая матрона. У нас темно-синие атласные платья с серебряной вышивкой, а лица закрыты масками, невозможно узнать кто есть кто, понимаешь?

— Но зачем он так поступил? — изумилась я.

Жанна полежала некоторое время молча, потом с большим трудом прошептала:

— Говорю же, кретин. Нам объяснил свою гениальную задумку так: «Хочу показать, что все люди одинаковы, несмотря на их происхождение, образование и богатство, вы играете не человека, а эмоцию. Баронесса — гордыню, горничная — смирение, любовница — страсть, лицо тут ни при чем, изображать чувства следует словом и жестом». Там и текста-то практически ни у кого нет. Театр мимики и жеста получился, бред, концептуальная фигня, но все просто тащатся от Арнольского, а мне особо выбирать не приходится, спасибо, что такая ролька досталась. Кстати, получила я ее лишь потому, что режиссер хотел, чтобы актрисы были одной фактуры, роста. В общем, дело простое. Приедешь в театр, пойдешь в комнату номер тринадцать, она не заперта, и в шкафу найдешь вешалки с платьями, маски лежат на полке, внизу обувь, внутри моих туфель написано: «Кулакова». У тебя какой размер?

— Тридцать девятый.

— Отлично, как у меня, — обрадовалась Жанна, — видишь, мы с тобой практически одинаковые. Нацепишь одеяние, маску и стой спокойно в кулисе, только приходи ровно в семь пятнадцать, как раз первое действие начнется, все на сцене будут. Быстренько переоблачишься — и вперед, сейчас научу тебя, что делать предстоит.

— А вдруг со мной кто-нибудь заговорит?

— Некому. Явишься к началу первого акта, во втором выйдешь на сцену, и до свидания. Пока переоденешься, все еще перед зрителем будут. Я порой ни с кем не сталкиваюсь, когда этот спектакль идет.

— А совместный поклон?

— Горничная не выходит.

— Ага, понятно. Впрочем, нет, как же меня охрана пропустит?

— Господи, — скривилась Жанна, — на вахте Елена Маркеловна сидит, носом в газету, пойдешь мимо и буркнешь: «Привет, баба Лена, это я, Жанна». Она даже головы не поднимет, скажет в ответ: «Жануся, детка, не заболела ли? Голосок скрипит». Бабка слышит плохо и всем одно и то же талдычит. Спокойно отвечай: «Мороженое мясо на улице ела», и топай себе прямо по коридору, никуда не сворачивая, тринадцатая гримерка последняя.

— Может, не надо про мороженое мясо? — насторожилась я.

— Это шутка местная, — пояснила Жанна, — все ей так отвечают. Значит, согласна?

— Ну... вдруг не получится.

— Элементарно.

— Э... э...

— Послушай, — горько воскликнула Жанна, — больше мне попросить некого. Не приду на спектакль, Арнольский озлобится и выпрет меня. Что тогда делать, а?

— Может, кто-нибудь из твоих подруг...

— У меня их нет.

— Совсем? — изумилась я.

— Таких, чтобы за меня в огонь прыгнули, нет.

— А коллеги? Позвони кому-нибудь, вдруг выручат.

— Актрисы — это клубок целующихся змей, — устало ответила Жанна, — если видишь за кулисами двух нежно обнимающихся женщин, то не подходи близко, заразишься ненавистью, которая исходит от милашек. У нас все с виду очень пристойно, поцелуи, улыбочки, возгласы: «Дорогая, ты шикарно выглядишь». А потом вдруг перед выходом на сцену водички захочешь, выпьешь из бутылки, нам в гримерках их бесплатно ставят... мама родная, понос прошиб! Помреж по громкой связи орет: «Спектакль пошел! Где Офелия, пусть готовится!» А невеста принца датского в сортире к унитазу приклеилась, встать не может, понимаешь почему?

— Сильное слабительное в воде?

— Верно. И на кого подумать? Или в туфли лезвие всунут, парик изнутри клеем намажут... В основном бабы стараются, но и мужики не отстают. Впрочем, среди наших ни мужчин, ни женщин нет, средний пол, особый зверь — актер, они на все способны. Никто мне помогать не станет, не на кого рассчитывать, если и ты откажешь — мне кирдык! Прощай, моя мечта...

Жанна уткнулась в подушку.

— Хорошо, — быстро согласилась я, — в конце концов, я имею опыт нахождения на сцене.

— Ты актриса? — испуганно воскликнула девушка.

— Нет, арфистка, бывшая, теперь больше не концертирую.

— Ну и повезло же мне, — вырвалось у Жанны, — ладно, давай порепетируем.

Глава 4

Ровно в указанный срок я толкнула дверь с табличкой «Театр «Лео». Служебный вход», и вошла в полутемный предбанник. Слева стоял письменный стол с уютно светящейся лампой, в кресле рядом, уткнувшись в газету, восседала бабка, замотанная в платок.

— Это кто? — равнодушно поинтересовалась она, не отводя взора от полосы.

— Привет, баба Лена, это я, Жанна.

— Ох, детонька, не заболела ли? Голосок сипит.

— Мороженое мясо на улице ела, — выпалила я выученный текст и быстро пошла по длинному коридору.

— Ну шутница, — проскрипела старуха и потеряла ко мне всякий интерес.

Дальнейшие события развивались без сучка без задоринки. Комната под номером тринадцать была открыта, в шкафу, как и обещала Жанна, нашлось атласное длинное платье, туфли и маска. Быстро переодевшись, я нацепила сильно пахнущую клеем и краской маску и услышала из громкоговорителя, висевшего на стене:

— Антракт. Второй акт начинается с выхода горничной, Кулакова, займите место во второй кулисе.

Осторожно переступая через всякие шнуры и железки, я добралась до места и увидела тощую вертлявую девицу в джинсах.

— Привет, Жанка! — воскликнула она.

Я кивнула.

— Вон поднос и чашка, видишь?

Я опять кивнула.

— Ой, воду забыла налить, — опомнилась реквизиторша, — ща принесу, ты про реверанс помнишь? А то опять не сделаешь, и Валерка пеной изойдет!

В этот момент из темноты послышался шепот:

— Алиса, сколько можно тебя звать? Куда гром сунула? Как мне грозу изобразить?

— Вау! — подпрыгнула девица. — Совсем я плохая стала!

— Чеши за громом!

— Сейчас, сейчас, — засуетилась Алиса, — только Жанке воды припру.

— Шевелись, убогая, — донеслось из мрака.

Алиса, причитая, исчезла за кулисами, меня неожиданно охватила тоска. Я подошла к закрытому занавесу и посмотрела в щелочку. Плотные ряды кресел были почти пусты, публика в массовом порядке понеслась в буфет. Боже, как давно я не стояла вот так, вглядываясь в зал, впрочем, я никогда не получала оваций, госпожа Романова плохо играла на арфе, нет во мне нужной энергетики, ну не обладаю я ярко выраженной харизмой. Ладно, хватит предаваться тоскливым воспоминаниям, лучше сейчас еще раз повторить то, что предстоит сделать.

Значит, так, выхожу, пересекаю сцену, приближаюсь к баронессе, сидящей в кресле, делаю глубокий реверанс...

Неожиданно в голове возникло еще одно воспоминание.

Поздний вечер, наша квартира наполнена тишиной, только на кухне горит свет. Десятилетняя Фрося[1], большая любительница подслушивать беседы папы и мамы, скрючилась на унитазе. Санузел в родительских апартаментах граничил с кухней, если сидеть тихо, то станешь незримой участницей чужого разговора. Папа, как всегда, описывал маме прошедший день.

— Представляешь, — смеясь, говорил он, — сижу сегодня в академии на экзамене...

Я сначала удивилась, услышав это заявление, но потом мигом сообразила, что папочка, кроме того что является ученым, еще и преподает в вузе, и слушала его дальше.

— Отвечает Николаевич, помнишь его?

— Ну да, — отвечает мама, — майор из Ростова.

— Верно, — подтверждает папа, — в принципе при-

---

[1] История о том, как Ефросинья Романова превратилась в Евлампию, рассказана в книге Дарьи Донцовой «Маникюр для покойника». Издательство «Эксмо».

ятный дядька, старательный, одна беда, не слишком образованный. В общем, вышел казус.

Выступил Николаевич вполне пристойно, отец уже решил поставить ему «отлично», но потом подумал и сказал:

— Билет вы знаете, но не хватает завершающей фазы в рассказе, если сейчас сделаете красивое резюме, получите пятерку.

Ничего особенного папа не хотел, всего лишь чтобы слегка туповатый Николаевич подвел итог своему выступлению. Отец всегда говаривал:

— Информацию и дурак запомнит, а вот подвести правильный итог сказанному — прерогатива человека мыслящего.

Но Николаевич отреагировал странно, он резко покраснел и ответил:

— Никогда.

— Голубчик, — принялся уговаривать его отец, твердо решив дотянуть ученика до пятерки, — поверьте, это совсем нетрудно, вы попытайтесь.

— Ни за что.

— Опасаетесь неудачи? Но четверка уже ваша, неужели не желаете повысить балл?

— Резюме делать не стану, — словно взбесившийся попугай, затвердил Николаевич.

— Ну, не стесняйтесь!

— Не могу!

— У вас достаточно знаний для столь простого действия.

— Не могу.

— Ей-богу, смешно.

— Не могу!

Видя, что майор находится почти на грани истерики, отец вздохнул.

— Вы мужчина, обязаны быть смелым, а как военный — подчиняться приказам старшего по званию. Стыдно, в конце концов, так себя вести, мы в академии призваны научить вас не только зазубривать учебники, но и делать резюме, это же элементарно.

Николаевич стал пунцовым, как рак.

— Хорошо, — просипел он, — если отдаете приказ, тогда конечно.

— Отлично, голубчик, — кивнул папа, — начинайте.

Отец ожидал, что тот сейчас подойдет к доске, возьмет мел, напишет пару формул... Но майор поступил самым невероятным образом.

Смахнув пот со лба, он шагнул на середину аудитории, взялся руками за полы кителя и присел в... реверансе.

Все — и профессор, и великовозрастные курсанты — замерли с открытыми ртами, Николаевич выпрямился и самым несчастным голосом спросил:

— Хватит? Или еще раз сделать резюме?

Бедный папа, боявшийся обидеть тупого майора, собрал в кулак всю волю и выдавил из себя:

— Достаточно, голубчик, вот ваша зачетка.

Когда Николаевич покинул помещение, остальные зрители «шоу» молча уставились на профессора.

— Э... э... голубчики, — простонал отец, — милосердие является доблестью не меньшей, чем храбрость. Надеюсь, никто из вас не станет смеяться над коллегой, перепутавшим понятия «резюме» и «реверанс».

— Хорошо, — пискнул кто-то с галерки, — мы че? Ниче! Бывает.

В ту же секунду в аудитории грянул хохот, отец попытался справиться с собой, но не сумел, впервые в жизни ему отказало самообладание, и он уткнул лицо в идеально выглаженный платок.

С тех пор, когда человек произносит слова «реверанс» или «резюме», я вспоминаю несчастного Николаевича. Интересно, кто-нибудь указал ему на ошибку? Если да, то это был не мой папа, он не смог побеседовать на сию тему с учеником.

— Начинается второй акт, — понеслось с потолка, — горничная в кулисе, Кулакова, проверьте поднос и чашку с водой.

Я обернулась и увидела на колченогом столике весь необходимый реквизит: жестяной поднос, на нем фарфоровую емкость в виде пузатой «бомбочки» и чуть поодаль бутылочку с газировкой.

— Внимание, музыка, — вновь ожил громкоговоритель.

Я, ощущая легкий испуг, быстро схватила бутылочку. Как правило, пластиковая тара закрыта просто насмерть, у меня не хватит сил, чтобы свернуть пробку. Ну неужели Алиса не могла сама налить воду в чашку!

Но голубая крышка неожиданно легко поддалась, обрадовавшись, я плеснула воду в фарфоровую «бомбочку» и услышала раздраженное:

— Горничная! Жанна, блин, ты где? Жанна!!!

Вцепившись в холодный поднос, я шагнула на сцену, свет софитов ударил в лицо, зрительный зал напряженно молчал, и на первый взгляд казалось, что там, в темноте, никого нет, но я очень хорошо знала: за яркой полоской прожекторов находятся люди, все они сейчас уставились на меня.

Еле-еле передвигая ставшие каменно-тяжелыми и отчего-то негнущимися ноги, я пошла к креслу, в котором восседала фигура, облаченная в синий атлас, с маской на лице. Разглядеть внешность баронессы было совершенно невозможно, я обратила внимание на ее волосы, ярко-рыжие, прямые, красиво блестевшие в электрическом свете.

Так, теперь реверанс. Чашка поехала по подносу, с огромным усилием я сумела удержать ее и протянула поднос баронессе.

— Туда, Амалия, туда, — послышался капризный голосок.

Потом красивый пальчик, украшенный огромным

перстнем, ткнул в сторону крохотного столика. Я осторожно уместила на нем реквизит и, сделав еще раз реверанс, пошла назад, чувствуя, как тонкое платье противно прилипло к потной спине. Зрители, очевидно, потеряли к горничной всякий интерес, потому что баронесса принялась восклицать с фальшивым пафосом:

— Вода! Вот единственное, чего можно от них дождаться! Стакан, нет, чашка! Боже, как смешно! Пить или не пить? Возьму — унижусь, пренебрегу — измучаюсь от жажды!

Оставив баронессу решать почти гамлетовские вопросы, я нырнула в кулису и, не замеченная никем, добежала до гримерки. Следовало признать: затея удалась на все сто процентов, расчет Жанны оправдался полностью.

Радуясь удаче, я некоторое время посидела в кресле, унимая дрожь в теле, торопиться было некуда, до конца второго акта много времени, потом повесила платье в шкаф, поставила на место туфли, положила маску. Все это я проделывала под непрерывный бубнеж громкоговорителя.

— Любовница, на выход. Алиса, приготовь полотенце. Дайте музыку! Где Соня? Отчего... а... а... а!

Резкий вопль ударил по ушам, я вздрогнула.

— Занавес, занавес, занавес, — метался крик.

Я стала быстро всовывать ноги в сапоги, но, как назло, не застегивалась «молния». Проклиная некстати заевшую железку, я дергала ее туда-сюда, но без всякого результата.

Дверь гримерки распахнулась.

— Жанна, — завопил какой-то мужик, — живо к Батурину!

Я замерла и мигом оценила ситуацию. Стою спиной ко входу в весьма пикантной позе, вошедшему видно, простите, конечно, за подробность, одну обтянутую джинсами попу. Каким образом он догадался, что в комнате находится Жанна? Да по шевелюре! Мелко вьющаяся копна искусственных волос сейчас свисает до полу.

— Жанка, слышишь!

Я покивала головой.

— Живо к директору.

— М-м-м!

— Быстрей!

— М-м-м.

— Он бесится!

— М-м-м.

— Хорош мычать, беги давай!

— Ща, — просипела я, — ща, кха, кха, кха, кажется, я простудилась, голос-то как изменился от ангины.

— Поторопись, — велел дядька и исчез.

Я выпрямилась, черт с ними, с сапогами. Что делать, а? Идти к директору? Он мигом заметит подмену. Ледяная рука сжала желудок. Ну с какой стати я согласилась на идиотское приключение? Чуяло ведь сердце, беда приключится.

Дверь заскрипела и начала тихо открываться. Я сдернула с головы парик, сунула его в шкаф и села на обшарпанную табуретку.

— Жанна, — взвыл лысый мужик, входя в гримерку, — ну сколько можно... Ой, а где Кулакова?

— Сама ее жду, — максимально спокойно ответила я.

— Только что же была здесь!

— Верно, — подхватила я, — она велела мне: «Посиди, Лампа» — и исчезла, фр-р-р, и нету! Костюм швырнула и деру!

— А вы кто? — начал хмуриться дядька.

— Я?

— Ну не я же! Что вы делаете в гримерной?

— Так Жанну жду!

— Зачем?

— Почему я должна перед вами отчитываться? —

нагло схамила я, ожидая, что лысый обозлится и заорет: «Убирайтесь отсюда немедленно».

Вот тогда я получу право с гордо поднятой головой покинуть помещение, но он поступил по-иному, на его лице появилась самая приветливая из всех возможных улыбок.

— А потому, душечка, — пропел он, — что вы видите Юлия Батурина, и все происходящее за кулисами является моей головной болью. Живо отвечайте, чем вы тут занимаетесь?

Я опять вспотела и завела:

— Понимаете, Юрий...

— Юлий, — перебил меня Батурин, — Юлий, как Цезарь. Очень не люблю, когда коверкают мое имя.

— Простите, я не хотела вас обидеть.

— Ничего, продолжайте. Вы кто?

— Евлампия Романова, для близких просто Лампа. В театр меня пригласила Жанна, мы дружим.

— У этой обезьяны есть подруги? — скривился Юлий.

— Ну...

— С чего бы это Кулаковой всех в гримерку тащить?

— Я не все.

— Уже понял! Цель вашего визита?

— Я хотела устроиться на работу, — ляпнула я.

— Вы актриса?

— Нет, нет, Жанна говорила, что тут есть вакансия...

— Гримера?

— Верно!

— Значит, вы гример?

— Да, да.

— А с волосами справитесь?

— Обожаю создавать прически, — лихо солгала я.

— Образование какое?

— Высшее.

— А именно?

— Консерватория по классу арфы.

Брови Юлия поползли вверх.

— Консерватория? — удивленно повторил он.

— Ну да, потом я освоила еще мастерство гриме-ра, — принялась изворачиваться я, больше всего меч-тая исчезнуть из крохотной комнатки. Юлий крякнул, и я почему-то добавила: — Давно замужем, имею двух взрослых сыновей и дочь, владею компьютером, умею при помощи словаря читать и переводить английский текст, в тюрьме не сидела, СПИДом не болею.

Батурин закашлялся, потом вдруг ласково сказал:

— В принципе вы нам можете подойти, если имее-те постоянную московскую прописку, но сейчас нуж-но найти Жанну, говорите, она внезапно ушла?

— Да, да, — затараторила я, изо всех сил пытаясь внушить Юлию, что Кулакова лично принимала уча-стие в спектакле, — прибежала сюда, мигом переоде-лась и унеслась. Видно, очень торопилась! Вы не со-мневайтесь, она замечательно сегодня подавала чашку с водой баронессе.

Выпалив последнюю фразу, я замерла, сейчас Юлий справедливо заметит: «Однако странно, она пригласила вас якобы на работу и смылась. И зачем вы ее ждете, если она ушла?»

Но Батурин почесал подбородок и сердито про-молвил:

— Ее все на сцене видели, полный зал и наши, очень глупо убегать, ведь все равно поймают.

Я разинула рот, но тут в гримерку влетела девица, страшная, словно голодная смерть. Тощее тельце бы-ло втиснуто в красную кожаную мини-юбчонку, кото-рая заканчивалась почти сразу там же, где начиналась, мосластые, жилистые ножки украшали высокие чер-ные кожаные сапоги-ботфорты с неправдоподобно уз-кими мысами, сверху на небесном создании была ядо-вито-лиловая кофточка-стрейч, из рукавов которой торчали руки, более всего напоминавшие лапы больного воробья, копна иссиня-черных, слишком ярких, чтобы быть натуральными, волос водопадом лилась с макушки до плеч.

— Ой, ой, ой, — безостановочно верещала девица, — ой, ой...

— Софья Сергеевна, — сердито оборвал ее Юлий, — немедленно успокойтесь, говорите внятно, без визга и истерик.

— Юлий, — фистулой завизжала Софья и быстрым жестом отвела за уши волосы, почти полностью до этого прикрывавшие ее лицо.

Я вздрогнула, у слишком худой девушки оказалось лицо хорошо пожившей тетки лет пятидесяти. Щеки, глаза, лоб, губы покрывал толстый слой макияжа, но из-под тонального крема и килограмма пудры проступали морщины вкупе с пигментными пятнами.

— Юлий! Она умерла, — на едином дыхании выпалила Софья. — Ой, ой, ой, ай! Я так ее любила! О-о-о! Немедленно найди Жанну!

— Ты уверена? — деловито осведомился Батурин, спокойно глядя на колотящуюся в истерике Софью.

Та тряхнула головой и почти нормально ответила:

— Да.

— Кто сказал?

— Врач.

— Но она дышала, когда ее уносили.

— А сейчас скончалась, доктор говорит, похоже, ее отравили, а яд...

— Сам знаю, — отмахнулся Юлий, — я думал, она ей какой-то гадости подсыпала, просто чтобы напакостить. Но отрава! Эй, перекройте выход и никого без моего распоряжения на улицу не выпускать, слышишь? А все баба Лена! Вот дура старая, глухарь, а не вахтер! Всех уволю!

Резко повернувшись на пятках, Юлий выскочил в коридор.

— Что случилось? — налетела я на Софью.

Та совершенно спокойно плюхнулась на диван, вытащила из крохотной сумочки пачку ароматизированных сигарилл, закурила и равнодушно спросила:

— Ты кто?

— Э... новый гример.

— Вместо Ксюши?

— Наверное, да.

— Будем знакомы, — кокетливо прищурилась тетка, — Софья Сергеевна Щепкина. Да, да, родственница того самого, слышала небось?

Я кивнула. Михаил Семенович Щепкин, великий русский актер, основоположник реализма в русском сценическом искусстве, вроде умер в 1863 году, в консерватории у нас был факультатив по истории театра, отсюда и знания.

— Можешь звать меня Соня, — разрешила Щепкина, — мы почти одногодки, и я совсем не чванлива, в театрах важен любой винтик, даже такой, как гример. О, театр! Только беззаветно любящий искусство человек способен пожертвовать всем ради мгновений...

— Так что случилось? — весьма нетактично перебила я ее.

— Тина умерла.

— Кто? — отшатнулась я.

— Актриса Бурская, игравшая роль баронессы, — без всякого трепета пояснила Софья, — Валентина ее имечко, но оно Вальке простонародным казалось, велела звать себя Тиной. Все выделывалась, пальцы гнула. Да уж!

— Но почему она скончалась? Пожилая была? Инфаркт?

Софья захихикала.

— Уж не девочка, но о своем возрасте молчала. Боже, она не понимала, что смешна! Мне вот тридцать два, и я смело говорю об этом.

Я покосилась на дряблую шею молодки и, тактично промолчав, задала следующий вопрос:

— Так от чего умерла Бурская?

Софья попыталась было округлить глаза и вздернуть брови, но лоб, обколотый ботоксом, не хотел двигаться, и очи прелестницы просто вылезли из орбит.

— Ее отравила Жанна! Вот маленькая дрянь! Хотя лично я не поддерживала Валентину!

— Жанна? — заорала я. — Не может быть!

— Ты ее знаешь? — склонила набок раскрашенную мордочку Щепкина.

— Да, и абсолютно уверена, она здесь ни при чем!

Софья вытащила новую сигариллу.

— Ха! Все видели. Эта бесталанная мадам приволокла чашку воды.

— На сцену?

— Да, роль у нее такая, поднос носить, — ехидно сказала Софья, — ну очень сложная, философская, напряженная работа, нужно воды подать и уматывать. А Тина сначала произносит небольшой монолог, потом отпивает из чашки...

Я, оцепенев, слушала болтающую Софью. Голос ее, резкий, визгливый, вонзался в мозг раскаленным железом. Через пару минут ситуация стала мне понятна. Бурская, выпив воды, должна была встать, подойти к шкафу, открыть дверцу, откуда вываливалась любовница ее мужа, ну и так далее.

Но сегодня все пошло наперекосяк, Тина одним глотком осушила чашку, сморщилась, будто уксус глотнула, начала говорить, икнула и лишилась чувств. Зрители решили, что так положено по роли, и сидели тихо, но помреж живо понял: дело неладно, и велел дать занавес. Бурскую унесли за кулисы, людям в зале сообщили о внезапной болезни исполнительницы главной роли и вызвали «Скорую», но, пока та ехала, Валентина умерла. Актеры сначала подумали, что у Бурской инфаркт, но прибывший врач мигом заявил:

— Это очень похоже на отравление, надо сообщить в милицию.

— Жанка ее на тот свет отправила, — подвела итог Щепкина.

— Почему вы подозреваете Кулакову? — прохрипела я.

— А кто еще? — удивилась Софья. — Водичку она принесла и повод имела! Да уж, красотища! Никому Павлик не достанется! Одна на кладбище, вторая в тюрьме. Какой накал страстей, Шекспир отдыхает!

В гримерку вошел толстый парень.

— Где Жанна? — спросил он. — Ее все ищут!

— Сбежала красавица, — взвизгнула Софья, — послушай, Алик...

Воспользовавшись тем, что Щепкина переключила свое внимание на другого человека, я выскользнула в коридор, добежала до вахтерши и увидела Юлия, допрашивавшего бабку.

— Значит, как она приходила, ты видела?

— Точно, — закивала баба Лена, — приволоклася вовремя, волосьями занавесилась и летит.

— А выходила ли она, ты не помнишь?

— Ну...

— Да или нет?

— Э... э... э.

— Безобразие, — обозлился Батурин, — чем только на посту занимаешься! Газеты все читаешь!

— Мимо меня и муха не пролетит, — обиженно прогудела бабка, — в туалет я отлучилась, живот схватило, а все потому, что после огурцов молочка попила.

— Сделай милость, — взревел Юлий, — не рассказывай тут о своих кишечных проблемах!

— Вы же спрашиваете!

— Но не о твоем поносе, вопрос звучал: «Уходила ли Кулакова?»

— Вот ща я точно вспомнила, — всплеснула руками бабка, — она дико торопилась, пронеслася молнией, один запах остался, духи у нее шибко вонючие, спасу нет, тошнить начинает, как до носа доберутся!

— Ты куда? — рявкнул Юлий.

Последний вопрос относился ко мне.

— Домой, — пролепетала я, — похоже, вам сейчас не до нового гримера.

— Прибегай завтра к четырем часам, — деловито сказал Батурин, — не опаздывай, ты мне подходишь, люблю не пафосных.

Я кивнула и вылетела на улицу.

Глава 5

В нашей квартире стояла полнейшая тишина, в прихожей не горел свет. Я щелкнула выключателем, разделась и пошла в гостиную. Создавшееся положение, мягко говоря, не радовало. Конечно, я очень даже ловко выручила Жанну, заменила ее во время спектакля, но теперь актрису считают убийцей, нечего сказать, хороша ситуация. И как поступить несчастной девице? Сказать честно: я не принимала участия в спектакле, заболела и послала вместо себя другую бабу? Ох, боюсь, главный режиссер, услышав такое оправдание, мгновенно выгонит Жанну вон, навряд ли господину Арнольскому понравится поступок Кулаковой. А еще он вполне может заявить ей:

— Раз с твоей ролью способна справиться первая встречная, то ступай на биржу труда, лучше я приглашу в коллектив студентку на подобные выходы. Ученице можно особо и не платить, за «спасибо» прыгать будет.

Может, мне следовало честно признаться в подмене? Дождаться милиции и сказать оперативникам правду? А я лишь усугубила ситуацию, рассказав о том, сколь спешно Жанна удрала из театра. Слабым оправданием моего поведения служит то, что я не знала о смерти Бурской и хотела убедить Юлия Батурина в присутствии Кулаковой на службе. Да уж, затея удалась на все сто процентов. Никто теперь не сомневается, что именно Жанна отравила Тину, торжественно, драматично, абсолютно по-актерски лишила Бурскую жизни на глазах у зрительного зала. Отчего никому в голову не пришло простое рассуждение: с какой стати Жанне убивать при доброй сотне свидетелей? Что, нельзя было обстряпать дело по-тихому, в гримерке?

Впрочем, похоже, у Кулаковой имелся веский повод расправиться с Тиной. Юная старушка Софья трещала о некоем Павлике, который теперь никому не достанется...

Потерев ладонями виски, я распахнула дверь гостиной и крикнула в темноту:

— Жанна, вставай.

Сейчас расскажу Кулаковой о происшествии, и мы вместе отправимся в милицию.

— Жанна, просыпайся!

Из мрака не донеслось ни звука. Я постояла пару мгновений на пороге, потом щелкнула выключателем. Конечно, не следует будить больную Жанну, ей и так сегодня досталось, одна история с красным зайцем любого уложила бы в кровать, но альтернативы-то нет!

Яркий свет многорожковой люстры осветил гостиную. Я прислонилась к косяку: никого. В комнате царил идеальный порядок, плед на диване был аккуратно сложен, подушечки взбиты, в раскрытую форточку дул ледяной ветер, от Жанны не осталось даже запаха духов.

Решив, что она мирно пьет чай на кухне, я кинулась туда и снова обнаружила безлюдное пространство, никаких следов Кулаковой не было и в помине. Растерянно выкрикивая на все лады: «Жанна, Жанночка, Жанна...» — я заглянула в ванную, туалет, спальни детей и Кати.

Но Кулакова испарилась без следа, на вешалке не было ее одежды, в галошнице тосковали лишь мои зимние сапожки.

Плохо понимая, как поступить, я вернулась на кухню, машинально поставила чайник на газ и услышала стук входной двери, потом голоса Юли, Сережки, Лизы и Кирюши. Члены семьи явились домой вместе, небось столкнулись у подъезда.

— Лампа, — завопил Кирюша, — я есть хочу! Чего у нас на ужин?

— Надеюсь, макароны с мясом, — вступила Лизавета.

— Тебе только мучное и есть, — заржал мальчик.

— Сам дурак! — обиделась Лиза.

— Чего обзываешься?

— Ты первый начал.

— А ну цыц, — прогремел Сережка.

— Ой, ты наступил на мою сумку, — возмутилась Юля.

— Не фиг ее на пол бросать, — парировал ее муж.

— Так у нас макароны? — влетела на кухню Лиза.

— Мне лучше салат, — заявила входящая следом Юля, — без заправки.

— Мяса хочу, мяса, котлет! — завел Кирюшка.

— И супу! Борща, — подхватил Сережка.

Я вынула пачку пельменей.

— Через пять минут сварятся.

— Фу, гадость!

— Не хочу тесто с жилами!

— Ваще отстой!

— Лампа, ты чем занималась?

— Дома сидела, — соврала я, ставя на огонь кастрюлю.

— И не сварила щи!!!

— Ну... не успела!

— Почему? — гневно воскликнул Кирюшка.

Я не нашлась, что ответить, но тут меня выручила Юлечка.

— Ой, — закричала Сережкина жена, — какая прелесть? Откуда она у нас?

Я обернулась и уронила шумовку, посреди кухни сидела Ириска и чесалась изо всех сил.

— Жутко прикольная! — взвизгнула Лиза.

— Это кошка? — спросил Кирюша.

— Ты чего, — захихикала Лизавета, — так Рейчел и потерпит дома киску, это собака.

— Маленькая какая!

— Порода называется йоркширский терьер, — осторожно сообщила я.

Может, Жанна где-то в доме? Ириска ведь здесь! Наверное, ее хозяйка пошла покурить на лестницу. Хотя маловероятно, когда я пришла, дверь была закрыта. Может, Жанночка отправилась подымить и захлопнулась? Девушка небось потопталась на площадке, замерзла и попросилась временно к соседям! Ага, а куда подевались ее сапожки и куртка?

— Лампудель, — сурово спросил Сережка, — немедленно отвечай, откуда у нас сие блохастое существо?

— У Ириски блох нет, — возмутилась я, — маленьким йоркам положено чесаться!

— Вот так, почти до крови? — прозвучал сзади голос Костина.

— И ты тут? — подпрыгнула я.

— Если не ко двору, могу уйти, — не преминул изобразить из себя обиженного майор.

— Блохи нам ни к чему, — задумчиво протянула Юля.

— Она без паразитов, — стала злиться я, — нежное, крохотное создание. Чем оно вам мешает?

— Приходит Ваня домой из армии, — вдруг заявил Костин.

— Ваня — это кто? — изумилась Лиза.

— Прийти из армии нельзя, — ехидно перебила ее Юля, — можно демобилизоваться.

— Зануда, — сказал Кирюша.

— К нам еще и Ваня явился? — воскликнул Сережка.

— Что вы за люди! — возмутился майор. — Я анекдот рассказываю! Пришел Ваня из армии, а у его Тани трое ребят на лавке. Муж давай орать: «Ты, такая-сякая, изменяла мне!» А жена в ответ: «Вовсе нет, милый! Вон первый, Паша, сидит, — это ты в отпуск приезжал. Вон второй, Коля, — это ты опять в отпуск приезжал». — «А третий откуда? — взревел Ваня. — Меня всего пару раз домой отпускали». — «Он такой маленький, наивный, крохотный, чего ты к нему привязался?» — ответила жена.

— Не смешно, — отрезал Сережка, — откуда йорк? Я отошла к окну.

— Ладно, расскажу правду. Утром я поехала...

Но я не все рассказала, о красном зайце и затее с выходом на сцену промолчала, зато историю с аварией изложила в деталях.

— Интересная песня, — прищурился Костин, — ну, зови сюда девушку, познакомимся.

— Она ушла, — быстро сообщила я, — право, странно, даже «до свидания» не сказала!

— А ты, значит, не слышала стука двери? — ехидно поинтересовался майор.

— Да!

— Чем же так занята была?

— Суп варила, вода на кухне текла, радио играло, вот и...

— И где он? — перебил меня Сережка.

— Кто?

— Суп!

Я растерянно умолкла.

— Отчего сейчас пельмени в кипяток пошвыряла, коли супчик имеется? — откровенно издевательски вопрошал он.

— Э... э... понимаешь... э... Он скис!

— Скис?

— Ага.

— Свежий борщик?

— Ну да, картошка испорченная попалась, — стала выкручиваться я.

— Ай беда!

— Точно, столько времени зря потратила.

— Хватит, — оборвал наш диалог майор, — сейчас объясню, как обстояло дело! Лампа увидела на улице тетку, продававшую за бесценок вот это существо, гордо называемое йоркширтерьером, и не сумела устоять, купила его. Спору нет, пока собачонка выглядит очаровательно, но во что она вырастет?!

— Надеюсь, не станет похожа на Коко из двадцать пятой квартиры, — захихикала Юлечка.

Я вздрогнула. Примерно год назад соседка из нашего подъезда, глупая как пробка Люся, приобрела на Птичке очаровательное крохотное существо, покрытое нежным белым пухом. Зная, что мы опытные собачники, Люська принеслась к нам для консультации.

— Это Коко, — захлебывалась соседка от счастья, — чихуахуа, милая крошка!

Я попыталась объяснить Люське, что Коко похожа на «чхуню», как бегемот на забор, но соседушка обиделась и со словами: «Ты ничего не смыслишь в животных», ушла.

За двенадцать месяцев Коко вымахала до размера пони, весит она около восьмидесяти килограммов, и тощая Люська вполне способна ездить верхом на своей «чихуахуа», но тупая соседка не сдается, каждый раз, сталкиваясь со мной в лифте, она говорит:

— Кока чистопородное животное, просто выросла так от качественного питания, если б ты нормально ела, тоже бы хорошо смотрелась...

— Ириска йорк, — возмутилась я.

— Непонятно кто, да еще с блохами, — стоял на своем Сережка.

— Жанна...

— Лампа, — вздохнула Юлечка, — хватит врать. Мы же тебя не осуждаем! Ясное дело, ты не смогла пройти мимо собачки, вот и взяла ее! Очень даже понятно.

— Но Жанна...

— Лампудель, остановись, — погрозил мне пальцем Костин, — пусть живет, никто ее не обидит.

— Суперская собачка, — кинулась целовать Ириску Лиза.

— Вполне ничего, — одобрил Кирюшка, — берем в семью.

— Она принадлежит Жанне!!!

— У-у-у, — прозвучал хор голосов, — хватит!

— Вы мне не верите! — возмутилась я.

— Нет, конечно, — ответил Костин, — наврала с три короба!

И тут мне в голову пришла замечательная мысль.

— Сейчас принесу красного зайца!

— Кого? — вытаращилась Лизавета.

— Ну не стала я вам в деталях пересказывать эту историю, — оживилась я, — на самом деле Жанну спас красный заяц.

— Охохоюшки, — протянул Сережа, — зайчик-то креативный!

— Да вы послушайте! Косой сидел на автобусной остановке, но сначала он позвонил Жанне...

— Длинноухий сам звонил? — с абсолютно серьезной миной спросил Костин.

— То есть не он, а помреж Саша Коваленко, неизвестно, мужчина это или женщина, он снимает сериал, но его нет!

— Зайца? — уточнила Лиза.

— Кино нету! — стала злиться я.

— Какого? — прищурился Вовка.

— «Загробных тайн», Жанну обманули, вопрос — зачем? А потом позвонили от красного зайца, то есть сказали о нем и про фильм...

— Которого нет? — снова влез Костин.

— Есть!!!

— Но ты же сказала: «Кино нету».

— Я про зайца!

— А-а-а!

— Вы мне не верите, погодите, сейчас я его принесу.

С быстротой таракана я метнулась в гостиную, распахнула дверь и поняла — игрушка исчезла. Жанна забыла Ириску, но плюшевого монстра прихватила с собой. Пришлось мне возвращаться ни с чем.

— И где кролик? — весело поинтересовался Костин.

— Он заяц, — буркнула я.

— Я не знаток живой природы, — фальшиво пригорюнился Вовка. — Всего лишь дилетант, мечтающий увидеть красного представителя семейства...

— Отстань от нее, — велела Юля, — лучше ешь пельмени!

— Эх, жаль, Лампа борщик вылила, — вступил Сережа, — может, он еще и не такой тухлый был.

Лиза и Кирюшка захихикали, Костин сделал вид, что пытается наколоть на вилку скользкий пельмень, а Юля, сердито швырнув в мойку шумовку, рявкнула:

— Ешьте молча, Лампа — тоже человек. Идиотскую историю она выдумала лишь по одной причине, боялась, что мы заорем: «Хватит собак!» Ведь верно, Лампуша?

Я пошла к чайнику. Ладно, господа, не верите мне, и не надо. Тук-тук-тук — донеслось из центра кухни. Я посмотрела в ту сторону, откуда шел звук, несчастная Ириска в ажиотаже теперь чесалась одновременно четырьмя лапами.

— Никогда не видела собаку в подобной позе! — изумилась Лизавета.

— Если бы тебя паразиты жрали, тоже наизнанку вывернулась бы, — засмеялся Кирюшка.

— Дурак!

— Сама дура!

— Смирно, — гаркнул Костин, — есть молча! А ты, Лампа, вместо того чтобы Мюнхгаузеном работать, отвези несчастного зверя в лечебницу, вон, как мучается.

— А собачьи блохи на людей перебираются? — заинтересовалась Лиза.

— Только на девчонок, — мигом отреагировал Кирюша.

— Почему? — удивилась Лизавета.

— У них кровь вкусная, в ней сахара много!

— Идиот!

— Сама идиотка!

— Замолчите! — велела Юля.

— А он первый начал!

— Ты меня идиотом обозвала.

— Как вам не стыдно, — укорил Костин, — скоро жениться пора, а деретесь, как детсадовцы.

— Кто ж Лизку в загс поведет? — скривился Кирюшка. — Противная больно!

— А с тобой даже крыса жить не захочет!

— Лучше уж лягушка, чем ты.

— Вау, нашелся Иван-царевич!

— Кретинка!

— Дебил!

Вечер потек своим чередом. Мирно переругиваясь, дети доели пельмени и убежали к компьютерам. Боже, благослови того, кто придумал Интернет! С тех пор, как мы разорились на два ноутбука, Лиза с Кирюшкой перестали драться постоянно, в Сети у каждого есть свои собственные друзья. В последнее время Лизавета с придыханием говорит о некоем Алексе, студенте пятого курса, а Кирюшка постоянно общается с Зузу, участницей мало кому известной поп-группы.

Костин зевнул и ушел в свою квартиру, Сережка побрел в спальню, Юлечка унеслась в ванную, а я собрала грязные тарелки, запихнула их в посудомоечную машину, потом посмотрела на скребущуюся Ириску, взяла ее на руки и, прижав к себе, тихо сказала:

— Ничего, завтра отыщу Жанну, все ей расскажу, и ты снова встретишься с хозяйкой.

Глава 6

Утром я вскочила рано, быстро выгуляла собак, накормила стаю и позвонила в театр «Лео».

— Вас слушають, — ответил старушечий голос.

— Баба Лена?

— Ну я, а это хто?

— Щепкина, — быстро пришла на ум нужная фамилия.

— Ох, Софья Сергевна, — сладко запела баба Лена, — чтой-то у вас голосок хрипит.

— Мяса мороженого поела.

— Ну и шутница! Чего надоть-то?

— У нас есть адрес Кулаковой?

— Как не быть? В книжке записан.

— А телефон?

— Ясное дело, там же накорябан.

— Говори.

— Чаво?

— Координаты Жанны.

— А вам они к чему?

— Что за неуместное любопытство? — Я изобразила гнев. — Раз требую, значит, надо.

— Хорошо, хорошо, ща пороюсь...

В моем ухе раздалось шуршание, царапанье, чавканье, кашель, потом я услышала относительно членораздельную речь.

— Во, пяшите, у меня чисто как в аптеке...

Я стала быстро черкать ручкой по бумаге.

— Усё, — подвела итог баба Лена, — севодни тихо тута, никово и нетуть. Репетиции не будет, только спектакль, в восемнадцать, напоминаю вам.

— Спасибо, — прошипела я, изображая Щепкину.

— Нема за шо, — незлобиво ответила баба Лена и отсоединилась.

Я схватила куртку, ключи от машины и выбежала во двор. Оказывается, Жанна живет совсем недалеко от нас.

Дома Кулаковой не оказалось, я тщетно жала на звонок, никто не спешил крикнуть из квартиры: «Кто там?» Простояв бесцельно под дверью около четверти часа, я попыталась соединиться с Жанной по телефону и услышала равнодушно-вежливое: «Абонент временно недоступен».

Жанна дала номер мобильного телефона. Решив не сдаваться, я толкнулась к соседям, хотела поинтересоваться у них, не видели ли они Жанну, но в квартирах справа и слева никого не было, да и понятно почему, нормальные москвичи в десять утра уже тоскуют на службе. Есть, конечно, отдельные счастливые категории граждан, спокойно спящих сейчас под теплыми одеяльцами, но соседи Кулаковой оказались из разряда несчастных работяг.

В подъезде пятиэтажки не было консьержки, плохая погода прогнала с лавочки у дверей местных сплетниц, и никто из молодых матерей не гулял с коляской. Посплетничать о Жанне было решительно не с кем!

Признав свое сокрушительное поражение, я вернулась домой, выпила три чашки кофе и решила собрать информацию в театре. Баба Лена сообщила, что репетиции сегодня нет, а спектакль начнется в шесть вечера. Значит, являюсь в «Лео» около четырех, благо, повод имеется, Батурин вчера предложил мне место гримера, и осторожно порасспрашиваю народ. Кстати! Вдруг Жанна заявится на работу, и проблема решится сама собой!

С пола донесся мерный стук, несчастная Ириска продолжала чесаться. Я взяла собачку, завернула ее в шерстяной платок и сказала:

— Ладно, есть время свозить тебя к ветеринару, пусть пропишет лекарство.

Сунув постоянно вздрагивающую Ириску за пазуху, я вышла на улицу, посмотрела на бешено несущийся снег, сугробы, на еле-еле двигающиеся машины и решила ехать на метро.

В ветеринарной клинике не было очереди, и я сразу попала на прием. Толстый добродушный ветеринар, чей халат был украшен беджиком «Самойлов Олег», спросил:

— На что жалуетесь?

— Блохи нас съели, — ответила я, — странно, откуда они в мороз.

— Ничего непонятного, — отреагировал Олег, — блохи зимуют спокойно у вас в квартире, в ковре кайфуют, на диване, надо дезинфекцию сделать. Сажайте крошку на стол. Так-так... дас-с... это не блохи!

— А кто?

— Похоже на чесотку, — протянул доктор, — надо сделать соскоб и анализ крови. У нас компьютер, результат выдаст сразу.

— Классно, — обрадовалась я, — начинайте.

Спустя четверть часа Самойлов снова позвал нас в кабинет.

— Чесотка, стопроцентно.

— Это лечится?

— Жить будет, а летать нет.

— Вы о чем?

Олег улыбнулся:

— Извините, дурацкая шутка. Естественно, лечится.

— Вот здорово, — обрадовалась я, — а то у нас дома другие собаки есть, я боялась, что они блох подцепят.

Самойлов почесал затылок.

— Чесотка очень заразна.

— Да?

— Кто у вас еще живет?

— Четыре мопса, стаф и двортерьер.

— Всех следует обработать препаратом «Брикс»[1], купите в аптеке. Людям надо...

— А мы тут при чем?

Олег снова почесался, на этот раз в районе груди.

— Чесотка крайне легко переходит на человека.

— Ой!

— Достаточно разок погладить больное животное.

— Мама!

Доктор поскребся под подбородком, у меня вдруг зазудело за ушами.

— Вот видите, — резюмировал Олег, — кажется, уже подцепили!

Ириска затрясла левой задней лапой, потом правой, затем свалилась на бок и принялась орудовать всеми четырьмя конечностями.

— Давно у вас собака? — осведомился Самойлов, яростно роясь пальцами в волосах.

— Вчера появилась, — ответила я, ощущая немыслимый зуд в спине.

— Попадаются недобросовестные заводчики, — поежился ветеринар, — готовы больное животное всучить, лишь бы денег срубить. Вот вам рецепты, я тут все написал: пледы, подушки, ковры обработать. Кстати, в отношении игрушек, у ваших животных они есть?

---

[1] Лекарства «Брикс» не существует, чесотку успешно лечат разными средствами, но без консультации врача их применять нельзя.

— Да штук тридцать по всей квартире расшвыряны.

— Понимаете, — загудел Олег, не переставая раздирать ногтями кожу на шее, — вещи следует обрабатывать так: сложить каждый предмет в мешок для мусора, напшикать из баллончика лекарство, быстро завязать горловину и выставить на мороз, через полчаса паразиты—возбудители чесотки погибнут. С игрушками сложнее.

— Их тоже свалить в пакет?

— Нет, нельзя, — покачал головой врач, — в игрушках много всяких выпуклостей и швов, где прячутся клещи. Вообще говоря, следует поступить иначе. Вы, простите, про презервативы слышали?

— Да, — слегка покраснела я, — естественно.

— Приобретите в аптеке суперпрочные, — спокойно пояснил ветеринар, — всуньте игрушки внутрь, обработайте спреем — и на балкон. Резина очень плотно облегает всякие там мячики, косточки и фигурки. Понятно?

— Ага, — кивнула я, взяла дергающуюся Ириску и порысила к метро.

Пока мы с собачкой добрались до аптеки, я почти потеряла сознание от зуда, чесалось все, безостановочно.

Как назло, у прилавка змеилась очередь, я пристроилась в хвост, прижалась спиной к витрине и стала осторожно елозить по стеклу. Товар отпускала медлительная девица, двигавшаяся от шкафчика к шкафчику со скоростью беременного ленивца. Я пыталась прекратить почесываться, но это оказалось выше моих сил.

— Мамочка, — звонким голоском сказала девочка, стоявшая около меня, — смотри, какая собачка.

— Очень милая, — улыбнулась молодая симпатичная женщина, почти навалившаяся мне на плечо.

— Ой, она трясется.

— Заболела бедняжка, ей сейчас лекарство купят.

— Ой, и тетя дергается.

— Машенька, — напряглась мать, — отойди подальше, тете тоже нездоровится.

— Хочу погладить собачку!

— Она кусается, — соврала я.

Мамаша схватила девочку за руку и переставила за себя.

— Что вам надо? — спросила у меня провизор.

— Презервативы есть? — смущенно поинтересовалась я.

— Да, какие вам нужны?

— Самые прочные.

— Для анального секса?

Очередь с огромным интересом уставилась на меня.

— Так для анального секса? — громко повторила фармацевт.

— Ага, — еле выдавила я из себя.

— Сколько?

— Тридцать штук!

Парень, стоявший за Машей и ее мамой, присвистнул, а потом с легкой завистью заявил:

— Приятный вечерок намечается.

Я хотела было сказать, что приобретаю изделия № 2 не для себя, но решила не оправдываться перед незнакомым юношей. В конце концов, мы теперь живем в свободной стране, и кому какое дело до чужих пристрастий?

— Мама, а что такое анальный секс? — оживилась Маша.

— Кошечка, — засуетилась мать, — ступай к другому прилавку, купи себе гематоген!

Весело подпрыгивая, девочка удалилась.

— Безобразие, что вы себе позволяете, — зашипела мамаша, — при детях!

Я вжала голову в плечи, поджидая, пока провизор-тормоз закончит рыться в ящичках.

— Так она в аптеке презервативы просит, а не в школе, — вступился за меня парень.

— Отвратительно, — мигом ожила стоявшая позади старуха, — подобную продукцию надо продавать после одиннадцати вечера, в специально отведенных местах. Сделать в городе одну точку, и хватит, пусть развратники туда стекаются.

— Вы, мамаша, сами деток имеете? — вступил в разговор мужчина с портфелем.

— А как же, — с достоинством ответила бабка, — двоих воспитала, в люди вышли, теперь вот с внуками нянчусь.

— Вы в капусте наследников нашли?

Старушка захлопала глазами.

— Или аист их принес? — подхватил парень.

Бабка стала медленно превращаться в свеклу.

— Вы о чем?

— Сама хороша была, — хором ответили мужчина и юноша.

— Да я лишь с законным мужем! — заорала бабка. — Всего-то пару раз и случилось.

Из очереди донеслось хихиканье.

— Бедный дедушка, — сказал чей-то молодой голос.

— Вот ваши презервативы! — гаркнула фармацевт.

— Еще препарат «Брикс», — проблеяла я.

— От вшей, блох или клопов? — проорала провизор.

— Нельзя ли потише? — взмолилась я и стала чесаться.

Очередь шарахнулась назад, между мною и мамой Маши образовалось свободное пространство.

— Вши, блохи или клопы?

— Э... э... чесотка.

— Пойдем домой, Машенька! — заорала женщина.

— И мне недосуг, — юркнул к двери парень.

— Есть комплексное средство от кожных паразитов! — визжала провизор.

Не говоря ни слова, старушонка метнулась к выходу, за ней быстрым шагом устремились остальные покупатели, остался лишь дядька с портфелем.

— Давайте, — быстро согласилась я, — еще спрей для обработки одежды и мебели.

Провизорша начала почесывать нос, потом ухо, подбородок, затем повернула голову в сторону служебного помещения и завопила так, что на прилавке зазвякали пузырьки:

— Анна Ивановна!!!

Из глубин аптеки высунулась растрепанная старушка.

— Что случилось?

— Вытрите прилавок и вымойте пол в зале, к нам пришел чесоточный покупатель!

Дядька с портфелем начал скрести шею, потом полез рукой за пазуху, затем отступил к двери и одним прыжком исчез на улице.

— Почему вы так вопите? — возмутилась я.

— Кто вопит? — удивилась продавщица, яростно ковыряя макушку. — Забирайте дезинфекцию, соблюдайте инструкцию, там все четко указано.

Притащив домой большой мешок, набитый баллончиками и тюбиками, я посмотрела на часы и решила быстренько произвести санобработку. Если честно, крохотная, симпатичная Ириска понравилась мне безумно, да и я пришлась собачке по душе, всю дорогу она лизала мою руку и тыкалась в ладонь холодным носом.

Мопсы встретили нас счастливым лаем, я осторожно посадила Ириску на пол, та незамедлительно заработала лапами. Муля понюхала новую подругу, села рядом и тоже затрясла нижней конечностью, дальше, как по команде, то же самое сделали сначала Феня, потом Ада, Капа, за ними Рейчел, лишь Рамик не принял участия в общей забаве, отошел в сторонку, сел у окна и с интересом принялся наблюдать за подругами. Я оцепенела, похоже, зараза распростаняется со скоростью тайфуна. В ту же секунду у меня засвербило между лопатками. Извиваясь как змея, я попыталась дотянуться до нужного места, потерпела неудачу, и сообразила, как нужно действовать. Прижалась спиной к косяку двери и стала сладострастно елозить позвоночником по выступающему углу. Некоторое время в кухне царила полнейшая тишина, прерываемая лишь моими счастливыми стонами и сопением мопсих. Потом мне стало смешно, право, изумительная компания, хозяйка, словно свинка у забора, а собачки ей под стать.

Огромным усилием воли отлепившись от косяка, я воскликнула:

— Сейчас живо избавимся от почесухи, времени мало, нужно торопиться!

Я схватилась за мешок с баллончиками, и через час на нашем балконе выстроились в ряд пластиковые пакеты, набитые пледами, подушками и всякими тряпками. Тяжелее всего пришлось с игрушками, каждую требовалось впихнуть в презерватив, но я была полна желания раз и навсегда избавиться от гадких клещей и четко выполнила все указания ветеринара, не забывая при этом смотреть в инструкцию.

Слегка устав, я выпила чашечку кофе и принялась за собак. Жидкость, которую следовало втирать в их кожу, оказалась маслянистой. И потом, владельцы так называемых гладкошерстных псов меня поймут, как дорыться у этих собак до голой шкуры? Крепкие короткие волоски покрывают тело мопсов, словно панцирь, и я окончательно измучилась, поливая Мулю, Феню, Капу, Аду и Рейчел дезинфекцией. В результате все члены стаи превратились в жирные, масленые оладьи, а Ириска и Рамик походили на грязных баранов, с их спин теперь свисали «сосульки».

— Да уж, — вздохнула я, обозрев результат своего поистине титанического труда. — Эй, Ада, не лижи Мулю! Феня, отойди от Капы.

Куда там, никто не собирался меня слушать, собаки очень хотели как можно быстрее «умыть» друг друга, но ведь на упаковке лекарства стояло четкое предупреждение: «Ядовито. Использовать как наружное средство».

Поколебавшись секунду, я нашла выход из положения. Аду запихнула в комнату к Кирюше, Мулю поместила к Лизе, Рейчел — к Сережке и Юлечке, Феню заперла в гостиной, Капу на кухне, Рамика втолкнула в Катину спальню, а Ириску оттащила к себе. Все двери у нас открываются внутрь комнат, поэтому псы были лишены возможности самостоятельно выбраться из них.

Придя в восторг от собственной сообразительности, я схватила ведро, бросила в воду большую таблетку из упаковки с надписью: «Киллер» — и начала безостановочно чихать. От получившегося раствора интенсивно пахло какой-то гадостью. Но делать нечего, я опустила в жидкость тряпку, но впопыхах забыла надеть резиновые перчатки и, закончив мытье полов, насторожилась: кисти рук стали красными и шершавыми. Я пошла было в ванную за кремом, но тут увидела часы и ахнула, с ума сойти, мне давно следовало быть в театре.

Забыв про крем, я натянула куртку, всунула ноги в сапоги и понеслась к метро, на ходу обдумывая линию поведения.

Баба Лена сидела на своем же месте, уткнув нос в журнал.

— Вы куда? — прогудела она.

— К Батурину, — ответила я.

— Зачем?

— На работу наниматься.

Старушка подняла голову, в ее глазах мелькнул неприкрытый испуг.

— Кем?

— Актрисой, — улыбнулась я.

Баба Лена отложила журнал.

— Не ври-ка! А то я не знаю, как девки выглядят, говори правду, вторым вахтером посадить тебя хотять? Ты лучше сразу уходи! Служба собачья, все вокруг шнырь-шнырь, оруть и визжать. Ни сна ни отдыха, один гундеж, голова потом раскалывается. Зарплата — кот чихнул, я тут почему сижу? Мине два оклада дають, а тебе половину отсыпять...

— Не волнуйтесь, — решила я утешить бабушку, — на ваше место я не претендую, в гримеры нанимаюсь.

— А-а-а, — протянула бабулька, — ступай во вторую комнату, там Батурин сидит — горюет.

— Что-то случилось? — решила я разговорить бабку, но та уже уткнулась в глянцевое издание, забыв обо всем на свете.

Глава 7

Юлий и впрямь выглядел не лучшим образом, под глазами у него темнели круги, верхние веки опухли, под нижними появились «мешки».

— Пришла? — хмуро спросил он.

Я кивнула.

— Готова работать?

— Конечно.

— Документы.

Я положила перед Батуриным паспорт и диплом консерватории.

— А где трудовая книжка и свидетельство об окончании курсов визажистов-гримеров?

— Ой, простите, завтра принесу.

— Ладно, — вдруг подобрел Батурин, — можешь

начинать. Условия царские — работаешь каждый день, выходной один, плавающий, оклад семьсот рублей.

— Сколько?!!

Юлий улыбнулся:

— Сказал же, райское место! Целых семь сотен за ерунду, лучше службы не найти. Кстати, в буфете скидка и в твои ящики с косметикой никто не лезет, закупай что надо за наш счет. Согласна?

Если бы я на самом деле решила устроиться визажистом, то моментально унеслась бы прочь из «Лео» с его «царскими» условиями. Работать шесть дней в неделю за семьсот рублей в месяц! Ну и ну! Теперь понятно, отчего в театре дефицит гримеров.

— Так как? — весьма недовольно поторопил меня Юлий. — Да — да, нет — нет, поживей определяйся.

— Большое спасибо, я согласна.

Юлий хлопнул кулаком по столу.

— Пиши заявление, заполняй анкету и дуй в девятую комнату, там Галя сидит, завцехом бутафории и реквизита, поступаешь под ее начало.

Галя оказалась женщиной необъятной толщины.

— Хорошо бы ты у нас до лета проработала, — одышливо просопела она.

— Так до июня всего ничего осталось, — улыбнулась я.

Галя вздохнула, окинула меня настороженным взглядом и поинтересовалась:

— И где ты служила?

— На радио, — брякнула я, — «Бум» называется, там руководство сменилось, нас вон выгнали и новых сотрудников набрали.

— Ладно, — кивнула Галя, совершенно не удивившись тому, что на радиостанции потребовался специалист по макияжу, — на своем работать будешь?

— Вы о чем?

— Косметику принесла?

— Нет.

— Ну тогда бери вон тот чемоданчик и ступай к Щепкиной, — неожиданно весело улыбнулась Галя, — у нас по штату три гримера, реально есть одна Олеся, теперь еще ты. Наши актеры в основном сами справляются, но бывает грим сложный, как в пьесе «Собака — вождь», вообще чума! И, кроме того, есть дамы, не желающие лично прикасаться к краскам. Значит, тебе работать со Щепкиной! Сейчас шлепай к Софье, да будь осторожна.

— В каком смысле? — поинтересовалась я, взяв обшарпанный, довольно тяжелый чемоданчик.

— Если не хочешь, чтобы завтра о тебе весь театр судачил, ничего ей о себе не рассказывай, — улыбнулась Галина, — упаси бог хоть слово о семье сказать, пожалеешь потом, да поздно! Ясно?

Я кивнула и отправилась на поиски примы.

Софья, одетая в ярко-красное, расшитое золотом платье, сидела на стуле перед большим зеркалом.

— Вы кто? — недовольно сморщилась она, увидав меня на пороге. — Что за бесцеремонность? Отчего без стука врываетесь?

— Извините, я только что принята на работу гримершей, еще всех порядков не знаю, — потупилась я.

Щепкина закатила глаза.

— О боже, снова новенькая.

— Да, простите.

— Надоело до смерти!

— Понимаю.

— Ну сколько можно сотрудников менять!

— Верно.

— Опять вам все объяснять надо!

— Право, я не виновата.

Софья сказала:

— Ладно, потом убью Батурина. Давайте знакомиться — Щепкина, родственница того самого Щепкина, Михаила Семеновича, отца российского театра! Слышала, надеюсь, это прославленное имя?

Я закивала.

— Конечно, конечно.

— Ника Оболенская будет вам говорить, что является потомком известных князей, не верьте ей. Фамилия Ники в девичестве Крошкина, Оболенской она по первому мужу стала, нет в ней благородной крови, а вот во мне гены великого трагика, талант в нашей семье переходит по наследству. Чего стоишь столбом? Начинай причесывать и гримировать, не хлопай глазами. Знаешь, какой спектакль сегодня?

— Нет, — проблеяла я.

— «Анна Фифаль», поняла?

— Э... э... ну... в общем!

Щепкина схватилась тощими ручонками за виски.

— О боги! «Анна Фифаль» — пьеса, рассказывающая о жизни Анны Фифаль. Усекла?

— Да.

— Я играю ее младшую сестру, женщину тридцати лет, я никогда не скрывала своего возраста, честно признаюсь, мне двадцать восемь, поэтому особого грима не понадобится.

Я подавила смешок, кажется, вчера сия мадам называла иную цифру, вроде речь шла о тридцати двух годах.

— Ну, приступай, — заерзала на стуле Софья.

И тут только до меня дошло: сейчас придется гримировать актрису! Но я не умею делать ничего подобного!

— Впрочем, сначала причеши парик, — велела Софья, — а я пока покурю. Ты не против поболтать?

— А где парик? — спросила я.

— Так на болване, — ткнула рукой в сторону подоконника Щепкина и добавила: — Где-то я тебя встречала... Лицо знакомое!

Я подошла к окну, сняла парик с подставки, схватила расческу и, кое-как приглаживая пряди, ответила:

— Я сидела в гримерке вчера, у Жанны, а вы туда зашли.

Глаза Софьи вспыхнули огнем.

— Значит, знаешь, что у нас случилось?

— Актриса на сцене умерла, — промямлила я, — говорят, сердечный приступ!

Софья заломила руки.

— Сейчас все объясню! Только скажи: ты знакома с Жанной?

— Мы в одном подъезде живем, — соврала я.

— Ага, — подпрыгнула Щепкина, — сейчас про твою соседушку такое тебе сообщу! Она ведь не замужем!

— Точно не знаю.

— Я не спрашиваю, а уточняю: супруга у Жанки нет! Да хватит волосы драть, лучше посиди покури и меня послушай!

Из накрашенного ротика Софьи Сергеевны потоком полились сплетни, я села на квадратную табуретку и превратилась в огромное ухо. Надо же, как мне феерически повезло, Софья относится к породе самозабвенных сплетниц, которым жизненно необходим молча внимающий им индивидуум. От слушателя даже не требуется реакции, любое словечко, оброненное им, обозлит Щепкину до полусмерти, тут главное — кивать и изредка произносить нечто типа:

— Да ну? Не может быть! Вот так ситуация!

Появившись в театре, Жанна, по словам Щепкиной, сразу попыталась отвоевать себе место под солнцем. Но не тут-то было, в «Лео» существуют две враждующие группировки, одна, под руководством Софьи Сергеевны, терпеть не может главного режиссера Валерия Арнольского, другая, где предводительствует Ника Оболенская, ненавидит директора, Юлию Батурина. Только не подумайте, что за кулисами идет война с применением оружия. Нет, все очень красиво, члены коллектива мило улыбаются друг другу, чмокают в щечку, говорят комплименты, но втихаря гадят коллегам в меру фантазии. Шуточки случаются разные.

То в чашку, из которой по ходу действия должна пить героиня, вместо воды нальют чистый лимонный сок, то поменяют обувь или испачкают костюм. Один раз Лену Ромину заперли в гримерке, и она опоздала на выход. Мелочь, конечно, но радует душу.

Впрочем, делались и более крупные пакости. Очередная постановка Валерия Арнольского была в пух и прах разнесена в газетах критиком Федором Тарасовым. Ника Оболенская подозревала, что борзописцу заплатила Щепкина, но как доказать сей факт? В общем, не зря иногда театральные коллективы называют клубком целующихся змей.

Жанна по наивности не разобралась в ситуации, она проработала в труппе всего месяц, когда Арнольский начал распределять роли в новой постановке. Семнадцатилетнюю главную героиню предстояло сыграть Щепкиной, ее двадцатилетнюю подружку — Нике Оболенской, которой, мягко говоря, за сорок, а Жанночке досталась тетушка шестидесяти лет, выходящая на сцену в самом конце спектакля. Кулаковой по роли следовало помахать платком и трагически воскликнуть:

— Уехали.

Все, занавес! Жанна дождалась конца заседания и побежала к Арнольскому.

— Право смешно мне изображать старуху, — с жаром заявила глупышка, — пусть уж ее Оболенская сыграет, ей как раз по возрасту!

Этот идиотский поступок можно объяснить лишь крайней наивностью Кулаковой и ее страстным желанием исполнить одну из главных ролей в спектакле.

Жанна и не подозревала о том, что Ника Оболенская одно время жила с Арнольским и, разойдясь с ним, сохранила с режиссером великолепные отношения. Именно по этой причине Нике до сих пор доставались самые выгодные роли.

— У вас, деточка, нет должного опыта, — нахмурился Арнольский, — нужно сначала проявить себя на небольших выходах.

— Но я по возрасту больше подхожу, — не успокаивалась Жанна, — ладно, могу попытаться сыграть то, что вы предложили Софье Сергеевне.

Арнольский вздернул брови, а потом выставил нахалку из кабинета. Естественно, режиссер сообщил о разговоре Нике, а та разболтала подробности Соне. Хоть Щепкина с Оболенской и ненавидят друг друга, в некоторые моменты дамы объединяются, и тогда тому, против которого они собрались дружить, следует быстро заказывать венок на собственные похороны.

В результате Жанне объявил бойкот почти весь коллектив, ей делали пакости с особым удовольствием и «щепкинские», и «оболенские». Единственной актрисой, с которой у Жанны неожиданно сложились очень хорошие отношения, была Тина Бурская. Она по непонятной причине взяла Жанночку под крыло, всячески демонстрировала свою любовь к ней, и именно из-за этой дружбы Кулакову держали в театре. Дело в том, что супруг Бурской, очень богатый человек, являлся щедрым спонсором «Лео», и ни Арнольский, ни Батурин не хотели ссориться с меценатом. Тина мигом показала зубы директору и режиссеру, когда те надумали избавиться от Жанны.

Распределяя роли в очередном спектакле, Арнольский демонстративно не заметил Кулакову, ей не досталось даже крохотного прохода. На следующий день Тина вошла в кабинет к главрежу и, закатив глазки, простонала:

— О-о-о, Валерий, у Семена Петровича сейчас

трудно с деньгами, он никак не может помочь нам с оплатой декораций.

— Да? — расстроился Арнольский. — Вот беда-то!

— А я собралась на недельку в Эмираты скатать, — продолжала Бурская, — можно?

— Тебе — что угодно, дорогая.

— Отлично, отпусти заодно и Жанну.

— Кулакову? Но зачем?

— Мы же подруги, — засмеялась Тина, — ты разве не знал? Жанночка вчера так расстроилась, что ей роли не досталось! Весь вечер у нас в гостиной плакала, вот Семен и предложил: «Езжайте, девочки, развлекитесь, а пьесы еще будут».

Валерий усвоил урок, Жанна получила свой выход, а Семен Петрович оплатил декорации. Пришлось и Софье с Никой поджать хвосты, Бурская существовала в театре на особом положении, с ней следовало находиться в хороших отношениях.

Щепкина остановилась, схватила пачку сигарет и спросила:

— Понятно?

— Да-да, — закивала я.

— Так это еще не все! — азартно воскликнула сплетница. — Конечно, муж Бурской — набитый золотом мешок, все у него есть: загородный дом, машина, счет в банке. Ну за каким чертом Вальке при полном отсутствии таланта требовалась сцена? Сидела бы на своей Рублево-Успенской дороге спокойно! Нет, тянуло ее в театр! И еще: у Вальки был любовник.

— Да ну?

— Точно. Павел Закревский.

— Тоже артист?

— Ха-ха! Нет! Стилист. Якобы. А на самом деле альфонс, Павлик по богатым бабам отирается.

Я снова замерла на табуретке. Никакой шокирующей информации Щепкина мне не сообщила. Во все времена при богатых не очень молодых дамах существовали мальчики. Не надо думать, что жиголо — явление только нашего времени. Я очень хорошо помню, как мы с мамочкой, прогуливаясь по фойе Большого театра, налетели на певицу Раскину, шестидесятилетнюю особу в ярко-красном, слишком обтягивающем ее пышные формы костюме.

Дива бросилась целовать маму, я деликатно стояла в стороне, а чуть поодаль от Раскиной топтался юноша лет двадцати. Я решила, что это сын примы, и вежливо улыбнулась ему, но парень вдруг резко повернулся ко мне спиной. Сочтя юного Раскина крайне плохо воспитанным человеком, я стала смотреть на маму, которой наконец-то удалось вырваться из крепких объятий певички.

— Знакомьтесь, — воскликнула мама, — это Фросенька.

— Боже, — густым меццо-сопрано воскликнула Раскина, — как выросла ваша дочь!

Своего сына, однако, она нам не представила. Заняв кресло в ложе, я не утерпела и сказала маме:

— У этой Раскиной совершенно неотесанный сын, отвернулся от меня букой, надулся. Ни слова не сказал, даже если я ему столь не понравилась, следовало все же хоть изобразить хорошую мину.

Щеки мамули порозовели.

— Мальчик не сын певицы.

— А кто?

— Секретарь.

— Зачем он ей?

Мама закашлялась, а потом сказала:

— Раскина много гастролирует, не может же она сама договариваться о всяких мелочах.

Я сочла это объяснение исчерпывающим, но на следующий день, явившись в консерваторию, рассказала о неучтивом парне своей одногруппнице Любе Калашниковой. Та, тихо хихикая, ответила:

— Секретарь! Как бы не так! Ты, Фроська, просто

первый день творения! Спит он с Раскиной, она его кормит, поит, одевает, в общем, содержит в обмен на сама понимаешь что. С Раскиной вечно альфонс таскается, когда надоест, она его меняет, нового заводит, недостатка в претендентах нет.

Поэтому история, услышанная сейчас от Щепкиной, меня совершенно не удивила. Тина Бурская держала около себя Павлика, очевидно, занятый по горло Семен Петрович не уделял жене должного внимания, вот та и завела кавалера. Павел, по словам Щепкиной, прибыл в Москву неизвестно откуда с желанием открыть в столице салон красоты. Скоро провинциальный мальчик понял, что денег у него на подобное заведение нет, а работать на чужого дядю он не хотел. Каким-то образом симпатичный паренек ухитрился попасть на вечеринку, где собрались звезды театра и шоу-бизнеса, там его и подобрала Тина. Она купила кавалеру квартиру, машину и стала усиленно рекомендовать юношу знакомым. Похоже, Бурская не на шутку влюбилась в Павла, потому что таскала его везде с собой, абсолютно не стесняясь, обнималась с ним, всячески демонстрируя присутствующим: сей котик мой! Непонятно, почему до Семена Петровича не доползли слухи о том, что он уже давно украшен ветвистыми рогами. Тина и Павлик не скрывались, вместе уезжали после спектакля, вызывая у Ники и Софьи приступы злобы. Не надо думать, что Щепкина и Оболенская вели аскетический образ жизни, но откровенная похотливость Бурской их бесила, в конце концов, следует соблюдать приличия.

Глава 8

Потом Бурская подружилась с Жанной, и театр замер в предвкушении конфликта, всем сразу стало понятно: Павлик нравится Кулаковой. Пара Бурская—Закревский превратилась в трио. Две женщины, одна — зрелая, богатая, другая — молодая, красивая и бедная, появлялись под ручку со стилистом, одетым с цыганским шиком. Закревский обожал белые костюмы, золотые цепи, элитный парфюм и спортивные машины.

— Совсем офигела, — удивлялись в театре одни, — ладно, парня содержит, но Кулакова ей зачем?

— Шведская семья у них, — ухмылялись другие, — чего непонятного, всем хорошо.

Щепкина придерживалась второго мнения, но неделю назад ей стало ясно: не все так просто.

В прошлый понедельник Софья Сергеевна задержалась на работе. Сначала у нее лопнули колготки и пришлось ждать, пока шофер привезет из магазина новую пару, а когда она их надела, выяснилось, что автомобиль сломался.

Отметелив шофера, Соня упала на диван, стоявший за ширмой, накрылась пледом и, приказав: «Как только исправят машину, позвоните», приготовилась заснуть.

Но в тот день все шло через пень-колоду. Не успела Соня задремать, как резкий голос Жанны сказал:

— Здесь пусто.

Щепкина хотела возмущенно крикнуть из-за ширмы: «Зачем ты пришла в мою гримерку?» — но тут раздался сладкий тенорок Павлика:

— Да? А где Сонька?

— Она давно ушла.

— Точно?

— Конечно, что ей тут делать. Входи, хоть здесь спокойно поговорим.

Софья Сергеевна замерла от любопытства, а парочка, убедившись в отсутствии посторонних, расслабилась.

— Я люблю тебя! — воскликнула Жанна.

— И я тебя, дорогая, — ответил Павел.

— И сколько нам ждать?

— Сама знаешь, мы не властны над ситуацией!

— Боже, какая она собственница!

— Это слишком резко.

— Не отпускает тебя.

— Ну, ее тоже можно понять.

— Нет, собака на сене, и сама не «ам» и другим не дам.

— Жанна!!!

— Что? Не нравится?

— Не очень! Она для меня столько сделала.

— Она тебя почти уничтожила.

— Не понял!

— Дурачок, — зашептала Жанна, — ты бы уже давно сумел подняться, создал бы себе имя, а так... Таскаешься за ней по тусовкам, и все.

— Тина мне клиентов находит!

— Фу! Она тебя при себе держит, отпустить боится, пойми, Тиночка эгоистка. Хороша любовь! Где она раньше была? А-а-а! Вспомни все. Мерзавка!

— Неправда, — мягко сказал Павлик, — и потом, кто прошлое помянет, тому глаз вон. Тина столько для меня сделала!

— Что именно?

— Ну... квартиру.

— Ты всерьез?

— Конечно.

— Это малая толика!

— Но не все, согласись, делают такие подарки!

— Почему она не купила тебе салон?

— Ну...

— Не мямли!

— Это же очень дорого!

— Сам знаешь, какие у нее деньги!

— Все равно, я не имею права ничего требовать.

— Ошибаешься!

— В чем?

— Знаешь, отчего Тина тебе дело не приобрела?

Она боится, что ты встанешь на ноги, будешь самостоятельным, начнешь зарабатывать и в конце концов сделаешь ей ручкой! Тине выгодно иметь тебя возле себя как собачку на длинном поводке, она боится, что ты осмелеешь, заговоришь, и что тогда?

— Сейчас в тебе говорит злоба. Хотя Тина действительно боится потерять меня, и это понятно.

— Может, и так, — прошептала Жанна, — но я люблю тебя, поцелуй меня.

Воцарилась тишина, потом Павлик воскликнул:

— Все устаканится.

— Когда? — безнадежно спросила Жанна.

— Скоро.

— Когда? — настаивала на четком ответе девушка.

— Ну... может, через год.

— С ума сойти! Хочешь знать правду?

— Какую? — осторожно осведомился Павел.

— Истинную, — выдохнула Жанна, — ту, о которой ты совершенно не хочешь слышать? Мы всегда с тобой будем прятаться и ходить хвостом при Тине, она ловко нас прищучила. Если я поругаюсь с ней, меня из театра выпрут, а уж о тебе я и вовсе молчу, хотя ты в отличие от меня можешь потребовать...

— Не могу.

— Можешь!

— Не могу.

— Трус.

— Нет, просто я люблю Тину.

— А меня?

— И тебя.

— Что же нам делать?

— Ждать.

— Чего?

— Не знаю, — растерянно ответил Павлик.

В этот момент затаившая дыхание Щепкина пошевелила затекшей ногой. В комнате стало очень тихо, потом Жанна прошептала:

— Ты за ширмой смотрел?

— Нет, — еле слышно ответил Закревский.

— Глянь, там кто-то есть.

— Не может быть.

— Там шуршат, господи, мы пропали.

Соня услышала осторожные шаги, моментально свернулась в клубочек и натянула себе на голову одеяло.

— Успокойся, здесь никого нет, — сказал Павлик.

— А это что?

— Плед скомканный.

— Кто-то тут возился!

— Наверное, мыши.

— Фу!

— Ерунда, поехали отсюда!

— Куда?

— Возьмем Тину...

— Опять! Мы не можем никуда пойти вдвоем!

— Тина...

— Ты только о ней думаешь?

— Как же иначе!

— Все, уходи!

— Не злись.

— Убирайся.

— Ладно, — спокойно ответил Павлик, — остынешь — позвони.

Послышался легкий скрип, потом стук, альфонс удалился.

До слуха Сони донеслись тихие рыдания, шелест и вскрик, полный тоски и боли:

— Тина, я убью тебя, непременно убью, отравлю. Хватит мучить нас!

В голосе Жанны было столько страсти, что Соня опять забилась под одеяло с головой, мягкие ворсинки полезли в нос, Щепкина неожиданно чихнула и испугалась. Ей совсем не хотелось объясняться с Кулаковой, но из-за ширмы не доносилось ни звука. Софья

Сергеевна помедлила немного, потом осторожно слезла с дивана, на цыпочках подошла к ширме и выглянула из-за нее.

В гримерке было пусто, очевидно, выплеснув злобу и гнев, Жанна ушла, она не услышала чиханья и не поняла, что ее беседа с Павликом стала достоянием чужих ушей.

— Ну и как тебе эта история? — поинтересовалась Щепкина.

— Очень интересно, — промямлила я, — вы уже рассказали ее в милиции?

— Конечно, — с горящим взором сказала Софья, — ее ищут.

— Кого?

— Жанну.

— И вы уверены, что это Кулакова отравила Бурскую?

— Сомнений нет, они мужика не поделили, — кивнула Софья, — обычное, скажу тебе, дело, ничего оригинального, почти все пьесы о ревности и смерти, вот хотя бы Шекспир!

— А вдруг Жанна ни при чем?

Щепкина засмеялась:

— Ее весь зал видел, когда она приперла воду.

— Может, это не она на сцену выходила.

Софья Сергеевна ухмыльнулась:

— А кто?

— Насколько я знаю, все участники спектакля в масках?

— Абсолютно справедливо.

— Может, какая-то женщина, переодевшись...

Софья согнулась от смеха.

— Душечка, ты фантазерка. Это же театр! Постороннему человеку на сцену не попасть. И потом, он растеряется, не сумеет правильно выйти, споткнется. Вспомни, Жанну видело много народа.

— Но лицо-то ее было прикрыто маской!

Софья Сергеевна сказала:

— Знаешь, у Жанны такие идиотские, мелкокудрявые волосы, что ее трудно не узнать. Хватит болтать, давай начинай.

Я глубоко вздохнула, расправила парик и с большим трудом нахлобучила его на голову Щепкиной.

— Эй, поосторожней, — завозмущалась актриса.

Я перевела дух, кажется, получилось.

— Теперь подклей.

Я в недоумении уставилась на Софью, что она имеет в виду?

— Приклей вот здесь на висках, сползет, — стала вскипать Щепкина, — ты всегда такая медлительная?

— Ой, простите, я сейчас, — засуетилась я, оглядываясь по сторонам.

Взгляд упал на маленький тюбик с надписью «Клей» в чемоданчике. Обрадовавшись, я схватила тубу и принялась приклеивать фальшивые волосы к коже Щепкиной.

— Ну ничего, — с легким неодобрением отметила Софья Сергеевна, — оставь так, сойдет. Давай грим, тональный крем возьми посветлей.

Вздохнув, словно пловец перед километровой дистанцией, я стала орудовать мазилками. Большинство женщин умеет пользоваться косметикой, вряд ли найдется дама, ни разу в жизни не накрасившая ресниц или не напудрившая нос. Но одно дело украшать собственную мордочку и совсем другое — работать с чужим лицом.

Сначала я старательно растерла по щекам и лбу Щепкиной вязкую массу цвета сочного персика.

— У тебя пальцы холодные, — закапризничала Софья.

Я подышала на руки.

— Фу, — отреагировала актриса, — немедленно вытри лапы, живей румяна к вискам. Послушай, так я и буду тебе объяснять, что к чему?

— Простите, бога ради, я первый раз вас...

— Ладно, ладно, пудры насыпь.

Я пробежала кисточкой по вискам Щепкиной, комочки дисперсной пыли забились в «гусиные лапки».

— Ну что еще?! — воскликнула Софья. — Губы подрисуй.

— Сейчас, сейчас.

— Хватит пудры.

— Минуточку.

— Да в чем дело?

— Очень некрасиво получилось! — воскликнула я. — Комочки забились в морщины, надо их вытащить или разровнять.

Крохотное личико Щепкиной пошло пятнами.

— Что?!

— Комочки забились в морщинки, — испуганно повторила я.

— Поди вон, — рявкнула Щепкина, — немедленно! Уматывай! Чтоб духу твоего тут не было.

— Извините, я сделала что-то не так? — испуганно сжалась я.

Софья схватила со столика массажную щетку и с силой швырнула ее в меня. Я не успела увернуться, и железные штырьки щетки задели щеку.

— Пшла отсюда, дура! — завизжала Софья.

Перепугавшись почти до обморока, я опрометью кинулась в коридор.

— Мерзавка, — неслось вслед, — нахалка, дрянь! Понабрали неумех, помоечных кошек!

— Что это ее так колбасит? — раздалось рядом.

Я вздрогнула.

— Да не дергайся, — хихикнули сбоку, — я не кусаюсь. Сонька из-за тебя бесится?

— Похоже, да, — ответила я, повернула голову и увидела около себя Алису, ту самую молодую женщину, которая в роковой день смерти Бурской приготовила поднос и чашку с водой.

Первым моим желанием было унестись прочь, но, справившись с испугом, я вспомнила, что Алиса видела меня в костюме горничной, с маской на лице и с париком Жанны на голове.

— Ой, у тебя кровь на щеке! — воскликнула реквизитор. — Где поцарапалась-то?

Я осторожно потрогала царапину.

— Щепкина в меня щетку швырнула.

Алиса прищурилась:

— Чем ты королеве не угодила?

— Не понимаю.

— Ты вообще кто?

— Евлампия Романова, можно просто Лампа, новый гример.

— Па-анятненько, — протянула Алиса, — небось слушать ее не стала.

— Ты о чем?

Алиса ухватила меня за руку, протащила по коридору, потом впихнула в огромную комнату, забитую самыми неожиданными предметами: гипсовыми бюстами, посудой, книгами, игрушками, постельным бельем и штабелями чемоданов.

— Чаю хочешь? — приветливо предложила реквизитор.

— Можно, — кивнула я.

Алиса отодвинула занавеску, схватила с подоконника тарелку с сушками и жестяную коробку.

— Ты первый день у нас?

— Ага, — кивнула я.

— До этого в театре работала?

— На радио.

— Ну, там, наверное, другие порядки, — задумчиво сказала Алиса, плеская в не слишком чистые кружки кипяток. — Ладно, ща постараюсь ввести тебя в курс дела. Все актеры страшно суеверны, у каждого своя примета, впрочем, есть такие примочки, которые все соблюдают. Про семечки слышала?

— Нет.

— Их лузгать в театре категорически нельзя.

— Почему?

— Сборов не будет.

— Вот глупость!

Алиса улыбнулась:

— Может, оно и так, только на невинные семена подсолнечника и иже с ними наложен запрет. Причем сия примета работает во всех театрах и на многих съемочных площадках. Еще упавшая роль!

— Что?

— Ну если актер уронит бумаги с текстом, который ему предстоит выучить, то надлежит не медля ни секунды сесть на листы. В любом месте! Грязь, лужа, людное, пафосное место, ничто не имеет значения.

— А это зачем?

— Иначе провалишь спектакль.

— Интересно!

Алиса захихикала:

— Да. Это, так сказать, общие правила, потом идут личные заморочки. Имей в виду, актер начинает играть роль прямо в гримерке, одевается, накладывает тон и преображается. До смешного доходит, когда мы пьесу «Царь всея Руси» ставили, я до одури Льва Барашкова боялась. Он в принципе достаточно милый дядечка, интеллигентный, вежливый, а как в Петра Первого перевоплотится, лучше уноси ноги. Представляешь, один раз приволакиваю в гримерку жезл, ну такой атрибут костюма типа посоха, Петр на него опирается. Вламываюсь в комнату, а Барашков уже во всей красе у окна стоит. Я заулыбалась и говорю: «Здрасти, Лев Петрович, вот ваша тросточка!»

Алиса ожидала, что актер спокойно протянет руку, но Лев вдруг выкатил круглые, совершенно бешеные глаза да как заорет:

— Кто пустил бабу в покои! Эй, стража, убрать чернавку! Отрубите ей голову, чтоб другим неповадно было в царскую опочивальню входить!

Алиса тогда перепугалась до потери пульса, у Барашкова был жуткий вид.

— Надо же! — воскликнула я.

Алиса махнула рукой:

— За кулисами народ чумовой, нормальных нет! Хуже всего нам, реквизиторам, гримерам и прочим, приходится, потому что по любому поводу мы получить можем. У каждой особи свой прибамбах. Карлин, например, требует, чтобы гример его перед выходом на сцену перекрестил, причем стоя в одном, строго определенном месте: у пожарной лестницы. Мартова может в обморок упасть, если в руках красную расческу увидит, по ее мнению, это верный признак предстоящего провала. Если гример или костюмер годами в одном коллективе работает, то он, конечно, все задвиги актеров великолепно изучит и постарается не попасть впросак. Но у нас-то текучка! Никому неохота за гроши ломаться, поэтому каждый божий день здесь пляска с дракой. В воскресенье Лидочка, она на твоем месте служила, Евгению Ошуркову вместо чая перед спектаклем кофе принесла. Женя чуть в обморок не упал, еле-еле на сцену выполз, ну, и, ясное дело, сыграл хуже некуда.

После спектакля Ошурков схватил Батурина и завизжал:

— Что я мальчик! Двадцать лет на сцене, а сегодня провалился! Уволить Лидку! Знаете ведь — мне кофе за кулисами пить нельзя, точно ссыплюсь.

Никакие уговоры Юлия на него не подействовали.

— Или я, или она, — твердил Евгений, пришлось Лидочке покинуть театр.

Я вздохнула, теперь понятно, отчего Юлий не стал особенно интересоваться моими документами, директор хорошо знает: гримерша в коллективе долго не задержится. Ну с какой радости тратить время на проверку новой сотрудницы, если она «проживет» в театре пару недель?

— Лидуську выперли, а чем она виновата была? Ее никто про кофе не предупредил, — грустно продолжала Алиса.

— Но я красных расчесок в руках не держала, а семечки не люблю!

— Небось не стала Щепкину слушать, — перебила меня Алиса, — у Соньки свой прибамбах, ей необходимо перед спектаклем выговориться, схватит человека, посадит рядом и давай сплетни мыть. Впрочем, это даже интересно, но утомительно, притом следует молчать, не шевелиться, а на каждый вопрос нашей звезды: «Ты меня слушаешь?», необходимо давать ответ: «С огромным интересом!» Она натреплется и сама остановится.

— Так я и поступила, очень внимательно ее выслушала! А потом взялась за грим!

— Чем же ей не угодила? — удивилась Алиса. — Щетка у Соньки признак крайней злобы!

— Понятия не имею.

— Ну-ка вспомни последовательность событий.

— Сначала она про Жанну рассказывала, про смерть Бурской.

— Да уж, — скривилась Алиса, — ситуация, однако! Очень странная!

— Почему? — насторожилась я.

Реквизитор налила себе еще кипятка в чашку.

— Понимаешь, — протянула она, — вода и посуда моя забота. Кулакова подходит к кулисе, а там, на столике, уже все готово, причем народ знает — это для сцены, брать нельзя. Для этого и столик поставили, что на нем стоит — не трогают, правило соблюдают свято, иначе спектакль тормознуться может. Нужен, допустим зонт, а его кто-то уволок, за новым бежать уже времени нет, поэтому народу в голову четко вложено: со стола ничего не хапать, там частенько харчи лежат, по ходу действия актеры едят.

— По-настоящему? — заинтересовалась я.

— Конечно.

— А если не хочется?

Алиса тихонько засмеялась.

— Такого не случается, и пьют по-взаправдашнему.

— Спиртное?!

Алиса покачала головой:

— Вот это единственный момент, когда в бутылке туфта: коньяк — крепкий чай, водка — минералка без газа. Шампанское, правда, частенько натуральное, его иногда по ходу действия прямо на сцене открывают, пена должна из горлышка бить. Значит, про столик ты поняла?

— Конечно, — закивала я, — неприкосновенный запас.

— Верно, — улыбнулась Алиса, — в день, когда Бурская умерла, я все чин-чинарем приготовила. Тина дико капризная, хоть о покойниках плохо не говорят, но ведь это чистая правда!

Я сжала в руках чашку с остатками чая и попыталась изобразить на лице вежливую заинтересованность, спрятав в глубине души неуемное любопытство.

Глава 9

Спектакль под названием «Маска души» в театре играли раз в неделю, и Алиса четко усекла: избалованная Бурская будет скандалить, если ей на сцене придется выпить газированную воду или минералку отечественного производства.

Уж каким нюхом Тина чуяла воду, как она говорила, «из Москвы-реки», Алиса не понимала, но Бурская не ошибалась никогда. Один раз реквизитор в ужасе поняла, что ящик с импортной водицей пуст, и поступила не слишком красиво, купила в буфете самую обычную минералку, налила ее в пустую тару из-под дорогущего швейцарского напитка и, налив воды в чашку, демонстративно оставила импортную бутылку на тумбочке.

— Что за дерьмо меня принудили выпить, — затопала ногами Бурская после окончания второго акта, — печень чуть в ней не растворилась, теперь тошнит!

Хорошо зная капризный нрав актрисы, Алиса сделала самые наивные глаза.

— Это ваша любимая.

— Нет, — гаркнула Тина, — это дерьмо!

— Вот же бутылка! — не сдалась реквизитор.

Бурская схватила емкость, повертела в руках, понюхала горлышко и заявила:

— Тара родная, а содержимое из болота. Где брала водичку?

— Там... э... в магазине.

— Больше не ходи туда, — неожиданно спокойно сказала Тина, — там обманывают.

После этого случая Алиса всегда держала большой запас минералки специально для привередливой Тины. На вкус реквизиторши вся вода одинаковая, но у Бурской было другое мнение по этому вопросу.

В день, когда случилось несчастье, Алиса подошла к Жанне, исполнявшей крохотную роль горничной, хотела дать ей поднос и ахнула. Какая-то дрянь, несмотря на строгий запрет, уволокла с тумбочки воду под названием «Дуар»[1].

— Сейчас, сейчас, погоди, — засуетилась Алиса и опрометью кинулась в реквизиторскую.

Но как она ни торопилась, путь туда-сюда занял не одну минуту. Когда Алиса неслась назад, она уже понимала, что безнадежно опоздала. Страшно было представить, какой скандал устроит Жанна, которой приш-

---

[1] Автор искренне надеется, что воды под названием «Дуар» нет в продаже. «Дуар» — выдуманный бренд. Любые совпадения случайны.

лось нервничать в кулисе, а потом выходить на сцену, так и не дождавшись воды.

Злая Алиса дошла до столика и потеряла остатки самообладания, там стояла пустая бутылочка из-под самой затрапезной минералки, Жанна откуда-то раздобыла пластиковую упаковку и, не зная привычек Бурской, ничтоже сумняшеся наполнив чашку, поволокла ее баронессе.

— Бутылочка была на столике, — вырвалось у меня.

— А ты откуда знаешь? — изумилась Алиса.

— Ну... я случайно там оказалась, — залепетала я, — бродила по театру вчера, знакомилась с обстановкой... Видела, как ты побежала по коридору, а потом оборачиваюсь — минералка на столе. Пить захотела, спросила у какой-то тетки: «Это чья вода?..» — Я замолчала, понимая, что ложь становится опасной.

Алиса нахмурилась.

— Жанна дура! Думала, никто не догадается! Я хорошо понимаю, как у нее мозги работали. Ну скажи, умно ли при полном зале подавать чашку с ядом?

— Глупо, — согласилась я, — Кулакова тут ни при чем.

— А вот и ошибаешься, — воскликнула Алиса, — знаешь, как дело обстояло?

Я вопросительно уставилась на Алису, а та принялась излагать собственную версию событий.

— «Дуар» она спрятала, подождала, пока я за ней понесусь, вытащила свою бутылочку и наплескала из нее в чашку...

— Зачем?! — перебила я Алису.

— Экая ты несообразительная! В Жанкиной водичке яд имелся! Ну как еще она могла его в мою бутылку подсунуть?

— Но ведь на столике осталась пустая упаковка не из-под «Дуар».

— И что?

— Жанна не знала о привычках Бурской?

— Воду я всегда в чашку наливаю, подаю актрисе поднос с уже готовым реквизитом, она и не смотрит, откуда что льется! — воскликнула Алиса. — Вот сволочь!

— Кто?

— Да Кулакова! Меня ведь она подставить решила, — горячилась реквизитор, — знаю, знаю, какая идейка ей в башку взбрела. Бурская помирает, а Жанну-ся наша преспокойненько заявляет: «Я тут ни при чем, вода на тумбочке стояла, ее Алиса всегда наливает, я взяла поднос и пошла как обычно. С чего бы мне столь глупо поступать? Травить Тину при огромном скоплении народа? Вот уж идиотизм, намного легче было ее в гримерке кокнуть, без свидетелей!» Поняла?

— Ну... не совсем.

— Господи! — всплеснула руками Алиса. — Экая ты тупая! Жанна хитрая дрянь, укокошила Бурскую нарочно при всех, чтобы с себя подозрение снять. Дескать, таким образом ни один нормальный человек не поступит. Теперь разобралась? Менты на меня кинуться были должны!

— Очень хитро, — промямлила я.

— Верно.

— И что милиция сделала?

Алиса побарабанила пальцами по столу.

— Пока ничего, только с Батуриным покалякали, насколько я знаю Юлия, он сумеет замять скандал.

— Ты уверена, что Жанна убийца?

— А кто еще?

— Ну... не знаю!

— По-твоему получается, что я подсыпала яд Тине, — возмутилась Алиса.

— Нет, нет, что ты, я вовсе не это имела в виду, просто за кулисами много всякого народа, кто-то мог незаметно...

— Посторонних во время спектаклей нет!

— Своих полно! Кому-то Бурская досадить могла, — тихо сказала я.

Алиса чихнула.

— Вот черт, кажется, аллергия начинается. Понимаешь, Тина, конечно, была не сахар, так отбрить могла, что по коридору закувыркаешься. Но с нами, с обслуживающим, так сказать, персоналом, вела себя корректно. Да, воду она дерьмом называла и была способна костюмерше за плохо застегнутую блузку вломить, но, с другой стороны, просто так она истерик не закатывала, мы по делу получали. Я ведь хорошо знала, что Тина российскую минералку в рот не возьмет, но ей же приходилось на сцене из чашки по-настоящему пить! Неприятно же, если с души воротит, сама я виновата, раз актриса просит, надо выполнить!

— Зачем нужно было пить? Неужели нельзя понарошку изобразить, ну прикинуться?

Алиса улыбнулась:

— Я, пока в театре работать не начала, тоже так считала. Дескать, эка ерунда, почмокала губами и дело с концом. Только потом поняла, настоящий актер ничего не изображает, он на сцене живет, перевоплощается в героя, начинает существовать в параллельной реальности, целиком погружается в роль. Из этого состояния его выбивать нельзя. Тебе в училище о таком не рассказывали?

— Нет, — быстро ответила я.

— Конечно, — продолжала Алиса, — есть и реквизитные штуки, ну, допустим, стол накрыт, посередине огромное блюдо с кабаном. Ясное дело, дикая свинья фальшивая, настоящих не напасешься, но остальное-то на тарелках, допустим, хлеб, овощи, настоящие. Актеру так легче, потом Валерий Арнольский требует как можно больше достоверных деталей. Вот, к примеру, в пьесе «Любовь и сон» на диване должна лежать живая кошка. Каким образом заставить животное все действие провести на одном месте, наш главреж не задумывается. Париться по этому поводу моя задача, поэтому водичка подлинная в чашке, а Тина, в общем-то, права была, когда про дерьмо орала.

Но, с другой стороны, Бурская людям много чего хорошего сделала. Кто помог Косте, монтировщику декораций, когда у него дочь заболела? Тина. Договорилась с кем надо, и девочку в лучшей клинике бесплатно прооперировали. Опять же Нюсю буфетчицу она пожалела, когда та невесть от кого родила, полное приданое младенцу купила — от коляски до пеленок. Деньги она спокойно в долг давала всем, кто ни попросит, и особо на отдаче не настаивала, типа вернешь, когда будут. Конечно, актриски кривились, когда Тине очередная главная роль доставалась, в особенности Ника и Сонька косорылились, шипели по углам: «Бесталанная она». Только неправда это, Тина хорошая профессионалка, и потом, если твой муж, так сказать, генеральный спонсор, неужели в массовке стоять? Кстати, в отличие от Щепкиной Бурская отказывалась играть Джульетту, спокойно поясняла: «Мне не тринадцать лет, пусть молодые это играют». Вот Сонька вечно молодится да изображает нимфеток, не понимает, что смешна! Из-за чего она в тебя щеткой пульнула? Так и не понимаешь? — вернулась к старой теме Алиса.

— Не знаю! Я хотела пудру растушевать, сказала: «Тут комочки в морщинки забились», а она взбесилась, — недоуменно развела я руками.

Алиса схватилась за щеки.

— Комочки в морщинки! Вау, Лампа, ты с ума сошла! У Щепкиной личико пятнадцатилетней барышни, свежее, нежное, абсолютно гладкое!

Я захлопала глазами.

— Вовсе нет! Щеки ее покрывает «сеточка», у глаз глубокие «гусиные лапки».

— Дура ты, — ласково отозвалась Алиса, — ясное дело, Сонька старая обезьяна, сколько ей лет на самом деле — тайна, покрытая мраком. Она-то каждый раз разные цифры называет от двадцати до тридцати пяти. Мадам Щепкина, кстати, она к тому Щепкину никакого отношения не имеет, тратит безумные деньги на «морду лица»: ботокс, подтяжки, шлифовки, коллагеновые инъекции... Хочет юной девушкой выглядеть, но получается плохо. Ты ее в самое больное место уколола! Комочки в морщинках! Удивительно, что жива осталась. Да уж, нажила ты себе врага!

— Глупо получилось, — пригорюнилась я.

— Язык за кулисами прикуси, — деловито сказала Алиса, — много не болтай, больше слушай, улыбайся и сыпь комплиментами, упаси бог, кому-то правду сказать: «Вы, дорогая, сегодня плохо выглядите, мешки под глазами, щеки на груди лежат».

— Мне такое и в голову не придет!

— Да? А про комочки взбрело.

— Случайно.

— Вот и постарайся больше подобных ляпов не допускать.

— Конечно, конечно, скажи, а почему ты считаешь, что именно Жанна отравила Тину?

— А кто еще? — вытаращилась Алиса. — Врагов у Бурской не было, так, сплетничали потихоньку, обсюсюкивали ее новую шубу или серьги, но ненависти на нее не держали. Вот Нику Оболенскую или Соньку охотники придавить бы нашлись, те жуткие стервы. Только у Жанны достойный повод был!

— Какой? — безнадежно поинтересовалась я, уже зная ответ.

— У Тины ухажер имелся, — пояснила Алиса, — а Жанна его отбить надумала, что еще раз о ее дурости говорит! Небось не получилось по-хорошему Павлика заполучить, вот и насыпала сопернице яду. Жизнь — покруче театра будет! Она Бурскую отравила, а потом решила спектакль разыграть, позвонила мне утром, в восемь...

— Кто? — подскочила я.

— Кулакова, — пожала плечами Алиса, — на мобильный звякнула сегодня и, словно ничего не случилось, заявляет: «Скажи, Алисик, где ты бронзовую лампу на днях купила? Мне такую же охота!»

Алиса, остолбеневшая от подобной наглости, воскликнула:

— Жанна, ты где?

— В раю, — захихикала девица, — в самом настоящем!

— Тебя ищут!

— Меня? Кто?

— Все! — заорала Алиса. — Милиция для начала.

Кулакова старательно изобразила испуг:

— Что? Менты? Да почему?!

И тут Алису понесло, минут пять она безостановочно орала в трубку и закончила тираду визгом:

— Ты убила Тину.

— Нет, — прошептала Жанна, — ей-богу, не я!

— А кто? — зло спросила Алиса.

— Ну... не я!

— Не смеши, кто горничную играл?

В трубке послышался тихий плач.

— Не виновата я.

— Хватит, — оборвала убийцу Алиса, — лучше не неси чушь.

— Это не я.

— Тебя все видели!

— Это была не я!

— Ой, прекрати, хочешь сказать, что на сцене вместо тебя шуровала некая таинственная особа?

— Нет, то есть да, вернее, нет, — замямлила Жанна.

— Лучше никому более этого не повторяй, — прошипела Алиса, — не позорься!

— Что мне делать? — в голос зарыдала Жанна.

— Не знаю, — честно ответила реквизитор, — тебя по всему городу ищут.

Кулакова швырнула трубку.

— Вот она какая, — возмущалась сейчас Алиса, — наглая, как танк, специально мне звякнула, чтобы разведать, что о ней в театре говорят. Смылась Кулакова, спряталась, на дно ушла, не найти ее теперь.

— Готовность полчаса, — донеслось из динамика. — Алиса, где клетка с попугаем?

— Мамочки, — подхватилась реквизитор, — совсем заболталась и про работу забыла.

Я вышла в коридор и принялась бесцельно бродить по служебным помещениям театра, никто не искал гримершу, скорей всего, никому не было известно, что Батурин принял меня на работу. Пошатавшись туда-сюда, я поехала домой, плохо понимая, как теперь быть.

Не успела я войти в квартиру, как до слуха долетела нервная трель, которую издавал домашний телефон, я схватила трубку.

— Алло!

— Можно Лампу? — донеслось сквозь треск и писк.

— Я слушаю.

— Это Жанна.

— Ты где? — заорала я.

— Далеко, очень, не в Москве, в поезде.

— Куда едешь?

— Неважно, — еле-еле донеслось из трубки, — зачем ты отравила Бурскую?

— Я? С ума сойти! Мы с ней даже не были знакомы.

— Тогда кто убил Тину?

— Понятия не имею! — завопила я.

— Лампа, — закричала появившаяся на пороге кухни Лиза, — явилась!

Я замахала руками, Лизавета замерла с открытым ртом.

— Значит, ищи убийцу, — шипело из трубки, — нам обеим несдобровать.

— Вернись назад, пойдем к Арнольскому и честно расскажем, как дело было.

— Никогда, он меня выгонит с волчьим билетом, ни в один театр больше не возьмут, — зарыдала Жанна. — Теперь, когда Тины нет, меня защитить некому!

— Но он и так тебя выгонит, твой побег расценен как признание вины!

— Поэтому ищи убийцу, — рыдала Жанна, — ты-то знаешь, что я ни при чем. Пока буду молчать, забьюсь в норку и подожду! Выяснится правда — вылезу. Но если поиски настоящего убийцы зайдут в тупик или меня, не дай бог, найдут, тогда наплюю на все и расскажу про тебя. Поэтому бери ноги в руки и работай. И не смей говорить, что вместо меня на сцене была, найдешь киллершу — я вернусь и снова работать буду.

— Но...

— Когда я в квартире осталась, — вдруг перебила меня Жанна, — мигрень мою голову пополам перепиливала, я решила лекарство поискать, порылась в тумбочке и увидела твое служебное удостоверение.

— Какое? — удивилась я.

— Агентство «Шерлок», начальник оперативно-следственного отдела Евлампия Романова.

Я хотела было сказать, что конторы давным-давно нет в живых, бордовая книжечка пылится в тумбочке без дела не один месяц, госпожа Романова поменяла профессию, она превратилась в диджея, а сейчас и вовсе тоскует без работы, однако я не успела выдавить из себя ни звука, потому что Жанна брякнула:

— Похоже, тебе не впервой заниматься подобным делом! Втравила меня в беду, теперь расхлебывай. Мне нельзя признаваться, что я отправила вместо себя на сцену постороннего человека. Лампа, дорогая, выручай, я не могу потерять театр и не осмелюсь туда вернуться, пока ты не найдешь, кто отравил Тину.

Внезапно мне стало жаль Жанну.

— Ладно, постараюсь, но мне нужна твоя помощь. Где ты находишься?

— Не скажу!

— Но...

— Помни, ты обещала мне помощь, — словно сквозь вату донеслось из трубки, — не найдешь убийцу — я умру, вся жизнь пойдет наперекосяк, рухнет и личное счастье, и актерская карьера. Лампа, моя жизнь полностью зависит от тебя! Быстро скажи: «Даю честное слово помочь Жанне».

Я машинально повторила эту фразу.

— Отлично, — выкрикнула Жанна, — теперь, если меня обманешь, господь тебя накажет, нашлет паралич или слепоту!

Глава 10

Последняя фраза наглой актрисульки вызвала у меня бурю негодования, и я застыла с пищащей трубкой у аппарата.

— Лампа, ты офигела? — взревела Лиза.

— Что-то случилось? — вздрогнула я.

— Еще спрашиваешь, — топнула ногой Лизавета, — прихожу домой — тишина! Открываю свою комнату, а там! Сама погляди!

Я машинально пошла за девочкой в ее спальню и ахнула. Белье валяется на полу, выглядит оно ужасно: все в жирных пятнах и пахнет какой-то мерзостью.

— Лиза! Что ты сотворила с одеялом и подушками!

— Это не я, — уперла кулаки в бока девочка, — а запертая тобой тут собака. С какой дури ты всех псов по разным комнатам расшвыряла? Знаешь, как теперь спаленки выглядят? Мой тебе совет, живо убирай, пока наши не вернулись. Ведь знаешь, что псы терпеть не могут, когда их по отдельности запирают и...

Закончить гневный спич девочке не удалось, в коридоре раздался веселый голос Сережки:

— Эй! Есть кто живой?!

— Господи, Муля, — взвизгнула Юлечка, — ты где так измазалась? Серег, в чем это она?

— Похоже, на мопсиху пролили масло, — ответил муженек. — Фу, какая липкая!

— И воняет! — подхватил Кирюша. — Бензином!

— Не-е, — протянул Сережа, — похоже, керосином!

— Ада точно такая же! — заорала Юля. — И остальные! Где они взяли керосин? Лампа-а-а!!!

Я схватила Лизу за руку.

— Пожалуйста, никому не рассказывай про то, что собаки сидели в разных комнатах!

— Но зачем ты их распихала по ним? — понизив тон, спросила девочка.

— У Ириски чесотка, болезнь такая, вызывается клещом, остальные члены стаи тоже могли заразиться, вот я и обработала всех специальным лекарством, а чтобы они друг друга не облизывали, изолировала и забыла. Ты, главное, молчи, сейчас белье поменяю. Чесотка быстро пройдет, только не надо, чтобы остальные про нее знали.

— Ладно, — кивнула Лиза, — хорошо.

— Спасибо, — обрадовалась я.

— С тебя реферат по истории.

— Это почему еще?

— В качестве платы за молчание!

Не успела я возмутиться, как по квартире полетел новый вопль Юлечки:

— Сережа! Нет, ты только глянь, что у нас в спальне с ковром! Он весь липкий! Лампа-а-а! Иди сюда!

Делать нечего, пришлось плестись на зов.

— Лампудель, — сурово спросил Сережа, тыча пальцем в палас, — объясни, пожалуйста, что тут произошло?

— Не знаю, — быстро ответила я, — сама только-только в квартиру вернулась.

— Отчего псы масляные?

— Где?

— Везде.

— Я ничего не вижу.

— Погладь их.

— Зачем?

— Давай-давай, хотя бы Рамика.

Я сделала вид, что трогаю шерсть двортерьера.

— И как? — осведомилась Юлечка.

— Нормально.

— Покажи ладонь! Но почему она у тебя чистая, а у меня липкая? — недоуменно протянула она. — В вонючем керосиновом масле?

— Ты не пробовала руки помыть? — с самым невинным видом поинтересовалась я. — Наверное, испачкалась на работе, сходи в ванную, а я, пока ты себя в порядок приводишь, пельмешки сварю!

— Опять пельмени, — обиженно загудел из коридора Костин.

— Могу сосисочки сгоношить, — миролюбиво согласилась я, — вы переодевайтесь, умывайтесь, а я в магазин за ними сгоняю, в две секунды управлюсь.

— Тогда уж лучше сардельки, — вздохнул Вовка, — типа шпикачки!

— Так сардельки или шпикачки? — уточнила я.

Но Костин уже ушел на кухню.

— Прихвати мне компот из черешни, — попросила Юлечка.

— И бутылочку пива, — встрял Сережка, — светлого.

Я закивала и унеслась в супермаркет, тихо радуясь, что нашелся достойный повод для эвакуации из дома. Разозленные заключением собаки набезобразничали во всех комнатах, пусть уж домашние без меня обнаружат беспорядок. Члены нашей семьи принадлежат к категории людей-спичек, сначала сердито вспыхивают, потом короткое время горят сильным огнем злости, но вскоре затухают, забывая о том, что вывело их из себя. Главное, не попасться под горячую руку, я очень удачно убежала за покупками, когда вернусь, все уже откричатся, отшумятся и забудут о предмете негодования.

В магазине оказалось почти пусто, схватив тележку, я быстро пошвыряла в нее необходимые упаковки и порулила к кассе, путь лежал мимо стеллажей с минералкой. Моментально захотелось пить, я притормозила и стала осматривать выставленный товар.

В свое время мы, сделав ремонт, купили на трубы очень хорошие фильтры. Затея влетела нам в копеечку, зато теперь мы экономим, потому что не покупаем бутилированный напиток, наливаем воду прямо из-под крана. Согласитесь, это выгодно и удобно.

— Вам помочь? — спросила миловидная продавщица.

— Могу я выпить минералки прямо в торговом зале? Сейчас скончаюсь от жажды.

— Пожалуйста, только у нас ведется видеонаблюдение.

— Не поняла.

— Вы потом не забудьте пустую бутылочку на кассе показать, а то охрана вас задержит, — улыбнулась девушка.

— Да, конечно, обязательно, — закивала я, — а какая вода лучше?

— На вкус и цвет товарищей нет!

— Верно, но все же!

— «Дуар», вон она, в стеклянных бутылочках.

Я протянула было руку к полке, но тут же отдернула ее назад, думается, большинство из вас поступило бы точно так же, увидев несуразно высокую цену.

— Ага, — кивнула девушка, — дорого до жути! Возьмите «Речную», стоит копейки.

Я с сомнением покосилась на пластиковые емкости, водица с названием «Речная», да еще по цене рубль за бочку вызывает нехорошие подозрения, никак ее и впрямь начерпали из ближайшей речки[1].

Продавщица правильно поняла мои колебания.

— Не сомневайтесь, это нормальный напиток, делают его в местечке Ре́чное, от слова «речь».

— Не слишком подходящее название для такого товара, — бормотнула я и тут же вспомнила, что именно сей напиток стоял на тумбочке за кулисами театра, это его я налила в чашку.

Продавщица заговорщицки подмигнула мне:

— Вода, она и есть вода, чего на «Дуар» тратиться, ну поверьте мне, вкус-то одинаковый.

Пить мне захотелось еще больше, я схватила «Речную», попыталась отвинтить крышечку. Куда там, она была прикручена насмерть.

— Вася! — заорала девушка.

Из-за длинного ряда стеллажей выплыл здоровенный охранник.

— Что случилось? — настороженно поинтересовался он.

— Открой!

Секьюрити с видимым усилием отвинтил пробку и, подавая мне бутылочку, сказал:

— Завернут, как запаяют.

Я сделала пару больших глотков и спросила у продавщицы:

— «Речная» всегда так плотно закрыта?

— Да, — кивнула та. — Многие покупатели жалуются, мы даже на фирму сообщали, сказали им: «Ну придумайте другую крышку, а то прибыль теряете, пожилые люди и одинокие женщины «Речную» покупать перестали.

Забыв поблагодарить милую девушку, я поволокла тележку к кассе. Очень хорошо знаю, что мне часто не

---

[1] На момент написания книги, воды «Речная» не существовало, автор ее выдумала. Любые совпадения случайны.

под силу открыть всякие емкости. Кстати, могу поделиться личным опытом с теми, кто, как и я, обладает слабыми пальцами и ватными мышцами: держите на кухне щелкунчик, такое приспособление для колки орехов, с длинными ручками. Поверьте, с его помощью элементарно скрутите «голову» любой бутылке. Зажмете крышечку там, куда полагается класть орешек, и повернете в сторону без всяких усилий.

Но вчера, стоя за кулисами, я очень легко, просто играючи, вскрыла «Речную», понимаете? Кто-то до меня потрудился над крышечкой! Бутылочку уже открывали!

Я повисла на ручке тележки, пытаясь выстроить в уме цепь событий. Значит, так. Некая особа, великолепно знающая, что по ходу пьесы Тине предстоит выпить воду, покупает «Речную», открывает бутылку, насыпает в нее сильный быстродействующий яд, потом преспокойно уносит «Дуар» и ставит на столик свою. Убийца хорошо ориентируется за кулисами, «Дуар» он стащил за несколько секунд до выхода горничной на сцену, понимая, что Алиса, причитая, кинется за новой бутылкой. Реквизитор и впрямь убежала прочь, и тогда на столике появляется «Речная». Расчет был прост: Жанна, боясь опоздать на сцену, сама наплескает воды в чашку и пойдет к баронессе. Так и случилось. Только убийца не знал, что Тина пьет лишь «Дуар», и водрузил около подноса «Речную».

Затея удалась великолепно, и мне теперь предстоит найти режиссера сей замечательной драмы, потому что я хоть и зря, но ощущаю свою вину перед Жанной. И потом, если девушку все же найдут и прижмут к стенке, она мигом расскажет про меня, и кого засунут в тюрьму?

В общем, киллера надо вычислить как можно скорей. Милиция абсолютно уверена, что главное действующее лицо трагедии — Жанна, и сейчас все силы брошены на розыск Кулаковой, лишь я одна точно знаю: девушка тут ни при чем. Она просто должна была послужить слепым орудием убийства.

Внезапно меня осенило: все-таки Жанна, дурочка, боится, что Арнольский уволит ее, решает скрыть от главрежа правду и... скрывается в неизвестном направлении. Отчего Кулаковой не пришла в голову простая мысль — ее выкинут из труппы за прогул. Хотя, если я сумею установить истину, Арнольский вынужден будет вновь взять Жанну — девушка-то жертва, пешка в чужой игре. И ведь как здорово продумано убийство, у Жанны имелся железный повод, она ненавидела Бурскую из-за Павлика, небось о любовном треугольнике: стареющая дива — альфонс — юная красавица — судачил весь театр. Нет, убийца кто-то из своих, искать его следует за кулисами «Лео», чужой человек не сумел бы задумать и совершить сие преступление. Интересно, кому так досадила Тина?

Алиса очень хорошо отзывалась о покойной, она, правда, упомянула о некоторой капризности примы, но рассказала и о ее бескорыстной помощи людям. Так кого смертельно обидела Бурская?

— Вам двух одинаковых зайцев? — услышала я высокий недовольный голос.

Я вздрогнула и обнаружила себя стоящей у кассы за мужчиной, одетым в серое длинное пальто.

— Специально взяли идентичный товар? — вопрошала кассирша, тыча пальцем в резиновую ленту, на которой виднелись плюшевые игрушки.

— Да, да, — закивал дядька, — именно так, не дай бог, детям разные купить, передерутся и ныть начнут: «Папа, у нее лучше, хочу такую же!»

По моей спине пробежал озноб. Заяц! Красный, жуткий, плюшевый! Что это за странная история с сериалом «Загробные тайны» и длинноухим? Господи, ничего не понимаю!

— Вы будете платить? — поторопила меня кассирша.

Я вытащила кошелек, ладно, сейчас побегу домой, и вообще утро вечера мудренее.

Войдя в квартиру, я весело закричала:

— Кто заказывал сардельки и компот? Еда прибыла.

Но в ответ отчего-то не раздалось ни звука. Встревоженная, я прошла на кухню и обнаружила там всех членов семьи, сидящих с самым мрачным видом.

— Здравствуйте, — выпалила я от неожиданности, уж очень странно выглядели родичи, молчат, не шевелятся, лишь едят меня взглядами. — Здрасти, — снова повторила я, — вот и сарделечки, сейчас...

— Лиза и Кирилл, — гаркнул Костин, — немедленно покиньте помещение!

И тут я перепугалась еще сильнее. Вечно спорящие со взрослыми, постоянно отстаивающие где надо и не надо свои права подростки разом вскочили с диванчика и опрометью бросились вон из кухни. Было отчего обалдеть, по идее они должны начать препираться, ругаться, топать ногами...

— Сарделечки, — заблеяла я, — компотик из черешни...

— Сядь, Евлампия, — трагическим голосом заявил Костин, — нет, туда, на стул.

Я повиновалась, плюхнулась на сиденье и почувствовала себя не слишком комфортно, свет от настольной лампы бил прямо в лицо.

— Скажи, чем ты занимаешься день-деньской? — вопросил Вовка.

Я перепугалась еще сильней, ну каким образом Костин узнал об убийстве Тины?

— Э... ерундой всякой.

— Подробней, пожалуйста.

— В основном по хозяйству.

— Не ври, — вскипела Юлечка, — дома грязь, продуктов нет, тебе пришлось сейчас за сардельками в магазин бежать.

— Погоди, Юль, — остановил жену Сережка, — Лампудель, мы ведь одна семья, так?

— Конечно, — осторожно ответила я, не понимая куда он клонит.

— И нам не безразлично, с кем ты проводишь время!

Я окинула взглядом злую Юлю, красного Костина, слишком сладко улыбающегося Сережку и воскликнула:

— Вы о чем?

— Где ты сегодня побывала? — протянул Вовка.

— Ну... обед делала.

— Его нет, кастрюли пустые!

— Ой, я совсем забыла! Бегала по городу в поисках работы, «Бум»-то перешел в другие руки.

— Знаю, — отмахнулся Костин, — так в какие организации ты наведывалась?

— А... а... а, во всякие, их много...

— Хватит лгать! — заорала Юля. — Кошмар!

— Тише, тише, — замахал руками Сережа. — Лампудель, я уважаю твое право на личную жизнь, но...

— Нам не нужен неизвестный человек, — рявкнул Костин.

— Кого ты приводишь сюда днем, когда мы на службе? — вскочила Юля. — Сейчас же отвечай!

— Назови имя, фамилию, отчество, место работы, — потребовал Сережка.

— Тебя обдурить, как у младенца конфету отнять!

— Колись, голуба!

— Хотим все про него знать!

— Ребята, — потрясла я головой, — вы никак белены объелись. Объясните нормально, чего от меня хотите?

Юля и Сережка переглянулись, а Костин, покраснев еще больше, подошел к мойке, раскрыл дверцы и ткнул пальцем в помойку.

— Вот смотри! Их тут очень много!

Я уставилась на пустые обертки из-под презервативов.

— Тридцать штук, — прозвенела Юлечка, — я очень аккуратно пересчитала!

Из коридора донеслось тихое хихиканье, стало понятно, что Лиза и Кирюша далеко не ушли, дети, навострив уши, стоят в коридоре.

— Конечно, — с легким раздражением воскликнул Сережка, — тебе на жизненном пути попался какой-то мешок с тестостероном, снимаю шляпу перед субъектом, способным на столь могучий сексуальный подвиг, но мы, твои родственники, желаем знать имечко кадра и его паспортные данные!

Я на секунду онемела, потом стала чесаться.

Юля нахмурилась.

— Прекрати дергаться.

— Эй, Лампудель, — попятился Сережка, — ты что подцепила?

И как бы вы поступили на моем месте? Естественно, ни малейшего желания говорить про чесотку я не имела, но иного выхода просто не было.

Горько вздохнув, я встала со стула, открыла балконную дверь, приволокла в кухню мешок, развязала его, высыпала на пол игрушки собак и сказала:

— Вот на что пошли презервативы.

— Просто офигеть! — подскочила Юлечка. — Час от часу не легче! Что за идея пришла тебе в голову!

Костин потер подбородок.

— Мне кажется, что беспорядочная половая жизнь все же лучше психического заболевания, — ляпнул майор.

Я топнула ногой:

— Замолчите и слушайте спокойно.

Глава 11

Узнав правду, Сережка взвизгнул:

— Ужас!

— Чесотка, — подхватила Юлечка, — какая гадость.

— У меня нос свербит, — сообщил Костин.

Сережка сморщился и принялся скрести шею, а мои руки потянулись к голове.

Лиза влетела в кухню и затарахтела:

— Кто-нибудь, поводите ногтями по моей спине, эй, Кирюха, иди сюда!

— Не могу, — донеслось из коридора, — нога зудит.

Воцарилось молчание, во время которого все домашние принялись сладострастно чесаться.

— Лампудель, — взвыл наконец Сережа, — немедленно говори, как избавиться от заразы.

— Натереться специальным гелем, обработать поверхности...

— Давай сюда баллончик, — заорал Сергей, — у меня завтра встреча с крупным заказчиком, не могу же я дергаться, словно вшивый бомж!

Юлечка взяла протянутую мной упаковку и вдруг громко сказала:

— Все не так просто.

— Ты о чем? — взвизгнул муж.

— Тут написано: обработать тело, удалив с него все волосы!

Домашние замерли.

— Это чего? — завозмущалась Лизавета. — Наголо бриться?

— Похоже, да, — задумчиво пробормотала Юлечка, — клещи откладывают яйца. Это я вам листовку читаю. Тело спокойно обрабатывается, а на волосистых частях кладка остается, и новенькие дряни вылупляются.

— Ни за что, — в один голос заявили Костин и Лиза.

Потом они переглянулись и начали чесаться.

— Так вот почему собаки как масляные! — догадалась Юля. — Ты их обработала.

— Ага, — ответила я.

— Нет слов, — прошипел Костин, — чесотка! Жуткая зараза! Я отлично про нее знаю, в СИЗО порой вспыхивает, вот беда, все тогда — и заключенные, и контролеры, и адвокаты — трястись начинают!

Сережка почесал шею, ноги, руки, уши, спину, потом сказал:

— Давайте гель, я первым в ванную пойду!

Ночь прошла без сна. Сначала мы с Юлечкой и Лизаветой продезинфицировали все, что попалось на глаза, и вымыли полы. В квартире прочно поселился едкий запах, не лучший аромат исходил и от людей, Сережка побрил голову.

— А ничего, — сообщил он, рассматривая себя в зеркало, — просто Брюс Уиллис, даже модно. Давай, Кирюха, теперь твоя очередь.

Но больше никто не согласился расстаться с волосами, мы просто тщательно промыли их особым шампунем, на этикетке которого было нарисовано непонятное насекомое с большим количеством ног.

— Он для блох или от блох? — хихикнул Кирюшка, увидав бутылочку.

— Не умничай! — рявкнула Юля и взбила на голове у мальчика обильную пену.

Угомонились мы лишь в шесть утра, Сережка, Вовка и Юлечка, злые, невыспавшиеся, уехали на работу, а мы с детьми расползлись по кроватям. Лизавета и Кирюшка не преминули воспользоваться возможностью пропустить школу, а я, провертевшись под одеялом, встала в десять.

Около полудня я вошла в «Лео» и обнаружила бабу Лену за стойкой.

— Привет тебе, — сказала старуха.

Я выложила перед ней пару купленных по дороге журналов.

— Вот, читайте на здоровье!

— Ну спасибо, — обрадовалась бабка, — дорогие какие! Наверное, интересные. А ты чего приперлась?

— Так на работу!

Баба Лена усмехнулась:

— Выходной сёводни, спектакля нет и репетиции тоже.

— Да ну? Разве в театре такое возможно?

Старуха кивнула.

— Редко, но случается, последний раз все отдыхали, когда Петр Исаакович преставился. Похороны сёводни, али не знала? На третий день принято погребать!

— Так Бурская позавчера скончалась, — растерянно ответила я.

— Во! Верно! Это первым днем считается, второй был вчерась, ща третий пошел. Панихида тута, в театре, в фойе, в тринадцать ноль-ноль, гроб уже привезли.

Я вздрогнула.

— Там покойница?

— Не боись, — мрачно ответила баба Лена, — чего мертвого опасаться, весь вред от живых! Ежели не по себе, лучше уходи, тебя никто не заметит, улепетывай спокойненько!

Но я пошла в глубь театра, скорей всего, этот Павлуша, любовник Тины, обязательно явится на скорбную церемонию, посмотрю хоть издали на парня, а может, удастся еще и поговорить с ним.

Ни в гримерных, ни в кулисах никого не было, я спустилась в подвал и добралась до буфета.

— Кофе сегодня отпускаю только сотрудникам театра, — ледяным тоном заявила худенькая, ярко накрашенная тетка за прилавком, — имейте совесть! Надоели!

Я улыбнулась:

— Меня зовут Евлампия Романова, теперь я у вас гримером работать буду.

Буфетчица мгновенно заулыбалась в ответ:

— Нюся, рада познакомиться. Чего хочешь?

— Чай, если можно.

— Вот, бери пакетик, чайник сбоку, булочку не желаешь? Свежее некуда. Ты извини, что я окрысилась, тут в двух шагах от нас перекресток, и милиционеры на нем дежурят, нас обязали их в туалет пускать. Ясное дело, не в актерский, а в общий в подвале, придут, натопают, нагваздают, да еще поесть забесплатно норовят. Возьмут бутерброд и уйдут. Я, конечно, Батурину пожаловалась, а он даже не вздрогнул. «Давай, — говорит, — им все так, а то они в отместку наши машины на эвакуаторах увозить станут». Вот ловко придумано! У меня автомобиля нет, пешком хожу, а кому стаканы мыть и грязь за гаишниками убирать? Пусть тот, кто за свои тачки трясется, их кофеем и поит! Верно? И, представляешь, там женщины работают! Пару раз приходили! Бабы, а неаккуратные, хотя всяко случается, иная тетка грязнее мужика. Я и подумала, может, ты из этих, только без формы, уж извини.

— Ерунда! — кивнула я. — Не знаешь, где поминки устроят, в буфете?

Нюся повертела пальцем у лба.

— Ты че! Ясно дело, в доме ихнем богатом, не тут же.

Внезапно из репродуктора полилась печальная музыка, и раздался торжественный голос:

— Сегодня мы прощаемся...

Нюся перекрестилась, я глянула на большие настенные часы.

— Уже началось?

— Нет, репетируют, — пояснила буфетчица.

Мелодия стихла, затем зазвучала вновь.

— Мы прощаемся...

— Второй час подряд слова подбирают, — вздохнула Нюся. — Ну, Жанна! Мразь.

— Ты ее не любишь?

— Кулакову? Фу! Одна спесь, — скривилась Нюся, — есть у нас такие, ничего собой не представляют, а уж гонору! Мама родная! Вот Тина другая была, подойдет, поговорит нормально. Наши тут из-за ее брюликов бесились, а я считаю, что актрисе положено хорошо выглядеть, кстати, Тина своим богатством не кичилась и возраст свой не скрывала. Ой, цирк!

— Ты о чем?

Нюся захихикала:

— Есть у нас Софья Сергеевна...

— Щепкина?

— Да, знаешь ее?

— Вчера гримировала.

Нюся стала тереть тряпкой прилавок.

— Вот Сонька просто бешеная делается, когда речь о возрасте заходит. Два года тому назад она себе юбилей устроила, захотелось бабе цветов, подарков, ну и придумала: тридцать ей. Народ прямо помирал, а она как ни в чем не бывало в мини-юбчонке по сцене скакала.

— Ну фигура у Щепкиной хорошая.

— Селедка сушеная.

— Не говори, издали за девочку сойдет.

— В темноте, со спины, — стояла на своем Нюся, — девочки-то стройные да крепкие, упругие, а Сонька копченая вобла, кожа да кости. Нет, как ни старайся — на двадцать лет не потянешь. Но не в этом смак. Значит, два года назад она тридцатилетие отметила, угадай сколько ей лет прошлым летом стукнуло?

— Ясное дело, тридцать один.

— А вот и нет, — захохотала Нюся, — двадцать восемь. У Соньки старческий маразм, уж и не помнит где, когда и кому чего соврала.

Я невольно улыбнулась, Нюся, продолжая весело смеяться, отвернулась к стене, оборудованной полками с товаром. В этот момент в буфет вошел мужчина в элегантном черном костюме и белоснежной сорочке.

— Дайте мне, пожалуйста, воды без газа, — попросил он.

Нюся обернулась и поперхнулась смехом, ее лицо вытянулось.

— Вам какую? — тихо поинтересовалась она.

Незнакомец вытащил из кармана изящную, крохотную, похоже, золотую коробочку, открыл ее, вытряхнул на ладонь таблетку и ответил:

— Без разницы, мне лекарство надо запить, сердце третий день щемит.

Нюся быстро налила стаканчик, подала мужчине и заботливо поинтересовалась:

— Может, покушаете чего?

— Большое спасибо, не хочу.

— Бутербродик с копченой колбаской?

— Благодарствуйте, я с мясом не в дружбе, — пояснил незнакомец, мелкими глотками выпивая воду.

— Так легко кашку сделать, овсяную, только прикажите, — буквально приседала Нюся, — ради вас могу сварить, я хорошо готовлю, в особенности диетическое.

— Спасибо за заботу, аппетита нет, — вежливо, но сухо ответил посетитель. Потом он аккуратно положил в урну пластиковый стаканчик и спросил: — Сколько с меня?

— Ерунда, вода ничего не стоит, — отозвалась Нюся.

— Так не бывает, — мотнул головой мужчина и слегка поморщился, — все имеет свою цену, даже крохотная капля.

Нюся потупилась, а посетитель вытащил из кошелька сто рублей, швырнул их на прилавок и, снова поморщившись, быстро ушел.

Буфетчица уставилась на ассигнацию.

— Живут же люди, — вырвалось у нее, — стольник

за стакан ерунды оставил и сдачу не попросил. Цен не знает или по таким местам ходит, где минералка бешеных денег стоит! Вот повезет кому-то, но явно не мне, в мою сторону он даже посмотреть не захочет! В курсе, кто сейчас заходил?

— Нет, откуда бы! Я пока мало кого в театре знаю.

— Семен Петрович, муж Бурской, теперь вдовец, четвертый раз уже является, — быстро заговорила буфетчица, — покойницу в десять из морга привезли, и он с ней прибыл. Сам зал цветами украшал, хотя там наших полно. Первый раз в пол-одиннадцатого прибежал, чаю с сахаром выпил и свою таблетку съел, потом через час снова явился, на этот раз кофе с лекарством употребил, затем в начале двенадцатого притопал, опять пилюлю проглотил с колой, сейчас вот минералку затребовал и морщится постоянно! Видно, болит у него сердце!

— Наверное, надо врача позвать, — предложила я, но Нюся, не услышав разумных слов, продолжала:

— Богатый очень, перед ним в театре все стелются. И боятся, что теперь, когда Тины не стало, он помогать перестанет. Эх, достанется же кому-то счастье, один долго он жить не сможет, бабу найдет, но, ясное дело, у меня шансов никаких, чистый ноль. Олигархи на буфетчиц не глядят, сказка это про принца и Золушку, такие в своем кругу сходятся, хотя, может, он и не захочет молодую и красивую, с Тиной намучился.

— Они плохо жили?

Нюся сверкнула сильно накрашенными глазами.

— Так об этом весь театр толкует! Тина-то с ума сошла, роман закрутила с Павлушей, тот Бурской вроде на пятнадцать лет моложе. Вообще голову Валентине сшибло, везде с ним появлялась, даже на день рождения театра под ручку с Павлом пришла. Во какая смелая, ничьих разговоров не боялась. Хотя, скажу тебе, наши актриски любят, когда о них судачат. Знаешь, как Щепкина высказывается: «Пусть ругают, критикуют, сплетничают, лишь бы не забывали». Меня только позиция Семена Петровича удивляет! Ведь знал небось про Павлика, а молчал и по-прежнему спектакли с женой спонсировал. Ну очень высокие отношения. Либо он кретин, слепой и глухой, газет не читал и сплетен не слышал, либо ему на Тину наплевать было, вот он и закрывал глаза на ее взбрыки. Знаешь, как бывает: у него своя жизнь, у нее...

Из громкоговорителя раздался торжественно-печальный голос:

— Начинается прощание с любимой актрисой...

— Пошли! — деловито воскликнула Нюся. — Панихида стартовала, во, сюда, тут дверка есть, прямо в зале окажемся.

Я последовала за буфетчицей, Нюся нырнула в темное пространство, толкнула створку, и мы оказались в большом зале, затянутом красно-черной материей. В воздухе удушливо пахло цветами и какой-то парфюмерией, очень назойливо, резко.

Народу в скорбном месте оказалось битком, понять, кто есть кто, было невозможно. Церемонию вел статный мужчина в безукоризненном черном костюме, он подзывал к микрофону тех, кто хотел сказать прощальные слова о покойной. В общем, речи их звучали одинаково.

Талантливая, безвременно ушедшая, любимая актриса, замечательный человек, но традиционную фразу о хорошей матери не произнес никто, очевидно, детей у Тины не было.

У гроба стояло несколько стульев, на одном, выпрямившись так, словно его спина была жестко накрахмалена, сидел Семен Петрович, рядом разместился Батурин, потом Щепкина, затем незнакомая мне дама, явившаяся на панихиду в ярко-фиолетовом платье и в бриллиантах, остальные места пустовали.

— Слово имеет Андрей Ильич Густов, — торжественно объявил ведущий.

К микрофону бочком подскочил невысокий толстячок, я моментально узнала его постоянно тиражируемое в телесериалах лицо. На днях я решила отдохнуть, переключая в телевизоре каналы. На первом шел детектив, где Густов играл хорошего милиционера, до неправдоподобности правильного и профессионально грамотного, на второй кнопке в этот же момент демонстрировали ленту, где Андрей Ильич изображал благородного бандита, этакого Робин Гуда, не успела я переметнуться на СТС, как узрела актера в костюмированной мелодраме: одетый в камзол и шляпу с перьями, он дрался с каким-то зверем, похоже, медведем. Дальше терзать пульт я не стала, пошла спать, и вот, пожалуйста, теперь наблюдаю кинозвезду, так сказать, живьем, надо же, он столь же напыщенный, как и на экране.

— Закатилось солнце, — громовым басом заорал Густов, — село за черную черту, упало в пропасть! Люди! Мы остались, а ее нет! Как жить? Как? Римляне, ответьте.

Я вздрогнула, стоявшая около меня худенькая девушка ухмыльнулась, но, очевидно, тут же оценив неуместность смешка у гроба, быстро закашлялась.

— Римляне, — выл тем временем Густов, — свободные граждане, мы одиноки! Пала великая! Плачьте, убейте гладиаторов, унесите их тела львам, а вы, доблестные мужи...

— Он сошел с ума? — весьма невоспитанно спросила я. — Что несет? Какие римляне?

Кашляющая девица замерла, потом шепнула:

— Нет, просто, как всегда, говорит не своими словами, а роль играет, маленько перепутал. Сейчас он шарашит текст из пьесы «Гордость цезаря», следовало другой отрывок выбрать. Ща прижмет руку к груди и рявкнет: «Отомстим за горе».

И точно, Андрей Ильич сложил ладошки у шеи и взвизгнул:

— Отомстим за горе!

— Башку влево, шаг назад: «Я не успокоюсь, пока он не умрет», — шепотком суфлировала девчонка.

Густов склонил голову, отступил от микрофона и со слезами сообщил:

— Я не успокоюсь, пока он не умрет!

Правая длань актера весьма бесцеремонно ткнула в сторону Семена Петровича, я вздрогнула, жест Густова, учитывая текст, выглядел почти неприлично.

— Берите оружие, вперед, — не успокаивалась моя соседка, — бейте, бейте, бейте!

Андрей Ильич набрал полную грудь воздуха, пару секунд постоял молча, но потом вдруг взвизгнул.

— Что с ним?

Моя соседка хмыкнула.

— Вау, пошел другой монолог! Экий у него монтаж получается!

Но мне отчего-то стало не по себе, с лица Густова сползла фальшивая значимость, в глазах появилось абсолютное честное удивление, потом испуг. В ту же секунду Семен Петрович покачнулся и тяжелым кулем свалился со стула.

Глава 12

В зале поднялась суматоха, Батурин бросился к потерявшему сознание меценату, большинство женщин закричали, впрочем, мужчины тоже начали издавать разнообразные звуки. Клацая железным ящиком, пронеслись врачи, потом послышался протяжный вопль, и еще одно тело шмякнулось о паркет, теперь чувств лишилась Щепкина. Замешательство в зале достигло критической точки, но тут появилась Алиса. Схватив микрофон, она, перекрикивая гвалт, заорала:

— Господа, церемония прощания завершена, остальные речи на кладбище, у центрального входа автобусы, прошу всех спешно занять в них места. Ваня, Сережа, Коля, Дима, уносите гроб.

Похороны напоминали фарс. Четверо крепких парней, одетых в синие комбинезоны, уволокли домовину с Бурской, толпа провожающих, громко голося, ринулась в противоположные двери. Впрочем, убежали не все, человек тридцать столпились вокруг Семена Петровича, глядя, как орудуют врачи. Ненадолго в большом помещении повисла тишина, такая густая и плотная, что, казалось, ее можно резать ножом.

— Ну что с ним? — ракетой взвился к потолку голос Батурина.

— Ничего сделать нельзя, — прозвучало в ответ, — все, он умер.

Люди шарахнулись в сторону.

— Не может быть! — истерически взвизгнула какая-то женщина. — Немедленно лечите Семена.

— У нас простая «Скорая», — растерянно начал оправдываться врач, — не кардиология, не реанимация.

— Так вызовите лучших специалистов! — заорал Батурин.

— А толку? — глухо ответил врач. — Он сразу умер, похоже, это инсульт, все лицо перекосило, а может, инфаркт, не могу так сказать.

— Вдруг он жив? — с надеждой воскликнул кто-то. — Искусственное дыхание делайте или такие утюги к груди прикладывайте!

— У меня дефибриллятора нет, да и не нужен он тут, — мрачно пояснил врач.

Над залом вдруг вспыхнула вспышка.

— Не снимать, — затопал ногами Юлий, — охрана, гоните папарацци вон, камеру разбейте, живо, живо... Ты, врач, работай, пока нормальные спецы подъедут.

— Они не боги, — рявкнул эскулап, — все, помер он.

— Господи, — застонал Батурин, — за что мне это? За что, а? За что?

Толпа зашевелилась, из ее глубины послышались всхлипывания и рыдания.

— Да уж, — прошелестело за спиной, — бог не фраер, все видит и наказывает! Жаль только, Валька раньше померла, ей бы пожить, помучиться, увидеть, как денежки закончились.

Я обернулась и увидела женщину лет пятидесяти, самого затрапезного вида. На актрис, не преминувших даже на похороны нацепить меха и драгоценности, она была похожа мало, впрочем, на сотрудников театра тоже, скорей уж на бомжиху, принарядившуюся на праздник. На говорившей красовался жакет с потертым воротником из кролика, длинная бесформенная юбка, из-под которой высовывались некогда белые сапоги, на голове нечто типа берета. Из-под него выбивались сальные пряди, а опухшие глаза и одутловатое лицо без слов рассказывали — дама любит выпить, причем не чай с сахаром, а пиво с водкой.

— Как вам не стыдно радоваться чужому горю! — вырвалось у меня.

Алкоголичка прищурилась:

— Да? Кому беда, а кому счастье.

— Вы о чем?

Бабенка хмыкнула:

— О жизни. Валька померла, Семен только что на тот свет отъехал, деньги его куда отправятся?

— Родственникам.

— Я одна.

— Вы?

— Чего так удивляешься? Ты сама-то кто? — прищурилась пьянчужка. — На ломаку не похожа... Фанатка Валькина?

Я не успела раскрыть рот, как тетка вдруг заулыбалась:

— А-а-а, понятно, ты журналистка! Поодаль стоишь и матерьяльчик собираешь. Добрый день, коллега.

— Коллега? Вы пишете?

— Думаешь, только ты в газете работать можешь? — засмеялась опухшая рожа. — Ан нет, много
нас. Между прочим, я журфак МГУ закончила, потом
в лучших изданиях работала, да ушла по здоровью.
Валька про мою болезнь знала, но помочь не хотела, у
нее знаешь какое отношение к жизни было?

— Нет, — растерянно ответила я.

— Бей своих, чтоб чужие боялись, — ухмыльнулась маргиналка, — тут про нее былины слагали: этому дала, этому дала, этому дала. Ну сорока!

Я потрясла головой:

— Сорока? Вы о чем?

Бабенка противно оскалилась:

— Неужели песенку не слышали детскую про со-
року-воровку? Она кашку варила, деток кормила...
Всем понадовала, а одному ничего не досталось. При
этом, прошу отметить, сорока-то воровкой слыла, на-
тырит всего, заявится домой, и кашку варить, но тем
не менее решила деточку воспитывать, плохой она ей
казалась!

— Извините, пожалуйста, — я попыталась избавиться от странной собеседницы, — мне пора, а то автобусы уедут, как потом до кладбища добираться?

Но алкоголичка крепко вцепилась в мое плечо.

— Диктофончик-то спрячь, — ехидно заявила она, —
не ровен час заметит кто и отметелит, как того, с фо-
тоаппаратом, тоже из наших парнишка! Залез в ложу,
думал, его не видно, а про вспышку не вспомнил, ну
да все мужики идиоты, мы умнее намного.

— Где диктофон? — еще больше удивилась я.

Бабенка ткнула пальцем вниз.

— Да в сумке!

Мой взгляд метнулся к висевшему на запястье риикюльчику. Конечно, как всегда, я забыла закрыть го и прямо на виду лежит телефон. На Новый год Кирюшка подарил мне новый аппарат, мальчик умил меня до слез, протянул коробку и сказал:

— Лампа, бери и пользуйся, а старый, похожий на тюг, немедленно выброси вон!

Я вскрыла упаковку и чуть не зарыдала, Кирюшка, наверное, потратил на презент все скопленные деньги, амая навороченная модель, причем очень необычного ида. Внешнего дисплея нет, нужно нажать крохотую пупочку, и тогда черная защитная панель отъедет сторону, открывая кнопки с цифрами и экран, в закрытом виде подарок Кирюши абсолютно не похож а мобильный, просто прямоугольный кусок пластассы, сбоку которого тревожно мигает зеленая ламочка.

Теперь понятно, почему пьянчуга приняла меня за курналистку, сунула свой любопытный нос в мою бесшабашно расстегнутую сумку и приняла супермодную юдель сотового за диктофон. А кто еще может заявиться на похороны со включенным звукозаписываюим агрегатом? Ясное дело, только представительниа желтой прессы, охотница за сенсациями и скандаами.

Мне стало не по себе, пальцы мгновенно щелкнуи замочком, торбочка закрылась.

— Правильно, — кивнула тетка, — только незачем ебе на кладбище пилить, там ничего интересного роизойти не может. Гроб в могилу опустят, пара дуаков речи толкнут, и пожалуйте на фуршетик.

— Поминки!

— Как ни назови, суть одна — водки пожрать.

— Похоже, ты не отказалась бы от рюмашки, — не терпела я.

— Охо-хо, — протянула баба, — надеюсь, меня в ом пустят.

— Во время поминальной трапезы двери открыть
для всех.

— Да уж не вытурят, — скривилась тетка, — сюда
то я в толпе просочилась, с народом перемешалась
Хотя Семен вроде как и не смотрел по сторонам. Что
ж, бог им судья, Семке и Вальке. Вон, как жизнь по
вернулась! Небось оба, как сообразят, кому богатство
достанется, в гробу заворочаются, да поздно. Их де
нежки теперь мои. Не сразу, правда, их пощупаю, го
ворят, полгода подождать надо, ничего, я терпеливая
получу свое!

Я только хлопала глазами, не понимая, о чем веде
речь пьянчужка.

— Но сейчас-то тугриков нет, — вещала та, — по
этому я готова за энную сумму рассказать тебе экс
клюзивную информацию!

— Вы кто? — впрямую спросила я.

— Эвелина, — с некоторой долей кокетства сооб
щила незнакомка.

— Очень приятно, Лампа, это мое имя.

— И более странные встречаются, — ухмыльнулас
Эвелина, — похоже, твои родители большие шутники

Я постаралась пропустить мимо ушей глупое заме
чание, а Эвелина продолжала:

— Наши с Тиной предки тоже идиотами были, од
ну дочь обожали, вторую ненавидели, в общем, поло
мали мне жизнь.

— Постой-ка, — тряхнула я головой, — ваши с Ти
ной родители. Ты сестра Бурской!

— Точно, — кивнула Эвелина, — урод семьи, луч
тьмы в светлом царстве, ужас на крыльях ночи, это все
я, и способна сейчас за двести баксов рассказать тебе
такое о народной любимице, что тираж твоей газетен
ки подскочит втрое! Желаешь эксклюзив?

Эвелина прищурилась, я вздрогнула. Когда-то
очень давно мой отец привез из очередной команди
ровки черепаху, названную им Прохором. Прохор жил

воде, в основном проводил время, спрятавшись в мелких камушках, которые покрывали дно аквариума. Но изредка его плоское зеленое тело всплывало на поверхность, из-под панциря вытягивалась длинная-предлинная шея, увенчанная плоской головой. Маленькие черные глазки-бусинки мрачно оглядывали все вокруг, и отчего-то становилось понятно: Прохор ненавидит всех и вся, будь его воля, сожрал бы и хозяев, и аквариум, и корягу с грунтом. Просто сил у него на это нет, характер аллигатора спрятан в теле тщедушной черепахи, только и остается, что тихо переполняться желчью.

Сейчас Эвелина внезапно показалась мне похожей на Прохора, я невольно вздрогнула, а она, решив, что я колеблюсь, добавила:

— Я очень хорошо знаю, кто убил Вальку!

Я схватила ее за плечо.

— Точно?

— Не сомневайся, — хмыкнула алкоголичка, — информация супер! Высший класс! Так как? Пойдем?

— Куда?

— Тут, за углом, кафе есть, — деловито сообщила Эвелина, — в двух метрах. Побежали!

Быстрым шагом она направилась к выходу, я двинулась за ней, мысленно подсчитывая имеющиеся в кошельке деньги. У меня с собой девять тысяч, вообще-то я никогда не ношу столь больших сумм, но приближается Двадцать третье февраля, и хотелось сделать подарки мужской части семьи. Костину я запланировала купить свитер, Сережке дорогой одеколон, Кирюшке компьютерную игру, а двортерьеру Рамику косточку из прессованных жил, деньги мне заплатили при увольнении с «Бума», конверт с купюрами тоскует в сумочке, в отделении, тщательно закрытом на «молнию». Только все недосуг заглянуть в магазин.

Устроившись за столиком, Эвелина деловито заявила:

— Еда за твой счет.

— Только без выпивки и яиц голубого дрозда, — предостерегла я.

Собеседница стащила с головы берет, поправила сальные пряди и, открывая меню, сказала:

— Не употребляю спиртное.

Очевидно, на моем лице отразилось некое недоверие, потому что Эвелина улыбнулась и пояснила:

— Было дело, назюзюкивалась по полной программе, но потом закодировалась и вот уже три года ни-ни. Почки я посадила в свое время, поэтому и опухаю.

Уж не знаю, правду ли сказала она, но у официанта Эвелина попросила борщ, котлеты и сладкий кофе, о водке речи не шло. А еще мне показалось, что она сильно проголодалась, потому что малопривлекательное по запаху первое мгновенно исчезло в ее желудке, туда же с неменьшей скоростью отправились и котлеты.

— Бабки гони, — велела Эвелина, пододвигая к себе кофе.

— Сначала стулья, потом деньги.

Женщина с шумом отхлебнула из чашки.

— Залог внеси.

Я выложила пятьсот рублей.

— Издеваешься, да? — нахмурилась бабенка.

— Нет, просто я пока ничего не услышала, кроме чавканья, — весьма сердито ответила я, — надеюсь, ты не принимаешь меня за дуру, которая накормит, напоит, даст кучу ассигнаций, и все? Где захватывающий рассказ и эксклюзивная информация для моей газеты?

— Будет тебе дудка, будет и свисток, — возвестила Эвелина, — ну слушай.

Рассказ пьянчужки не показался мне особо оригинальным. Жила-была семья: Антонина и Григорий. Все вроде у них было ничего, Григорий преподавал в училище историю, а Тонечка была певицей. Только не подумайте, что она блистала на подмостках Большого театра, нет, она развлекала народ пением в ресторане, занималась совершенно непочетным и несерьезным, на взгляд советского человека, делом. Ну кто, скажите, ходит по кабакам? Ясное дело, одни тунеядцы, а Тоня им поет.

Григорий стеснялся профессии жены, всем соседям он бойко врал, что Антонина актриса, выступает в театре, оттого и заявляется частенько домой под утро. Но кумушки не верили ему, это что же за представления такие, если Тонька в семь часов в родной подъезд входит? Народ на работу вылетает, а эта на каблучищах шкандыбает, вином от нее несет, табаком, да еще на такси прикатывает. Ясное дело, гуляет баба, а Гришка то ли не замечает, то ли смирился с ситуацией.

Кстати, муж частенько устраивал жене скандалы и сцены ревности, но, когда Тоня в слезах восклицала: «Хорошо, завтра же подаю заявление о разводе, лучше полы мыть, чем твой крик терпеть», — он мгновенно шел на попятную.

Жена, заподозренная в неверности, приносила денег на порядок больше, чем муж, финансовое благополучие семьи напрямую зависело от Антонины, и Григорию приходилось прикусывать язык.

У пары были дети: Валентина получила имя в честь покойной матери Григория, Антонина была им страшно недовольна, оно казалось ей простецким, и жена даже поругалась с супругом, но тот стоял на своем. Вторая дочь была Эвелина, которую мать назвала по своему вкусу.

Сначала семья жила в коммуналке, но потом, когда Эве исполнилось чуть больше двух лет, перебралась в собственные хоромы, вроде радость, но именно после переезда на новую жилплощадь начались неприятности.

Большой двор был полон кумушек, для которых основной смысл существования состоял в обсуждении чужой жизни. Бабы сидели на лавочках и чесали языками.

Летом, когда Эвелину няня вывела во двор без шапочки, весь местный конгломерат болтуний заахал и заохал. Валентина походила на родителей: голубоглазая блондиночка, а вот ее сестричка уродилась не в мать, не в отца, а в проезжего молодца.

Эвелине еще не исполнилось и трех лет, но иссиня-черные кудри, смуглая кожа и большие карие глаза делали ребенка похожим на цыганенка.

— Не от Гришки девка, — заметила главная кумушка.

— Ой, верно, — подхватили остальные.

Новость обсасывали долго, а потом одна из бабулек, повстречав Григория, сладко заворковала:

— Дочушки у тебя красавицы!

— Верно, — кивнул отец.

— В кого же Эвелина черноглазая? — не успокаивалась бабка.

— Такая уродилась!

— Жену твою мы хорошо знаем, — закаркала старуха, — хоть и недавно вы к нам переехали. Вы русопятые все, светлые, откель Эвелина взялась?

Григорий замер с открытым ртом, бабка поняла, что простая мысль о невозможности появления в семье блондинов девочки-брюнетки до сих пор не приходила в голову отцу, и радостно заверещала:

— Мабуть, испанцы у вас в роду?

— Нет.

— Негры, не дай бог?

— Нет.

— Али цыгане?

— Русские мы до последнего колена, — процедил Григорий, — прапрадед из Рязани прибыл, откуда там африканцам взяться?

— Вот и я сомневаюсь, — ехидно подытожила старуха, — с какой радости Эвелина головешкой у вас получилась? Никак помог кто? Тоню твою часто один и тот же водитель на такси привозит, кудрявенький, на ворону похож.

Григорий грязно выругался и ушел.

Глава 13

На следующий день Антонина вышла во двор, пряча лицо в платок, такси ее не ждало, женщина метнулась к метро. Всем сразу стало понятно, Гришка отметелил неверную супругу.

— И правильно поступил, — закивали бабки, — живи как все, как мы, работай и щи вари, не гуляй, не куролесничай.

Сколько Эвелина себя помнила, столько в их доме царили скандалы. Отец ненавидел младшую дочь и иначе чем дрянью не называл. Стоило Эвелине провиниться в школе, получить двойку, как добрый папа кидался на малышку с кулаками. Побои доставались Эве по любому поводу, а часто и без оного, достаточно было плохого настроения Григория, чтобы он начал отвешивать младшей дочке тумаки.

Будучи совсем маленькой, Эва считала такое поведение папы естественным и очень старалась вести себя так, чтобы лишний раз не обозлить отца, но потом у нее вдруг открылись глаза. Девочка сообразила, что Григорий лупит только ее и маму, Тина никогда не получала затрещин, к ней отец относился очень нежно. Эвелина попыталась было подружиться с сестрой, но та упорно избегала ее, и вообще все в семье было очень несправедливо.

В квартире было две комнаты. В одной оборудовали родительскую спальню, в другой жила Тина, Эвелина спала в коридоре, каждый вечер она вынимала раскладушку и ложилась на неудобную конструкцию из парусины и металлических трубок. В коридоре всегда стоял холод, по полу гулял сквозняк, и члены семьи, желавшие ночью пройти в туалет, спотыкались о ложе девочки. При этом учтите, что Тина обитала в двадцатиметровом пространстве, куда легко помещалась еще одна нормальная койка, но ни отец, ни мать не предлагали Эве перейти туда, уроки она делала на подоконнике в кухне, друзей ей приглашать не разрешали, а к себе Тина младшую сестричку не пускала.

Летом Тина уезжала в деревню к бабушке, матери Григория, Эву на свежий воздух не вывозили, и старуха, наведываясь к сыну, никогда не дарила младшей внучке подарки, все нехитрые презенты доставались Тине, а та не делилась с сестрой. На день рождения Валечки приходило полно народу, а Эву впервые поздравили лишь в первом классе, причем не дома, а в школе. Учительница вызвала ее к доске и вручила пакетик с конфетами.

— Это что? — спросила малышка.

— Сувенир от нас, — улыбнулась классная по имени Мария Ивановна, — или ты забыла про свой день рождения?

Дети весело засмеялись, а Эва растерялась, потом заплакала. Мария Ивановна испугалась, стала утешать девочку, и тут та выдала информацию про то, как она живет дома. Эвелину никогда не слушали взрослые, она привыкла сама переживать мелкие и большие неприятности, поэтому сочувственные глаза учительницы, ее добрая улыбка вызвали в душе девочки бурю неуправляемых эмоций, и она, захлебываясь слезами, выложила про раскладушку, коридор, отсутствие игрушек и летнего отдыха, пожаловалась на непомерно большие хозяйственные обязанности, на то, как страшно бежать в полночь через плохо освещенный двор к мусорному бачку со здоровенным помойным ведром, поведала и о больных ногах. Дело в том, что у Эвы был один размер ступни с Тиной, но родители никогда не покупали младшенькой новой обуви, заставляли донашивать ту, из которой выросла старшая.

Мария Ивановна молча выслушала Эву, потом подозвала одну из старшеклассниц, пошушукалась с ней и, дав девушке свой кошелек, велела:

— Эвелиночка, ступай с Таней.

Десятиклассница отвела малышку в «Детский мир» и купила изумленной Эвелине юбочку, кофту, ботиночки, куклу и порцию мороженого.

Когда счастливая малышка вернулась домой, ее встретила Валентина и злорадно сказала:

— Ну ща тебе достанется! Родителей к директору вызвали, двух сразу. Антон Григорьевич лично звонил и велел: «Если не хотите крупных неприятностей на работе, немедленно в школу». Чего ты натворила, тихоня?

Эвелина, перепугавшись до паники, заперлась в туалете, случившееся потом она запомнила на всю жизнь.

Спустя часа два дверь санузла вышиб Григорий, вид у отца был настолько бешеный, что девочка потеряла сознание, последнее, что услышала Эва, был вопль мамы:

— Не убивай, Гриша!

Очнулась девочка в больнице, дальше начались чудеса. Навестить малышку пришли не только одноклассники, ранее относившиеся к Эве с прохладцей, но и их родители, классная руководительница и даже сам директор школы. Палату завалили подарками: игрушки, конфеты, книжки, одежда.

Только родители и Тина ни разу не явились в клинику. В отчий дом Эвелину привез Антон Григорьевич, директор школы передал девочку Григорию и резко сказал:

— Надеюсь, вы помните о нашем разговоре?

Отец хмуро кивнул.

— Увижу на девочке хоть один синяк, и вас лишат родительских прав.

Кивок.

— Завтра приедет комиссия из РОНО[1].

Кивок.

— Сделайте правильные выводы.

Кивок.

Григорий так и не произнес ни слова, Антон Григорьевич вздохнул и ушел. Эвелина сжалась, она не понимала, что происходит, но кожей ощущала исходящую от отца злобу. На всякий случай девочка быстро присела и закрыла голову руками, но ожидаемого удара не последовало. Григорий просто ушел.

Немногословной оказалась и мать.

— Ступай к себе, — велела она.

— Куда? — растерялась Эва, не имевшая в квартире личного угла.

— К сестре, — сухо прозвучало в ответ.

Эва, еле дыша от ужаса, вползла в комнату Тины и разинула рот. На полу была проведена мелом черта, помещение поделили на две неравные части, в большей за столом сидела Тина.

— Я тебя ненавижу, — прошипела она, глядя на сестру, — жить нам теперь вместе придется, ябеда.

Эва вжалась в стену, а Валентина, размахивая кулаками, стала кричать на нее. Оказывается, Мария Ивановна подняла целую кампанию под лозунгом: «Спасем Эвелину от жестоких родителей». Григорию и Тоне пригрозили всякими страшными санкциями, вплоть до исключения из партии, что по тем временам приравнивалось к гражданской смерти, и для начала отца лишили очереди на машину.

— Мерзавка, — плевалась слюной Тина, — правильно бабушка говорит: ты не наша!

— А чья? — растерянно спросила Эва.

---

[1] РОНО — районный отдел народного образования.

Старшая сестра схватила младшую, подволокла к зеркалу и спросила:

— Во, гляди, похожи мы?

— Ну нет, — протянула Эва.

— Так вот, — торжествующе заявила Тина, — я настоящая папочкина и мамочкина дочка, беленькая и голубоглазая, а ты чужая. Мамусю в роддоме обманули, с ней рядом цыганка рожала, она мою любимую сестричку стырила, а свою девку, ябеду и клеветницу, маме подсунула. Ты не наша кровь, скажи спасибо, что тебя в детдом не сдали! На раскладушке ей в коридоре не понравилось, где это видано, чтобы свой ребенок и невесть кто в одной комнате жили!

Потрясенной Эвелине, чтобы не упасть, пришлось уцепиться за стену. Вот почему ее не любят дома, она подкидыш!

— Лучше я снова на раскладушке лягу, — вырвалось у нее.

Тина скривилась:

— Как бы не так! Теперь комиссия шляться будет, условия жизни ябеды проверять!

Жизнь Эвелины после вмешательства Марии Ивановны стала еще хуже. Да, спала девочка теперь в комнате, но какой толк от рокировки? Тина возненавидела потеснившую ее сестру, Григорий молчал, а Тоня отделывалась краткими фразами типа: «Запри дверь» или «Делай уроки».

Одежду и ботинки она, правда, стала Эвелине покупать, но каждый раз, отдавая неугодной дочери пакет, цедила сквозь зубы:

— Хотели в Сочи на лето поехать, да пришлось деньги на обновы тебе потратить. Одно разорение! Тина, я тебе не могу платье приобрести, у нас Эвелина первая, сама знаешь, если она не получит шмоток, снова жаловаться в школе будет, доносчица.

После похорон Григория ситуация не сильно изменилась, только Эву переселили в комнату к Тоне.

Долгое время девочка верила в версию о цыганке, ей очень хотелось найти свою родную мать, до такой степени, что один раз Эва, увидев на вокзале гомонящий табор, подошла к шумным женщинам и спросила:

— Не знаете, не обменял ли кто из ваших ребеночка в роддоме?

Чавелы замерли, потом самая пожилая ласково ответила:

— Мы, красавица, у себя рожаем, врачам не доверяем, ни к чему они нам!

Из глаз Эвы покатились слезы, цыганки окружили девочку, а та рассказала им свою историю. Ромалы переглянулись.

— Обманули тебя, — вздохнула все та же старуха, — не наша ты, хоть и смуглая. Мы другие, не так выглядим, а еще цыганка никогда своего ребенка не поменяет, да и зачем делать такое?

— Нагуляла тебя мать, — подхватили другие женщины, — с другим мужиком, а про роддом наврала, оттого и отец бесился. Ты у нее прямо спроси!

Эвелина пришла домой и неожиданно выпалила в лицо маме:

— Я знаю, в чем дело! Ты папе изменила, меня от любовника родила, и потом всю жизнь ненавидела. Кто мой отец? Я поеду к нему!

Антонина отвесила дочери пощечину и заорала:

— Хрен с тобой! Знай правду! Никогда я с другим мужиком в кровать не укладывалась! Подменыш ты! Рядом баба рожала, богатая, вот у нее, блондинки, черненькая девка родилась, я хорошо видела, как она ее кормила. Только умная она оказалась, при деньгах. Ей мою девочку и отдали, чтоб у мужа подозрение не вызвать. Я только дома и увидела, кого мне в конверте подсунули! Скажи спасибо, что тебя вон не выкинули, растили, как свою, а ты отблагодарила, нечего сказать, с доносами бегала, оттого и отец на тот свет молодым убрался.

У любого нормального человека сия история мигом вызвала бы вопросы. Почему Антонина сразу не побежала в роддом? Отчего они с Григорием не подняли скандал, не обратились в милицию, не потребовли назад свое дитя? Ведь найти богатую, затеявшую подмену женщину никакого труда не составляло!

Но надо учитывать, что Эвелине в тот момент было всего тринадцать лет, потом она, конечно, поняла, что Антонина врала, никаких богачек не было и в помине, младшую дочь мать элементарно нагуляла.

Накричав на Эву, Тоня прекратила с ней общаться, да еще Тина, вернувшаяся в конце лета от бабки из деревни, сильно заболела, она очень плохо выглядела, жаловалась на боли в животе, головокружение и слабость, а спустя месяц очутилась в больнице с диагнозом: гепатит. Деревенская бабка не слишком думала о чистоте, и внучка подхватила неприятную заразу.

Лечилась Тина долго, почти год провалялась по койкам, в основном в стационарах, потом вернулась домой тихая и ласковая.

Неожиданно жизнь изменилась, мать и старшая сестра подобрели, Эвелина была счастлива, с ней разговаривали без подковырок и не демонстрировали неприязнь.

Валентина легко поступила в театральное училище, а Эвелина позднее оказалась на журфаке, правда, не на дневном, а на вечернем отделении, но все равно попала в МГУ.

Целых пять лет царило затишье, потом умерла Тоня, Валентина как раз устроилась на работу в театр, а Эву взяли в газету.

Похоронив мать, буквально на следующий день после поминок Тина заявила:

— Нам нет смысла жить вместе.

— Почему? — растерялась Эва. — Вдвоем легче.

— Только не мне, — отрезала старшая, — и потом, к чему чужим людям изображать любовь друг к другу?

— Но я правда тебя люблю! — воскликнула Эва.

— Не верю, как говорил Станиславский, — усмехнулась Тина, — мы же не родные.

— Даже если предположить, что мать меня от любовника родила, то все равно единоутробное родство есть, — возразила Эва.

Тина вспыхнула спичкой:

— Не смей позорить маму.

— Уж не веришь ли ты в историю с подменой младенцев? — мрачно осведомилась младшая.

— Именно так и было, — заорала Тина, — мама и папа были святые люди, воспитавшие подкидыша!

Эва горестно вздохнула, она считала, что идиотская история давно забыта, ведь последние годы три женщины жили вполне мирно, а оказывается-то, дело обстоит по-старому.

— По-хорошему ты не имеешь права ни на что, — взвизгнула Тина, — но я интеллигентный человек, поэтому готова разменять квартиру.

Эвелина возмутилась и впервые в жизни отбила удар:

— По документам мы родные сестры, все остальное болтовня и сплетни, следовательно, половина имущества по закону моя, и нечего орать.

Двушку удалось разменять на две комнаты в коммуналках, сестры разъехались врагами. Жизнь Эвелины складывалась не очень удачно, она два раза побывала замужем и в результате осталась одна, детей у нее не случилось, с карьерой тоже не сложилось. Эва оказалась из тех мало кому известных журналисток, которые писали трехстрочные заметки, денег ей платили мало и при любом сокращении первой увольняли ее. В конце концов Эва начала пить.

А вот Тина купалась в лучах славы. Младшая частенько видела старшую по телевизору, та, красиво одетая, блистающая драгоценностями, рассуждала о любви, дружбе, семейных ценностях.

Эва лишь горько усмехалась. Тина — звезда, спору нет, но стала бы она ею, не выйди удачно замуж? Ведь именно Семен Петрович «раскрутил» супругу, если в табуретку вложить деньги, обтянуть ее дорогостоящим бархатом, украсить жемчугом, то незатейливая мебель превратится в произведение искусства.

Эва и не подумала бы напомнить Тине о себе, но младшей внезапно стало очень плохо, пришлось обратиться к врачам, которые вынесли неутешительный вердикт: требуется пересадка почки.

Операцию сделали бесплатно, потом шатающаяся от слабости Эва оказалась предоставлена самой себе. Понимая, что просто может умереть от голода, она поехала в коттеджный поселок, где в шикарном особняке с мужем-бизнесменом проживала ее сестра.

Охрана не пустила Эву за забор.

— Там моя сестра, — лепетала больная.

Секьюрити нажал кнопку на панели.

— Слушаю, — донесся из динамика слегка искаженный, но все равно узнаваемый голос.

— Валентина Григорьевна, к вам женщина, называется вашей сестрой, прикажете пропустить?

— Нет, конечно, — быстро ответила Тина, — это обманщица, у меня, кроме мужа, близких нет.

— Ступай прочь по-хорошему, — насупился страж ворот, повернувшись к Эвелине.

— Но я не вру!

— Иди себе!

— Пустите меня, пожалуйста.

— В милицию захотела? — деловито осведомился привратник.

Естественно, Эвелина ушла, но попыток встретиться с сестрой не оставила, в конце концов, ей больше не у кого было просить помощи.

Целую неделю Эва толкалась у служебного входа в театр, но всякий раз сестра выпархивала в окружении людей. Веселая, раскрасневшаяся, с охапкой цветов, она приближалась к шикарной машине, водитель почтительно распахивал перед ней дверь, Тина юркала внутрь, и иномарка, сыто шурша колесами, стрелой стартовала в сторону области. Эве оставалось лишь кашлять от выхлопа.

Но младшая сестра проявила упорство и в конце концов дождалась своего часа. В один вечер Тина неожиданно показалась из дверей театра без сопровождающих.

Глава 14

— Госпожа Бурская, — пролепетала Эва, боясь фамильярно назвать сестру Тиной, — пожалуйста...

Чтобы старшая сестра поверила ей, младшая прихватила с собой историю болезни и сейчас протягивала актрисе пухлую книжечку.

Тина не узнала сестру.

— Желаете автограф? — очаровательно улыбнулась она. — Нет проблем. Где? Здесь? Право, вы уверены, что можно портить столь важный документ?

Эва схватила сестру за рукав.

— Это я!

— Кто? — вздрогнула Тина.

— Эвелина.

Улыбка сползла с лица звезды.

— И что тебе надо?

— Помоги мне!

— Чем?

— Деньгами, — взмолилась Эва, — у меня даже на хлеб нету.

Брови Бурской взлетели вверх.

— Интересное кино!

Эва стала совать сестре под нос историю болезни.

— Вот, вот, смотри, мне удалили почку, я очень больна, много не прошу, совсем чуть-чуть на первое время, пока не оклемаюсь, ты не волнуйся, не стану постоянно тебя обременять, но...

— Тогда прощай, — отчеканила Эва, — жди публикации.

— Костя! — крикнула Тина.

Из машины моментально выпрыгнул шкафоподобный парень.

— Слушаю, Валентина Григорьевна.

Тина ткнула в его сторону пальчик, увенчаный большим, дорогим кольцом.

— Вот, Эва, смотри, это Костик. Глупый, просто идиот, читать, писать не умеет, зато стреляет, как бог, и мне предан навечно, пошевелю рукой, он тебя на куски порвет. Хочешь? — Эва приросла к асфальту, а Тина преспокойно продолжала дальше: — Шантажисту платить нельзя, получит раз звонкую монету, опять захочет, лучше от тебя сразу избавиться. Кстати, нам ничего не будет, свидетелей нет, Костя потом скажет: «Налетела на актрису психопатка, ударить хотела, а я ее отпихнул, да, видно, перестарался». Много охраннику не дадут, я выкуплю его. Так как? Пойдешь в «Желтуху»?

Эвелина помотала головой, она сразу поняла: Тина не пугает ее, громила Костя на самом деле способен убить человека и не охнуть.

— Правильное решение, — одобрила сестрица, — ступай домой и более не болтай глупости, забудь о знакомстве со мной. И еще — молись, чтобы кто-нибудь не написал о нашем детстве и юности слишком подробно. Я сочту, что информацию дала ты, и приму меры.

Высказавшись, актриса пошла к машине, Костя раскрыл дверь, и тут Тина обернулась к замершей от страха Эве и ухмыльнулась:

— Впрочем, на, держи, купи себе бутылку.

Розовая новая сторублевка спланировала на грязный асфальт, иномарка унеслась прочь.

Еле-еле сдерживая слезы, Эва подняла деньги, в ее ситуации не следовало проявлять гордость, на сто рублей можно прожить несколько дней.

Эвелина замолчала, потом, допивая кофе, радостно сказала:

— И что вышло? Их деньги теперь мои, вернее, будут мои! Как тебе эта история?

Я пожала плечами:

— Грустная, но не оригальная, увы, случается, что родные люди ненавидят друг друга.

— Напишешь статью?

— О чем?

— Как это! Да о Бурской!

— Извини, она никому не интересна.

— Офигела, да? Чутья у тебя нет! Это эксклюзив! Белая и пушистая Тина на самом деле жестокая дрянь...

— Валентина скончалась.

— Подумаешь! Пусть ее имя грязью обмажут. И вообще, давай деньги!

Я покачала головой:

— Увы, ничего захватывающего ты мне не сообщила! Кстати, вначале обещала рассказать, кто убийца Тины, вот такая информация эксклюзивна, а старая семейная история, покрытая пылью, читателю ни к чему. Сообщи ты ее при жизни Тины, могла бы снять сливки, впрочем, возьми вот еще пятьсот рублей, и расстанемся друзьями.

Если честно, я очень разозлилась на себя, поверила выпивохе, пошла с ней в кафе и упустила момент похорон, надо срочно ехать на поминки, где, вполне вероятно, я могу повстречаться с человеком, который в отличие от Эвы на самом деле знает, кто и почему убил столь изощренным способом театральную диву.

— Если дашь бабки, — расскажу и про убийцу, — вдруг тихо шепнула Эва, — я знаю все.

— Да ладно, — отмахнулась я.

— Дело простое, все упирается в деньги.

— Слушай, мне пора.

— У Семена огромное состояние! Дом, машины,

дело. Впрочем, про бизнес я не знаю, — мечтала вслух Эва, — с меня участка и особняка хватит с мебелью и картинами!

— Ты же у сестры не бывала, — решила я поймать Эву на лжи, — откуда про убранство дома знаешь?

— В журнале фото видела.

— Ну, предположим!

— Я хочу получить наследство.

— Верю.

— Но есть еще один претендент, он убийца, специально Тину отравил. Хитро придумал, никто про него не знает, но я в курсе.

— И кто же это? — насторожилась я.

— Если расскажу тебе, поможешь?

— Чем же я могу помочь?

Эва заправила сальную прядь волос за ухо.

— Сначала статью напиши, всю правду про Тину, охота мне ей нагадить, пусть народ правду знает.

— Даже мертвой?

— А с живой-то опасно связываться было, — логично отметила Эва.

— Дальше, — поморщилась я, Эва перестала вызывать у меня жалость, сейчас я испытывала брезгливость.

— Затем еще одна статья, про убийцу!

— Если ты знаешь правду, отчего не пойдешь в милицию?

— Ментов боюсь.

— Почему?

Эва завздыхала.

— Ну... сидела я, недолго, за драку. Случайно вышло, выпили чуток, повздорили, дальше не помню всего. Парня там убили, мне три года дали, просто так, за то, что в квартире спала. На зоне я меньше провела, за хорошее поведение меня отпустили.

— Знаешь, лучше пойду, времени нет.

Эвелина вскочила.

— Понимаю, я бывшая зэчка, алкоголичка, нет мне веры. Только я такое знаю! Тебя после статьи в лучшее издание пригласят. Понимаешь ведь, как карьера у человека складывается, если он «бомбу» принесет. А я тебе уникальный материал за копейки отдаю! Да, я сидела на зоне, но по чистой случайности и глупости, у нас в стране таких миллионы, на самом деле я не виновата была, водка меня сгубила, но ведь теперь взялась за ум. Если сейчас убийцу возьмут, все деньги Тины моими станут, больше претендентов на наследство не будет, только я да тот, кто все задумал, небось он про меня и не слышал, но его арестовать надо. А в милицию мне нельзя, во-первых, не поверят, а во-вторых, как менты поступают, если дело раскрыть не способны? Вешают его на такого человека, который свою непричастность к преступлению доказать не может. Вот я, например, бывшая уголовница и алкоголичка, в метро работаю уборщицей. Ну чем не кандидатка на роль убийцы Тины? Я ж ей сестра, следовательно, наследница. Ну и понеслось, поехало, закружило, замело, я чихнуть не успею, как вновь на шконках буду париться. А если статья выйдет про настоящего убийцу, тогда моя жизнь в корне изменится. Понимаешь? Ее деньги станут моими!!! Я их заслужила своим тяжелым детством, юностью, страшными лишениями!

Эвелина произнесла монолог с такой страстностью, что я неожиданно поняла: она и впрямь способна сейчас назвать имя человека, в чьем спектакле Тина сыграла свою последнюю роль.

— Говори.

Эва вдруг выпалила:

— Это ребенок Тины.

Я тяжело вздохнула.

— Ты же говорила, что она была бездетной.

— Да, именно так, — немедленно согласилась Эва, — ей господь в браке наследников не дал. Повезло, однако, сестричке. Она замуж-то еще в институте выскочила, точно рассчитала, умом Тинку бог не обидел, сообразила: сейчас Семен ничего собой не представляет, но пройдет время, и он высоко взлетит! Но детей у нее не было!

— Что-то не пойму, — вздохнула я, — ты уж определись, пожалуйста, то ли ее чадо мать уничтожило, то ли у Бурской ни сына, ни дочери не имелось!

Эвелина прищурилась:

— Оба утверждения верны.

— Послушай, ты меня за идиотку принимаешь?

— Нет, конечно.

— Тогда отчего чушь несешь?

Эвелина поерзала на стуле, потом склонила голову набок.

— Хочешь дальше слушать?

— Говори.

— Деньги на стол!

Я выложила тысячу рублей.

— Забирай.

— Нет, все сразу.

— Только после твоего рассказа, — уперлась я.

— Ладно, еще пять тысяч.

— Полторы!

— Четыре!!!

Сошлись на двух штуках. Ругая себя за легкомыслие и доверчивость, я отсчитала нужную сумму, Эвелина быстро схватила купюры, алчно посмотрела на них, спрятала в потрепанный кошелек и внезапно заявила:

— Это копейки, конечно, зато честно заработанные, не украденные, я теперь порядочная женщина, больше чужое не трогаю.

— Так за что ты сидела? — подскочила я.

— В который раз? — вопросом на вопрос ответила Эвелина. — И какое отношение это имеет к предмету разговора? Или тебе западло человека тяжелой судьбы послушать? Ну ничего, поглядим, какой я через год стану, встретимся — не узнаешь меня! Шубка норковая, маникюр, педикюр, укладка.

— Если столкнемся зимой, то навряд ли я сумею оценить качество твоего педикюра, — протянула я, — разве что тебе денег после приобретения манто на сапожки не хватит.

— Мне на все хватит, — гордо вскинула голову Эвелина, — и несмотря на то, что злые и гадкие люди постоянно меня подставляли да в ментовку таскали, я кристально честный человек, раз пообещала, то расскажу тебе все без утайки, слушай и радуйся, какой эксклюзив за пшик получила!

— Хватит предисловий, — вскипела я, — где суть?

Эвелина поманила официантку:

— Свари еще кофе да налей в него не холодное, а горячее молоко. Потом собеседница повернулась ко мне: — Если будешь человека шпынять, то он ничего хорошего не расскажет, это я тебе как опытная журналистка говорю.

— Похоже, ты была долгие годы редактором газеты «Рассвет над зоной», — не вытерпела я, — новости из третьего барака.

— Да, — неожиданно легко согласилась Эва, — стенгазету мы выпускали, верно, я с людьми в отличие от тебя беседовать умею, такие очерки писала! Кстати, нет ли у тебя знакомого писателя? Я могу свой дневник ему предоставить для литературной обработки, о гонораре договоримся.

— Давай вернемся к разговору о таинственных отпрысках бездетной Тины, — велела я.

Эва хмыкнула:

— Только на первый взгляд ситуация сложной кажется, на самом деле она проста, словно кружка. Я тебе рассказывала, что Тина в подростковом возрасте гепатит подхватила?

Я кивнула.

— Да, привезла из деревни. Гепатит еще называют «болезнью грязных рук», а бабушка девочки, если я тебя правильно поняла, не отличалась аккуратностью.

— Это еще мягко сказано, — оскалилась собеседница. — Когда Полина Гавриловна в Москву приезжала, меня мигом тошнить начинало, не мылась старуха никогда, белье не меняла, зубов не чистила, сплошная навозная куча.

— И Тоня отправляла к ней на лето дочь?

Эва пожала плечами:

— Не в Москве же девчонке сидеть, наша квартира находилась на шумном проспекте, в доме, где был вход в метро, да еще на первом этаже. Конечно, раньше машин меньше было, но все равно, как апрель настанет, дышать нечем, о стеклопакетах и кондиционерах тогда и не слыхивали. Вот и представь себе, каково летом там было! В комнатах духотища, сил нет! Откроешь окно — шум несется и гарь с проспекта, поэтому Тину и отвозили к грязнуле! Мать небось так рассуждала: ну какая драма в немытых бабкиных руках? Зато дочка ночь спать спокойно будет и три месяца чистым воздухом дышать!

— Она хотела как лучше, а получилось как всегда, — покачала я головой, — гепатит — страшная болезнь, порой на всю жизнь след оставляет.

Эвелина ухмыльнулась:

— А не было его, гепатита.

— Ты же сама только что...

— Ладно, теперь не перебивай, — широко улыбнулась пьянчужка, — слушай правду про народную любимицу, белую и пушистую Валентину Бурскую.

Глава 15

Эвелина тосковала за решеткой несколько раз, ее жизнь — это цепь посадок и выходов с зоны. И всегда она оказывалась на нарах по причине дружбы с бутылкой. Выпив крохотную дозу, Эва засыпала, а когда открывала глаза, то получалось, что влипла в неприятность. То в квартире, где гудела теплая компания, убили человека, то хозяйку обворовали, а в сумке Эвелины неизвестно как оказались чужие золотые колечки, то алкашка приходила в себя в подъезде в окружении ментов, которых приволок незнакомый мужик.

— Сука она, — вопил он, — пошла со мной в укромное местечко, согласилась дать за копейки и вытащила из кармана документы вместе с портмоне!

Бедная Эвелина, слабо сопротивляясь, блеяла:

— Не виновата я, ей-богу, заснула от водки. Что дальше — не помню.

Для нее самой было большим удивлением услышать о своих «подвигах». Естественно, ей никто не верил, и она вновь оказывалась под замком, правда, ненадолго, преступления, совершаемые Эвелиной, на большой срок не тянули, пару раз ее менты просто били и отпускали.

Выйдя за ворота зоны в последний раз, Эва дала себе зарок не пить, может, она бы и не выдержала трезвого образа жизни, но заболели почки, последовала операция. Эвелина страшно испугалась за свою жизнь, сбегала в церковь и перед иконой дала зарок: никогда, ни с кем, ни по какому поводу она не прикоснется к рюмке.

Сдержать данное обещание было тяжело, еще труднее оказалось устроиться на службу. Судимую женщину не хотели брать даже на самую непрестижную работу, но в конце концов Эве повезло, над ней сжалились в управлении метрополитена. Похоже, там сидели милосердные люди, они вручили женщине швабру и разрешили мыть одну из платформ. По странному стечению обстоятельств это оказалась та самая станция, вход в которую располагался в ее отчем доме.

Эвелина старалась изо всех сил, но после операции ее часто охватывала слабость и иногда она буквально валилась на скамейку, в ушах шумело, перед глазами прыгали черные мушки, по спине тек пот.

Рухнув в очередной раз на жесткое сиденье, Эва услышала тихий голос:

— Здравствуй, деточка.

Уборщица открыла глаза и увидела хорошо сохранившуюся пожилую даму, одетую в новую шубку.

— Добрый вечер, — с трудом ворочая языком от усталости, ответила Эва.

— Никак не узнала меня?

— Простите, нет.

Старуха вздохнула:

— Да уж, время никого не красит. Ладно, напомню, я Зинаида Самуиловна.

Эва ахнула, около нее сидела бывшая соседка, милейшая Зиночка. Эвелина помнила женщину молодой, веселой и очень приветливой. Если Зиночка сталкивалась с Эвой во дворе или подъезде, то обязательно протягивала девочке шоколадку со словами:

— Бери, не стесняйся, мне это добро девать некуда.

И это было чистейшей правдой, Зиночка работала акушеркой, и благодарные женщины тащили ей коробки, плитки шоколада и кульки со сладким. Впрочем, наверное, Зинаида Самуиловна имела от пациенток и более существенное вознаграждение, потому что незамужняя дама жила очень хорошо, тщательно следила за своим внешним видом. Но и сейчас, постарев, она не забыла прежних привычек. Эве приветливо улыбалась не старуха, а пожилая дама с тщательно уложенными седыми буклями и идеальным маникюром.

— Тетя Зина! — выпалила Эва.

Бывшая соседка поморщилась.

— Сделай одолжение, не величай меня тетей, право, это смешно.

— Простите, — осеклась Эва, — по детской привычке вылетело, я вас очень любила!

— И ты мне нравилась, — кивнула Зинаида Самуиловна, — милый, вежливый, начисто затюканный родителями ребенок. Сколько раз я говорила Григорию, уж коли решился чужую девочку воспитывать, так имей милосердие, не гробь детку, она в чем виновата? Но нет, не по себе, видно, он ношу взвалил, да и Тонька хороша!

— Значит, я им точно неродная, — протянула Эва.

— А ты до сих пор не разобралась? — удивленно вскинулась Зинаида. — Ладно в детстве, но потом бы и понять могла — чужая ты им!

— Зачем тогда Григорий меня дома оставил, — горько воскликнула Эва, — уж лучше б в приют отправил!

Зинаида усмехнулась:

— Дело давнее, все поумирали, можно тебе и правду сказать. Денег Григорию твой отец дал, хорошо заплатил!

— Вы знали моего папу? — закричала Эва. — Кто он? Хоть намекните!

В глазах Зинаиды мелькнула настороженность.

— Не довелось мне с ним встретиться!

— Отчего же вы тогда про деньги заговорили?

Зинаида Самуиловна осторожно поправила сильно взбитую прическу.

— Тоня один раз ко мне прибежала в истерике, на колени бухнулась да как закричит: «Зиночка, спаси, беги к нам, Гришка Эвку убивает».

Перепуганная Зинаида метнулась в соседнюю квартиру и буквально вырвала из рук побелевшего от ярости мужика находившуюся без сознания дочь. Акушерка же вызвала «Скорую», но приехавшие врачи констатировали:

— Это просто обморок, следов побоев нет.

— Паскуда, — взревел Григорий, — убил бы! — Потом он убежал прочь.

Эву увезли в больницу, а Тоня, заливаясь слезами, рассказала Зине свою семейную историю. Девочка Грише не родная, терпеть ее дома он согласился за деньги, которые заплатил ему родной отец Эвы. Тоня и Григорий очень хотели выехать из коммуналки в собственную квартиру, что удалось им лишь после «приобретения» Эвы. Но, очевидно, не по коню седло, потому что деньги давно иссякли, а девочка осталась, и до Григория с большим опозданием дошло: ему предстоит кормить, поить и одевать чужого ребенка.

— Мне тебя жаль было, — вздохнула Зинаида, — такая запуганная, дрожащая, вечно в обносках, только замечания Григорию делать бесполезно было, хорошо, что он преставился, с Тоней тебе лучше, наверное, жилось. Во всяком случае, никаких ваших скандалов я не слышала.

— Вовсе нет, — тихо ответила Эва, — мама меня ненавидела, прямо не переваривала, она Тину любила.

— Да уж, — сложила губы куриной попкой Зинаида, — было за что.

— Верно, — кивнула Эва, — Тинка хорошо училась, гордостью школы слыла.

— Так у нее все условия имелись, — перебила Зина, — а для тебя даже стола не нашлось, как ни загляну, Эвочка над подоконником скрючилась. И дел на ребенка гору взвалили, неужели ты забыла? А я хорошо помню, как ты по двору шмыг-шмыг-шмыг. Булочная — молочная — помойка, Тину ни разу с поганым ведром не встречала.

— Правильно, — подтвердила Эва, — только у нас в школе разные дети учились, вон Иван Ромашкин с одной бабкой жил впроголодь, а теперь академиком стал, вижу его иногда по телику.

— Дурочка ты, — ответила Зина, — дело не в достатке, а в любви, тебе ее ни грамма не отсыпалось, оттого и росла кривой на один бок в моральном смысле.

Эва подперла щеку кулаком.

— И это правда, вся любовь на Тину пролилась, наверное, поэтому она теперь знаменитая артистка, а я поломойка.

— Ну артисткой-то она с детства была, — неожиданно зло сказала Зинаида, — вот что, тебе еще долго тут тряпкой махать?

— Смена закончилась.

— Пошли ко мне, чаю попьем, — предложила пожилая дама.

— С удовольствием, — подхватилась Эвелина.

Вынув из старинного буфета чашки и коробку шоколадных конфет, Зинаида Самуиловна вдруг сказала:

— Некрасиво, наверное, что я решила тебе чужие тайны выдать, только обидела меня Тина очень, в самую душу плюнула.

— Что случилось? — изумилась Эва. — Вы с ней встречаетесь?

— До бога высоко, до царя далеко, до звезды не дотянуться, — язвительно сказала Зинаида. — Как вы квартиру разменяли, с тех пор мы с ней и не разговаривали. Но я страстная театралка, по всем премьерам бегаю и, конечно, знала, что знаменитая Тина Бурская — девочка Валя, дочка моих прежних соседей.

Зинаида Самуиловна ни перед кем знакомством не хвасталась, но фильмы и спектакли с участием Тины смотрела с особым интересом, ей было приятно осознавать, что та, кого она помнит крошкой, находится теперь на гребне успеха.

Потом Зинаида Самуиловна услышала по радио, что Валентина Бурская решила особым образом отметить свой юбилей, дать эксклюзивный спектакль с участием лучших актеров Москвы.

Сердце старой театралки забилось от радостного предвкушения праздника, и она позвонила своей бывшей пациентке Машеньке, работающей в театральной кассе. Но Маша, всегда с радостью продававшая акушерке любые билеты, на этот раз воскликнула:

— Ой, Зинаида Самуиловна, я ничем вам не помогу!

— Раскупили все! — ахнула дама. — Не успела!

— Нет, нет, — успокоила ее Машенька, — просто билетов в продаже не предвидится.

— Почему?

— Спецпредставление, только для своих, наверное, пригласительные раздадут, — затарахтела Маша, — но вы не расстраивайтесь, запись спектакля сделают и по телику покажут.

Но Зинаиде Самуиловне хотелось попасть в театр, кроме любви к зрелищам, у дамы есть еще одно хобби, она собирает автографы. На дне рождения Бурской явно соберутся знаменитости, и заветная тетрадочка Зинаиды могла бы изрядно пополниться.

Бывшая акушерка чуть не заболела, пытаясь придумать, как стать участницей необычайного события, и тут ей в голову пришла очень простая, но замечательная мысль: надо попросить приглашение у Тины.

Нового адреса Бурской Зинаида Самуиловна не знала, да он ей и не был нужен. Вечером, после спектакля, бывшая акушерка встала у служебного входа театра «Лео» и дождалась приму. Та выпорхнула в сопровождении группы людей.

— Валечка! — крикнула Зинаида.

Бурская оглянулась.

— Вы мне?

— Тебе, детка, можешь ко мне подойти?

Тина приблизилась к Зинаиде, за спиной Бурской маячил огромный мужик с мутным взглядом снулой рыбы. Его присутствие слегка смутило акушерку, но она улыбнулась и сказала:

— Какая ты красавица стала и талантливая, я всякий раз восхищаюсь, глядя на тебя.

Рот Тины растянула протокольная улыбка.

— Огромное спасибо, я работаю для вас, зрителей, мне очень важна оценка моего скромного труда. Хотите автограф?

Зинаида Самуиловна вынула тетрадочку.

— Да, конечно, но вообще-то я думала попросить пригласительный на спектакль по поводу твоего дня рождения.

Продолжая сверкать наклеенной улыбкой, Тина быстро поставила на чистой странице загогулину и мотнула идеально уложенной головой.

— Увы, представление будет лишь для своих, версию для зрителей покажут по телевизору.

— Я не чужая тебе.

Тина прищурилась:

— Мы знакомы?

— Да, и очень хорошо, более того, даже дружили, вернее, я тесно общалась с Тоней, твоей мамой и, конечно, помню тебя еще девочкой.

— Вы кто? — изменив вежливо-официальный тон на человеческий, спросила актриса.

— Время никого не красит, — вздохнула Зинаида.

— Тина, — прозвучало из машины, куда сели спутники примы, — долго еще?

— Сейчас! — крикнула та, и велела Зине: — Назовите свое имя.

— Зинаида Самуиловна, ваша соседка по старому дому, акушерка.

Тина вздрогнула, улыбка мгновенно слетела с ее лица.

— Я не помню вас.

— Как же, я...

— Замолчите!

— Деточка, мы с тобой...

— Ничего слышать не желаю!

— Но, пожалуйста...

— Костя, — заорала Тина, — кто чья охрана? Отчего ты стоишь, мух считаешь, ко мне сумасшедшие привязываются, а он в облаках витает!

Гора мышц быстро оттеснила Зинаиду в сторону.

— Милая, — попыталась все же достучаться до сердца актрисы Зинаида, — билетик...

Тина, успевшая добежать до шикарной иномарки, обернулась и велела «горилле»:

— Дай этой попрошайке чуток.

Охранник вытащил из кармана тысячу рублей.

— Держи, бабка, — прохрипел он, — но чтоб я тебя больше тут не видел. Знаю вас, прощелыг, один раз получите и снова на хлебное место опрометью бежите.

От обиды у Зинаиды на глазах выступили слезы, она хотела было с гневом воскликнуть: «Что вы себе позволяете! Я не нищая!»

Но тут Костя одним прыжком одолел расстояние от пожилой дамы до джипа, и лаково сверкающая машина ракетой стартовала с места.

Эва вздохнула:

— Представляю, как вам было неприятно!

Акушерка кивнула:

— Целую ночь я проплакала, все думала, ну почему меня за бродяжку приняли? Одета я прилично, сумка красивая, сама только из парикмахерской! Разве бывают такие бомжи?

— Нет, конечно, — фыркнула Эва.

— То-то и оно! — кивнула Зинаида. — Я лишь к утру дотумкала: Тинка меня просто боится! Небось решила, умерло прошлое, похоронено давно, не один десяток лет прошел, сгинула Зинаида Самуиловна на кладбище. А я вот она! Живехонька, здоровехонька и между прочим не такая уж и древняя. Когда беременность у нее случилась, я совсем молодая была, хоть и имела уже большой стаж работы!

— Какая беременность? — вытаращила глаза Эва.

Акушерка аккуратно расправила туго накрахмаленную скатерть.

— Помнишь, Тина заболела? Летом гепатит у бабки в деревне подхватила?

— Конечно, — кивнула Эва, — самое замечательное время для меня было. Вальку в клинику запихнули надолго, мать к ней постоянно моталась, а я одна в квартире оставалась, просто песня!

Зинаида усмехнулась:

— Ага, гепатит! Неприятная штука, тошнит человека, печень поражается, потом диету долго соблюдать надо, худеют больные сильно.

— Тинка наоборот сначала омордатела, — вздохнула Эва, — разнесло ее, как квашню. Вот насчет тошноты верно, выворачивало сестру в туалете по-черному, мама поэтому и сообразила, что у Вальки со здоровьем швах, чего не проглотит, все назад. Ну а потом к врачу ее оттащила и выяснилось — это гепатит.

— Дурочка, — с легким раздражением заметила Зина, — беременная она была!

— Господи! — всплеснула руками Эва. — Не может быть!

— Абсолютная правда, — подтвердила акушерка, — в деревне на свободе ребенка нагуляла. Бабка не уследила, а Тина по малолетству испугалась. Она весь сентябрь тошноту скрывала, думала, может, само рассосется, матери лишь в октябре призналась, когда живот вверх попер. Представляешь ситуацию? Аборт делать нельзя, а рожать к чему? Сама еще ребенок, все обязанности по уходу за младенцем на Тоньку лягут и позора не оберешься. Это сейчас никого матерью-малолеткой не удивить, а в прежние времена в беременную школьницу пальцем тыкали, осуждали.

Перепуганная Тоня понеслась к Зинаиде и бросилась ей в ноги с воплем:

— Помоги!

Акушерка предложила замечательный выход из
положения. У нее есть знакомая вполне обеспеченная
пара, все у них хорошо, кроме одного: детей бог не
дает. Семья собиралась усыновить ребенка, да только
страшно брать отказного младенца от вечно пьяной
мамаши. А тут девочка, залетевшая по неопытности
от наивного мальчика-дачника, оба родителя не про-
бовали алкоголь, не курили. Просто двое глупых ребят решили поиграть во взрослую жизнь, результат их
забав был никому не нужен, но ребенок, с большой
вероятностью, появится на свет здоровым.

Зинаида поговорила со своими бездетными знако-
мыми, и те, обрадовавшись, поселили Тину на съем-
ной квартире. Рожала девочка там же, Зина лично
приняла здорового, кричащего мальчика. Она же потом, естественно, за хорошее вознаграждение, сумела
оформить нужные бумаги, и младенца записали на
имя никогда не беременевшей женщины. Тину же от-
везли домой и велели:

— Никому ни слова, у тебя был гепатит.

Перепуганная Тина плотно закрыла рот и не открывала его до сих пор.

— Представляешь, каково ей было меня уви-
дать? — сказала Зинаида. — Я ведь газеты читаю, телик смотрю и знаю, какой у Бурской имидж. Нежная,
интеллигентная, добрая, участливая, то она денег ка-
кому-то ребенку на операцию даст, то в медицинский
центр к крошкам приедет и постоянно везде одно и то
же твердит: «Мне господь детей не дал, теперь я чужим
помогаю. Давайте друг друга любить, тогда на земле не
останется несчастных. А в особенности я не понимаю
женщин, которые собственную кровиночку в детдом
сдают. Ну отчего жизнь так несправедлива? Вот я
мечтала о сыне или дочери, но бог не дал, другой же

дети ни к чему, а нарожала их кучу...» Ну и дальше всякие умные слова о контрацепции и ответственности перед детьми. Я, конечно, понимала, что ей такую роль велели играть, имидж нарабатывать, но порой смешно становилось, а иногда и противно. Тут она намедни в ток-шоу на несчастную девчонку накинулась, та в восемнадцать родила, мужа нет, вот и решила своего ребятеночка на продажу выставить. Дескать, купите, люди добрые, недорого прошу, самой его не прокормить! Уж как Валентина несчастную девчонку топтала, обзывала по-всякому и через слово восклицала: «Мы, женщины, не знавшие материнства... Мы, кому не довелось родить ребенка, мы, обделенные судьбой...»

Зинаида Самуиловна выключила телевизор и печально улыбнулась — вот бы буря поднялась, если бы акушерка, все же попав на это шоу, встала и заявила: «Все ты врешь! Я лично принимала твоего сына, которого вы потом в чужие руки отдали, ты сама от дитя отказалась. Какое право имеешь других осуждать, опомнись, Валя!»

Однако совершить этого Зинаида не могла по нескольким обстоятельствам. Акушерка знала много чужих тайн, но профессия медика обязывает крепко держать язык за зубами. Кроме того, мальчик, отданный чужим людям, считает их своими родителями, сейчас, правда, он уже вполне взрослый человек, и все же акушерка не имеет никакого права корежить чужую судьбу. Зинаида Самуиловна крайне порядочный человек, вот почему она не раструбила по всему белому свету правду о Бурской, пожалела в первую очередь ее ребенка и тех, кто его усыновил.

— Тебе лишь одной сейчас истину приоткрыла, — завершила повествование Зинаида.

— Почему? — одними губами поинтересовалась Эва. — Отчего вы решили изменить своим принципам?

Зинаида Самуиловна выпрямилась.

— Нехороший человек Тина, хоть вся страна от нее в восторге, она в мать пошла, Тоня дрянь была, Григорий, впрочем, не лучше. Ну да я тебе больше ничего не скажу. Тине в детстве нравилось младшую сестру обижать, она не упускала случая тебя пнуть, или ты забыла?

— Помню, — тихо подтвердила Эва, — она меня и сейчас родственницей не считает.

Зинаида подняла вверх палец:

— Теперь ты отомстить сумеешь, поедешь к ней и заявишь: знаю все про твоего мальчика, зря считаешь, что тайна похоронена! Рано или поздно любой секрет выплывает на свет божий. Вот что я придумала! В нужный час ты мне, Эвочка, встретилась. Отомщу Тинке за унижение и тебе добро сделаю, ты можешь у сестры денег за молчание стребовать. Пусть осудит меня бог, только с жабой надо по-жабьи поступать!

Глава 16

Эвелина торжествующе посмотрела на меня.

— Красивая историйка? Гони деньги!

Я молча смотрела на Тину.

— Ну, давай, — в ажиотаже воскликнула собеседница, — отсчитывай!

— Ты не назвала имени убийцы.

— Неужели ты не поняла, кто он? Тот самый сын Тины решил отомстить мамочке, у чужих людей жить трудно, сама знаю, к приемному ребенку хорошо не относятся, и потом, он сообразил, что получит наследство...

Можно было поспорить с Эвой и сказать ей, что на свете встречаются милосердные, благородные люди, которые заменяют родителей сиротам, становятся им настоящими отцом и матерью, но в мою задачу не входила полемика с Эвелиной.

— Деньги получишь непременно, — заверила я ее, — говори имя и фамилию парня.

— Ему за тридцать перевалило, не парнишка уже, а здоровенный кобель. Ладно, бабки на стол!

Я выложила купюры.

— Это что? — прищурилась Эва.

— Деньги!

— И сколько?

— Согласно договору!

Она аккуратно посчитала бумажки.

— Ладно, вторую половину отдашь потом.

— Какую вторую половину? — подскочила я.

— Имя сына Тины стоит пять штук, — без тени смущения заявила Эва. — Я его знаю! Кстати, он к Зине приходил, да! Вот так! Очень интересная история, мамочку искал. Мне акушерка много еще чего рассказала!

— Но мы же сошлись на двух!

— Верно. Только за эти деньги я обещала сообщить, кто убил! — ухмыльнулась Эва. — Имя называть не собиралась, и свое слово сдержала: убийца — сын Тины, больше некому. Небось на матушкино наследство губу раскатал, он про меня не знает, не предполагает, что у него еще тетка имеется и с ней бы делиться пришлось. Только мне все одной достанется, потому как преступника посадят после твоей статьи! А за имя, фамилию и адрес — особая плата. И еще Зина мне много всего сообщила, я с тобой этой информацией поделюсь, но, сама понимаешь, не за так.

Я заскрежетала зубами, но ведь, если рассуждать спокойно, Эва совершенно права. Она обещала дать ответ на вопрос: кто убил? — и не обманула меня, но мне-то нужно знать имя злодея.

— Ты точно знаешь его координаты? — налетела я на собеседницу.

— А то!

— Живо выкладывай!

— Гони монету.

— Я с собой столько не ношу.

— Нет рубликов — нет информации, — отрезала Эва. — Желаешь получить эксклюзив, поторопись, я долго ждать не стану, продам сведения другой журналистке, не жадной, как ты, а умной, которая сразу просечет, что плывет ей в руки.

— Заплачу через два часа! — воскликнула я. — Давай знаешь как сделаем, поедем сейчас со мной, я возьму заначку из шкафа.

Эвелина хмыкнула:

— Ну уж нет, я хотела на поминки попасть, на свой будущий дом полюбоваться, народ после кладбища в особняк попрет.

— Ты забыла, что Семен Петрович скоропостижно скончался! — воскликнула я. — Какие поминки в доме, где только что умер хозяин, кто их проводить будет?

Эвелина стала накручивать на палец прядь грязных волос.

— Организаторы найдутся, выпить все хотят, полно народу в дом припрет, да еще воспользуются тем, что хозяев не осталось, и начнут по комнатам шастать. Нет, мне надо туда ехать, причем срочно, иначе разворуют все! Уж небось у Тинки в особняке прислуги полно, велю гостей только в зал пустить, а другие помещения закрыть потребую.

— Думаю, тебя никто слушать не станет, — вздохнула я.

Эва заулыбалась:

— Ошибаешься! В паспорте у меня четко стоит: Эвелина Григорьевна Бурская, и свидетельство о рождении на руках, а в нем черным по белому написано, кто мои мать с отцом. Я теперь всем горничным хозяйка!

Внезапно мне стало противно, такое ощущение, что шла я себе спокойно по дорожке, а потом наступила в коровью лепешку.

— Мы так сделаем, — не замечая моего состояния, вещала Эва, — ты приезжай в поселок, пиши адрес, войдешь в дом, передашь мне деньги и получишь в обмен имя убийцы. Идет?

Я заколебалась.

— А меня пустит охрана?

— Скажи: к Бурской на поминки, если все же задержат, звякни мне на мобильный, запоминай номерок.

— У тебя есть сотовый?!

— Почему нет? — пожала плечами Эва, вытаскивая старый, потертый аппарат.

Действительно, почему нет? Мобильная связь перестает быть показателем благосостояния, а сам телефон, если он, так сказать, б/у, можно приобрести за копейки.

— Значит, сторговались, — радостно потерла ладошки Эва, — жду, не приедешь — пеняй на себя, другой журналистке имя убийцы сообщу.

Выпалив последнюю фразу, она вскочила, нахлобучила на макушку отвратительную беретку и унеслась со скоростью ветра, оставив меня платить по счету.

Домой я приехала взбудораженная, бросилась к шкафу, где держу «золотой запас», схватила деньги, сунула их в сумку и тут услышала голос Юли:

— Очень хорошо, что ты уже вернулась.

— Ты не пошла на работу? — воскликнула я.

Юля принялась яростно чесаться.

— Видишь, какой ужас, — воскликнула она, — остановится не могу!

Я осторожно поскребла шею.

— И у тебя чесотка, — мгновенно констатировала Юлечка, — надо действовать решительно!

— Каким образом?

— Сначала проводим новую тотальную дезинфекцию животных, потом людей и квартиры! — стукнула кулаком по столу девушка. — Какие-то предметы не обработали, и вот результат, не можем же мы остаться такими навсегда!

— Ну, — промямлила я, — э... э... в принципе...

— У тебя иное видение проблемы? — нахмурилась Юля.

— В общем, я целиком и полностью с тобой согласна, — быстро заявила я, — только у нас огромное количество вещей.

— Заодно и разберем их! — хищно воскликнула Юля.

Хлопнула дверь, и из коридора донесся голос Кирюши:

— Тут есть кто?

— Ты почему не на уроках! — возмутилась я. — Опять с алгебры сбежал?

— Меня Нина Константиновна выгнала, — со счастливой улыбкой возвестил мальчик.

— Преподаватель не имеет права так поступать! — еще больше вышла я из себя. — Немедленно возвращайся в класс и скажи училке, что она лишила ребенка права на образование, а между прочим в Конституции...

— Знаешь, Лампа, — спокойно перебил меня Кирюша, — Нина Константиновна тоже про основной закон вспомнила, но она при этом заметила, что блохастые мальчики представляют опасность для остальных детей, и их должны изолировать.

Выпалив тираду, подросток начал изо всех сил чесать голову.

— При чем тут кожные паразиты? — насторожилась я.

— А Нина Константиновна только в класс вошла и давай мне замечания делать. — Кирик с самым невинным видом начал растолковывать суть произошедшего: — Завелась, словно зуда: «Романов, не чешись»,

«Кирилл, прекрати в башке рыться», «Безобразие, что ты скребешься». Ну я ей и ответил: «Извините, никак не могу выполнить ваши приказы. Лампа купила йоркширского терьера, у него оказались блохи, они на людей перепрыгнули, и теперь у меня тело зудит».

Я схватилась за голову:

— У Ириски блох нет!

— Но я весь исчесался, — перебил меня мальчик, — стоит вспомнить про йоркшира — и трясусь весь.

— У Ириски чесотка! Она переносится клещами!

— Один фиг! — меланхолично заявил Кирюша.

Снова хлопнула дверь, в кухню прямо в куртке и сапогах ворвалась Лиза. Издав боевой клич индейцев, девочка со всего размаха треснула Кирюшку по голове сумкой.

— Дебил, — заорала она, — урод!

Кирик схватил со стола поварешку.

— Ща тебе мало не покажется!

— Быстро положи на место, — велела Юля.

— Она первая начала! — заныл мальчик. — Лизке можно драться, а ответить ей нельзя? Несправедливо выходит!

Я повернулась к девочке:

— Лизавета! Немедленно объяснись!

Из глаз школьницы брызнули слезы.

— Кирилл меня опозорил... Сижу я себе спокойно на инглише, вдруг врывается Нина Константиновна...

Вид классной руководительницы был страшен, Лиза встревожилась, увидев, в каком нервном возбуждении находится всегда апатичная дама.

— Елизавета Романова, — завизжала училка, — немедленно уходи домой и без справки из санэпидемстанции в школу не являйся!

Лиза заморгала, ей в голову пришла мысль: классная внезапно лишилась рассудка.

— Что случилось, Нина Константиновна? — тревожно поинтересовалась англичанка.

И тут Нина Константиновна выдала такой текст, что у Лизы вспыхнули огнем уши.

— В семье Романовых вшивость! — заорала классная. — Кирилл на моем уроке весь исчесался!

— Неправда, — вскочила Лиза.

— Он сам сообщил про вшей и блох, которыми заражен ваш дом, — взвыла классная.

— Она врет, — перебил Лизу мальчик, — я только про блох заикнулся!

Лизавета пнула Кирика ногой.

— Урод! Дальше слушай!

Девочка попыталась объяснить Нине Константиновне ситуацию:

— У Ириски чесотка! Это ерунда, очень легко купируется! Меня уже ничего не беспокоит!

Но именно в этот момент у Лизаветы нестерпимо зачесался затылок. Стоило девочке поднести руку к голове, как ее соседка по парте, Ася Водовозова, схватила свои учебники и переместилась за другой стол.

— Ступай, Лизонька, — до противности ласково попросила англичанка и тут же чихнула.

— Вот, — не преминула заметить Нина Константиновна, — и до вас болячка добралась, сначала, как у всех болезней, респираторные явления появляются. Отправляйся, Романова, восвояси и без справки из санэпидемстанции не возвращайся!

Понурив голову, Лиза пошла к двери, оставшиеся ученики начали интенсивно чихать, когда девочка на пороге обернулась, перед ее глазами предстала дивная картина: вся группа во главе с англичанкой и Ниной Константиновной судорожно почесывалась и дергалась.

— И при чем тут я? — завозмущался Кирюшка. — Ты сама заразила всех чесоткой.

— Надо было молчать об Ирискиной болячке, дурак.

— Дура в квадрате.

— Брэк, — рявкнула Юля, — не до ругани сейчас! Всем слушать меня внимательно. Кирилл, Лизавета и я дезинфицируем помещение, а Лампа идет в школу и говорит, что Кирюша глупо пошутил!

— Я, — взвизгнул Кирик, — совсем идиот, да?

— Да, — быстро ответила Лиза, — именно так.

— Беги скорей, Лампудель, — подтолкнула меня Юлечка, — а то Нина Константиновна до президента доберется, с ее тупой активностью это будет нетрудно.

Тут дверь снова стукнула о косяк, и появился Сережка, черный, словно грозовая туча. Мы моментально заулыбались. Сережка вполне мирный человек, ну есть у него, как у каждого, свой спусковой крючок, парень терпеть не может, когда его отвлекают в разгар трансляции футбольного матча или требуют срочно освободить ванную. В этих случаях Сергей способен выйти из себя, но ненадолго, через пять минут он забывает о произошедшем и снова обретает замечательное расположение духа. Но иногда, очень и очень редко, у него случается припадок ярости, и тогда домочадцы делают все, чтобы Сережка не вскипел, потому что гнев его бывает просто ужасен, а первый признак надвигающейся грозы — вот это хмурое выражение на лице.

— Милый, — зачирикала Юля, — здорово, что ты сегодня пораньше вернулся, Лампа обещала борщик сварить, сейчас вместе пообедаем.

Я вздрогнула, ну, Юлечка, ай да Лиса Патрикеевна, переводит дуло боевой пушки на Лампу. Сейчас Сережка потребует борщ, которого нет, и угадайте с двух раз, в чью голову полетят молнии!

— У меня сегодня пятерка по литературе, — нагло соврал Кирюшка, заглядывая старшему брату в глаза.

— А я «отлично» по инглишу огребла, — вторила

ему Лизавета, — и вообще, меня в олимпиаде участвовать пригласили.

Потом три хитрюги с самым невинным видом заморгали лживыми глазами, всем своим видом говоря: мы замечательные, умные, пушистые и белые. Я втянула голову в плечи: надо срочно чем-то похвастаться, но, как назло, в башку не приходило ничего достойного: продукты не куплены, супчик не сварен...

— Здорово, что ты пораньше пришел, — нажала Юля на ту же педаль, — сейчас будем ням-ням.

— Не хочу, — буркнул Сережа.

— Борщик!

— Уже наелся!

— Где?

— На помойке! — заорал он.

— Что? — хором спросили мы.

Сережка плюхнулся на стул.

— Поехал сегодня контракт подписывать, оделся, побрился, одеколоном побрызгался, потом зачесался и решил облиться лекарством.

Я осторожно села на стул, продолжая внимательно слушать Сережку.

В фирме, куда он заявился, слегка покосились на его бритую голову, но ничего, естественно, не сказали. Потом секретарша начальника, подавая кофе, задергала носом и расчихалась, тут до Сережки дошло, что, наверное, он до сих пор пахнет средством от чесотки. Не успел он сообразить, что делать, как в кабинет влетела прехорошенькая девица и заорала:

— Папа, почему у тебя в кабинете помойкой несет!

Начальник сделал большие глаза и, быстро глянув на Сережу, сказал:

— Леночка, у меня деловые переговоры!

Девчонка кивнула и исчезла.

— Фу, — долетел из коридора ее пронзительный голосок. — Отец с бомжом договаривается, с лысым и вонючим!

У Сережки зачесались ноги, в прямом смысле этого слова, ему очень захотелось пнуть противную девку, но пришлось делать вид, что он ничего не слышал.

В конце концов отец девицы, сидевший за письменным столом, мирно пояснил:

— Ваше предложение кажется мне интересным, но у нас окончательное решение о заключении контракта принимает Иван Николаевич, я всего лишь маленький начальник.

— Пошли к нему, — вдохновился Сергей.

— Управляющий будет через четверть часа.

— Тогда я покурю пока.

— Но только на улице, у нас в здании безникотиновая зона, — отрезал «маленький начальник».

Делать нечего, Сережка выбрался во двор, подошел к мусорному бачку и начал рыться в карманах, сначала он вытащил мобильный, потом ключи от машины и лишь затем пачку, в которой осталась ровно одна сигарета.

Закурив, Серега смял упаковку, швырнул ее в бачок и начал пускать дым, изредка почесывая бритую голову, отчего-то голый череп покалывало и пощипывало. В эту минуту из двери вылетела девчонка в синем халате и вытряхнула в тот же бачок содержимое довольно большого ведра.

Сережка сделал пару шагов, собираясь вернуться в нужный кабинет, но сразу понял: что-то не так. Карман пиджака был подозрительно легким, парень похлопал себя по бокам и не нашел ни ключей от машины, ни телефона. На секунду Серегу охватило изумление, и тут из недр железного, вонючего ящика донеслась звонкая трель.

Наш пиарщик сразу понял суть произошедшего, он сначала вышвырнул в помойку смятую пачку, а затем машинально, думая о контракте, отправил туда же сотовый и ключи.

Делать нечего, отыскав длинную палку, Сережка

принялся сосредоточенно ворошить мусор, но девчонка в синем халате основательно завалила бачок,
поэтому ему пришлось вытащить и поставить у по-
мойного короба батарею пустых бутылок. Наконец
среди смятых бумажек и объедков нашлись его вещи,
Серега перевесился через край гигантской урны и услышал визгливый голосок:

— Папа, папа, он и впрямь бомж, бутылки собирает.

Едва не упав на кучу дряни, Сережка схватил ключи с мобильным, отряхнулся, поднял голову и увидел
в одном из окон фирмы противную девицу и ее отца,
«маленького начальника», челюсть у того отвисла до
пупка.

Контракт с Серегой заключать не стали, его даже
не пустили назад в здание, секьюрити огромным телом
закрыл проход и гаркнул:

— Ступай отсюда, здесь приличное место.

Дослушав до конца рассказ о злоключениях парня, я прикусила губу, только бы не расхохотаться в голос. Молчи, Лампа, молчи.

— И почему со мной такое произошло? — громовым голосом поинтересовался Сережка. — Если разобраться до конца, то...

Я вскочила на ноги.

— Ой!

— Что случилось? — прошипела Юлечка.

— Я забыла машину от подъезда отогнать! Дорогу
перегородила, сейчас вернусь!

Продолжая бормотать, я кинулась в прихожую и
была такова, пусть фаза обострения злобности Сережки протекает в отсутствие госпожи Романовой. Конечно, домашние очень быстро сообразили, чем грозит
Сережино появление в неурочный час дома, и начали
активно хвастаться собственными достижениями. У меня недостало ума на выдумку, зато я удачно ретирова-
лась из квартиры, по которой сейчас пронесется тор-
надо.

Глава 17

Оказавшись на улице, я посмотрела на часы и, поняв, что времени до встречи с Эвой предостаточно, решила сходить в школу и вразумить вредную Нину Константиновну.

В большом сером здании оказалось странно пусто, даже полубезумная бабушка, которая считается тут охраной, не сидела у входа на стуле с очередным недовязанным носком в руке.

Школьников словно корова языком слизала, учителя тоже испарились в неизвестном направлении. Все больше и больше удивляясь, я добралась до учительской и страшно обрадовалась, обнаружив в коридоре около подоконника чисто выбритого, крошечного дедушку, настоящего божьего одуванчика.

— Вы не в курсе, куда весь народ убежал? — спросила я.

Дедуля почмокал губами, потом аккуратно опустил на пол футляр с гитарой и вежливо пояснил:

— Совещание там какое-то, вот я Валерьяна Николаевича жду, преподавателя музыки.

Вымолвив эту фразу, старичок уставился на меня и заулыбался. Я решила поддержать ничего не значащий разговор:

— У вас внук, наверное, обучается игре на струнном инструменте?

Дедуся тяжело вздохнул:

— Сам хожу на занятия.

— Но зачем? — удивилась я.

Старичок деликатно кашлянул:

— Хочется мне «Smoke on the water» не хуже Ричи Блэкмора играть.

Я разинула рот. Конечно, я давным-давно не прикасалась к арфе, но имею отличную память и хорошо знаю не только классическую музыку, но и эстраду. Если перевести название песни, о которой сейчас говорит дедуся, то получится «Дым над водой», исполнял ее знаменитый коллектив «Deep Purple», а Ричи Блэкмор был гитаристом этой группы.

— Валерьян Николаевич хотел было в меня зачатки знаний вбить, — разоткровенничался дедуся, — но я ему прямо сказал: «Будьте милостивы, научите только сей мотивчик, как это говорится... лабать! Мне только эту мелодию разучить надо, более я к гитаре не прикоснусь». Кстати, у меня уже ловко получается, хотите послушать?

Не дожидаясь ответа, божий одуванчик вытащил на божий свет гитару и, напряженно шевеля губами, принялся фальшиво наяривать культовую для нескольких поколений песню.

— Но отчего вы решили выучить именно эту мелодию? — только и сумела спросить я по окончании «концерта». — Чем вас привлек «Дым над водой»?

Дедок хмыкнул:

— Внук у меня оболтус и лентяй. Школу в прошлом году закончил, мимо института пролетел, работать не идет, решил гитаристом стать, все кричит, какие у музыкантов заработки. Я ему толкую: «Ступай на службу», а он в ответ: «Ты, дед, идиот! Вот выйду на сцену и всех сделаю». А сам — трень-брень! Ставит запись, слушает, пытается повторить, и ничего не выходит. Так я в его отсутствие в комнату вошел и на диске поглядел, чего он разучивает, потом к Валерьяну Николаевичу обратился и вот теперь здорово струны нащипываю, чуть подшлифовать исполнение осталось.

— Но зачем вам нужно учить мелодию? — тупо повторяла я один и тот же вопрос.

Старичок выпрямился, глаза его засверкали, в голосе появились металлические нотки:

— А ты вообрази, как я войду в его спальню, выхвачу у лентяя гитару, сыграю «Smoke on the water», потом отшвырну инструмент и скажу: «Внучек, ты ужасный идиот, даже я могу эту фигню с первого раза повторить! Какая сцена! Иди работать!»

Я собралась рассмеяться, но тут в коридоре появилась полная дама, директриса школы Анна Марковна Пылкина, и сурово спросила:

— Что вы тут делаете?

— Валерьяна Николаевича поджидаю, — мирно сообщил дедуся.

— Ступайте домой, у нас карантин, учителя анализы сдают!

— Заболевание какое? — испугался старичок. — Опасное? Или оно только детям передается?

Пылкина подняла окорокообразную руку и стала чесать подбородок, шею, плечо. В моей голове будто что-то щелкнуло, до меня дошло, почему никого нет. Дедушка, завороженно глядя на Анну Марковну, заелозил спиной по подоконнику, я попыталась изо всех сил удержаться, но не смогла, потерла ногой о ногу и быстро сказала:

— Мне бы Нину Константиновну найти!

Лицо Пылкиной стало цвета перемороженной говядины.

— Нина Константиновна ушла в поликлинннику вместе со всеми, — злобно процедила она, — устроила тут бучу! Нашла тифозную вошь, раздвонила по всему свету, родителей взбаламутила, те в санэпидемстанцию кинулись, и вот, пожалуйте, горький результат. Сейчас тут будут делать тотальную дезинфекцию, мы закрыты на неделю! Разве это хорошо по отношению к родной школе?! Подумаешь, вши, блохи... экая ерунда, сами бы их поймали, с паразитами несложно справиться. Я вот чешусь уже вся, и никакой драмы в этом не вижу, приду домой, помоюсь, и ничего. Очень некрасиво Нина Константиновна поступила, сор из избы перед всеми вытряхнула, мы теперь последние по округу будем! Это же ЧП, в разгар учебного года делать дезинфенцию!

И она снова энергично зачесалась, я невольно повторила ее движения, дедушка, забыв попрощаться,

опрометью кинулся по длинному гулкому коридору в
сторону лестницы.

— Значит, школа будет закрыта? — уточнила я, то-
пая по полу ногой, чтобы унять зуд в ступне.

— На неделю, — рявкнула Анна Марковна, — всех
детей назад пустим лишь со справкой от кожника. Ну,
Нина Константиновна, ну истеричка! Тиф ей почудил-
ся, а хоть бы и так, что плохого? В классах по сорок человек сидит, меньше детей будет — только лучше! Ну я
ей отомщу!

Продолжая пламенеть от злобы, директриса с гра-
цией беременного носорога вошла в учительскую.
Я потрясла отчаянно чешущейся головой. «Меньше детей будет — только лучше», что Пылкина хотела этим
сказать? Впрочем, лучше сейчас не зацикливаться на
мыслях Анны Марковны.

Я вышла во двор и позвонила домой.

— Да, — прочирикала Лизавета, — кто там? Чего
молчишь? Антон, ты? Хи-хи! Отвечай!

— Это Лампа. Скажи, ты помирилась с Кирюшкой?

— Нет, и не собираюсь.

— Иди немедленно поцелуй его, а еще лучше купи
ему подарок.

— Вот еще, — возмутилась Лиза, — за какие за-
слуги?

— Нина Константиновна впала в панику, от страха перепутала все на свете и сообщила в санэпидемстанцию, что школа подверглась нападению тифоз-
ных вшей. Теперь у вас объявлен карантин на неделю,
семь дней будете дома сидеть, получили лишние каникулы.

Из трубки сначала не донеслось ни звука, я уже
решила, что Лизавета от счастья лишилась дара речи,
но тут вдруг раздался вопль:

— Вау-у-у! Кирик! Мой миленький, любименький!
А-а-а!

В мобильном что-то хрюкнуло, и дисплей погас, децибелы, выданные Лизаветой, оказались слишком сильны для крошечного аппарата, и, чтобы сохранить свою жизнь, он самостоятельно отключился от сети.

В коттеджный поселок я прибыла за пять минут до оговоренного часа. Из будки около шлагбаума вышел охранник и вполне мирно спросил:

— К кому направляетесь?

— На поминки к Бурской, — ответила я.

Очевидно, парню было велено пропускать всех, кто произносит эту фразу, потому что он кивнул, открыл въезд и услужливо подсказал:

— По левой аллее до конца, дом номер двадцать, желтое здание с белыми колоннами.

Я доехала до особняка и вошла в незапертую дверь. На всякий случай, если кто-то станет интересоваться, почему я заявилась без приглашения, у меня была заготовлена фраза: «Меня ждет Эвелина Бурская, я должна отвезти ее в город».

Я вошла в прихожую, потом в коридор, а из него в холл. Там неожиданно мне встретилась вахтерша баба Лена с бокалом коньяка в руке.

Меня удивил напиток, старухи обычно предпочитают сладкое вино, ликер или портвейн.

— Здравствуйте, — вежливо сказала я.

Баба Лена не ответила, покачиваясь, она прошла мимо, очевидно, сильно выпила, для некоторых граждан поминки — это повод вкусно поесть и хорошо поддать.

Никому не было дела до новой гостьи, по необъятному первому этажу особняка шаталось несколько мужчин в разной степени подпитости, поминки достигли той стадии, когда присутствующие начисто забыли повод, по которому здесь собрались.

Стол был накрыт в каминном зале, я вошла туда в тот момент, когда какая-то дама в черном бархатном платье говорила тост. Я замерла на пороге и начала изучать присутствующих, где тут Эвелина?

— Садитесь, — шепнул кто-то мне на ухо, подталкивая меня к свободному стулу.

Отказаться было неприлично, пришлось сесть. Тихой тенью справа возникла девушка в темно-сером платье.

— Водку, коньяк? — еле слышно осведомилась она.

— Можно просто воды?

Горничная кивнула и наклонила бутылку над стаканом. «Бархатная» тетка продолжала речь, очевидно, она говорила уже давно, потому что основная масса поминающих тихонько переговаривалась между собой, сквозь ровный гул доносились выкрики, издаваемые той, что стояла с рюмкой в руке.

— Станиславский... наш театр... святое служение... лучшее место... славное прошлое...

Я украдкой изучала гостей, Эвы среди них не было, наверное, наследница рыщет по дому, оценивая будущее состояние.

— Ну, — внезапно фистулой завизжала дама, — теперь выпьем, господа, с Новым годом вас, ура!

Бокал с минералкой чуть не выпал из моей руки. Однако тетенька слегка ошиблась, но, похоже, кроме меня, никто этого не понял. Лихо опрокинув рюмку, «бархатное платье» шлепнулось в кресло, гости потянулись к закускам.

Стараясь не произвести никакого шума, я выползла из-за стола: наверное, Эвелина поднялась на второй этаж.

Остановившись в небольшом полутемном коридорчике около туалета, я вынула телефон и попробовала соединиться с наследницей, но та то ли не слышала звонка, то ли не хотела брать трубку, в конце концов я услышала бесстрастный голос: «Абонент не отвечает, попробуйте позвонить позднее».

Я вздохнула, огляделась, увидела узкую лестницу из темного дерева и решила пройти наверх, но не успела нога поняться над первой ступенькой, как невесть откуда появилась все та же горничная в сером платье и вежливо, но строго сказала:

— Простите, на половину хозяев нельзя, поминки проходят только внизу.

— Извините, я ищу Эвелину.

— Гости в каминном зале, — мило улыбнулась девушка, — впрочем, весь первый этаж открыт, и ваша подруга могла зайти в любую комнату, посмотрите в бильярдной или столовой.

— Эвелина хозяйка, — воскликнула я, — вероятнее всего, она на втором этаже!

Прислуга погасила улыбку.

— Владельцы тут Валентина Григорьевна и Семен Петрович... были владельцами. Других мы пока не знаем!

— Эвелина сестра Тины, родная!

Девушка насупилась:

— Была тут одна, в спальне ее нашли, орала, в нос паспорт тыкала, но мы с охраной ее увели вниз. Что дальше будет — не знаю!

— Эвелина заявила сегодня о своих правах? Показала всем паспорт и свидетельство о рождении? Устроила скандал? Простите, как вас зовут?

— Галя, — растерянно ответила девушка. — Нет, все тихо произошло, мы ее в спальне нашли вместе с еще одной гостьей и проводили вниз. Пока особых распоряжений нет, мы отвечаем за имущество. И потом, может, она самозванка?

— Значит, наверху никого нет.

— Нет, там дверь имеется на площадке, — пояснила Галя, — я ее заперла. В библиотеке книги ценные, в кабинете картины дорогие, да и драгоценности Валентина Григорьевна везде расшвыривает... расшвыривала...

— Следовательно, Эвелина может находиться лишь внизу?

— Да, — кивнула Галя, — во-первых, дверь заперта, а во-вторых, в библиотеке-холле Костя сидит, охранник наш, это он велел хозяйскую часть закрыть. Конечно, гости вроде люди приличные, но кто их знает. Ой, простите, это я от нервов глупости несу! Мы тут чуть не умерли сами. Сначала Валентина Григорьевна преставилась, потом Семен Петрович, разом оба.

— Галина, — донеслось сбоку, — ты где?

Горничная серой тенью шмыгнула на зов, я все же поднялась по отчаянно скрипящим ступенькам и уткнулась носом в огромную дубовую дверь. Галя не соврала, постороннему человеку невозможно проникнуть в частные покои хозяев.

Решив не расстраиваться, я стала ходить по первому этажу, внимательно приглядываясь к гостям. В каминном зале продолжалась трапеза, в которой участвовало двадцать человек, но Эвелина отсутствовала.

В бильярдной на диване спал пьяный мужчина, в столовой было совершенно пусто, а в кухне у плиты стоял повар и маячили три официанта во фраках.

Забыв о хорошем воспитании, я обошла все закоулки, сунула нос в чулан, санузел и обозрела огромную, заваленную снегом открытую веранду, потом еще раз повторила свой путь и в конце концов с тоской признала: Эвелины нигде нет. Но она ведь тут была! Неужели уехала?

Испытывая горькое разочарование, я надела куртку, вышла во двор и ахнула, над домом нависал темно-синий купол с большими яркими звездами. Странное дело, живя в городе, я никогда не любовалась небом. А может, в Москве его просто не видно? Кругом высятся многоэтажные дома, закрывающие горизонт.

Пораженная открывшейся красотой, я некоторое время постояла, охваченная восторгом, потом вздрогнула от подступившего холода и пошла по тропинке к машине. Ай да Эвелина, обманула меня! Хотя какой смысл ей так поступать? Она надеялась получить деньги, продать имя убийцы, я уже поняла, что милейшая Эва жадна до потери пульса. Наверное, она просто спит в укромном уголке, в чулане, который я не заметила? Может, еще походить по первому этажу?

Я вытащила мобильный, потыкала в кнопки. В то же мгновение где-то сбоку зачирикала птичка, звук несся со стороны небольшого навеса у ворот. Продолжая держать мобильный возле уха, я невольно заслушалась звонким пением птахи, похоже, пернатое абсолютно счастливо, на дворе темнота, холод, а оно заливается в восторге!

— Абонент не отвечает, попробуйте позвонить позднее.

Я хотела положить сотовый в карман и еще послушать пение птички, но она заткнулась и больше не оглашала окрестности своими трелями.

Внезапно мне стало душно. Минуточку, на улице студеный февраль, мороз ломает деревья, какие соловьи? Уж не знаю, куда деваются зимой сии сладкоголосые птички, улетают в Африку, перебираются в Австралию, но одно понимаю четко: ни один соловушка не станет радоваться жизни, когда градусник за окном показывает минус пятнадцать градусов. Так откуда пение, кто его издавал?

Жар сменился ознобом, я снова реанимировала телефон. «Ту-ту-ту. Чирик-чик-чик. Чирик-чик-чик».

Осторожно ступая, я добралась до навеса и обнаружила там два мусорных бака, почти стерильно чистых снаружи, тщательно прикрытых крышками, стоявших на расстоянии друг от друга. Соловей пел позади одного из контейнеров. Помедлив пару секунд, я нагнулась и увидела телефон, валявшийся прямо на снегу, допотопный, потертый аппарат, на дисплее высвечивались цифры — количество моих звонков. Плохо понимая, как поступить, я взяла мобильник Эвы и пошла к своей машине. Из дома вышла горничная Галя с помойным ведром.

— Уезжаете? — спросила она.

— Да, пора.

— Доброго пути!

— Спасибо, — улыбнулась я и стала открывать машину.

Замок, как назло, замерз, я пыталась засунуть ключ в скважину, и тут по саду понесся дикий крик:

— Мама-а-а! Помогите-е!

Я вздрогнула и обернулась. По тропинке с обезумевшим видом неслась Галя, платок, которым девушка прикрыла волосы, слетел с ее головы и теперь флагом развевался за плечами.

— Убили-и! — орала горничная, влетая в дом. На улице воцарилась тишина, я приросла ногами к дороге, пошевелиться не было сил.

Дверь особняка распахнулась, на улицу вывалила толпа пьяных гостей и охранник Костя. Разношерстная группа добралась до навеса, и оттуда незамедлительно полетели вопли:

— Мама!

— Зовите милицию!

— Кто это!

— Бомжиха!

— О-о-о!

— А-а-а!

Мои ноги обрели способность двигаться, я в мгновение ока добралась туда, где бились в истерике несколько теток, растолкала локтями присутствующих, увидела за вторым бачком то, что не приметила раньше, сначала ногу, а потом и скрюченное, как рогалик, маленькое худое тело Эвелины.

Глава 18

Отъехав на шоссе, я вытащила мобильный убитой и стала внимательно изучать записную книжку. С чего я решила, что Эвелину прикончили? Почему мне не пришла в голову мысль об инфаркте, инсульте или какой-нибудь аневризме аорты? Не знаю! Просто я сразу поняла: пьянчужка погибла не своей смертью.

Телефонов в памяти оказалось немного. Бухгалтерия, бригадир, поликлиника, Зинаида Самуиловна. Похоже, Эвелина не солгала, рассказывая мне о своем одиночестве, у бывшей заключенной совсем не было друзей.

Забыв посмотреть на часы, я набрала номер.

— Слушаю, — послышался молодой, бодрый голос.

— Извините за поздний звонок, — спохватилась я, — можно Зинаиду Самуиловну.

— Это я.

— Ваш телефон мне дала Эвелина Бурская.

— Так.

— Нам необходимо срочно встретиться, можно к вам подъехать?

— Прямо сейчас?

— Да! Я доберусь через час, может, чуть быстрее, в зависимости от дороги.

— Милочка, — ласково пропела Зинаида Самуиловна, — если Эва сказала, что я до сих пор помогаю девочкам, попавшим в щекотливое положение, то, в общем, она права. Только я сама давным-давно не берусь за всякие манипуляции, рука потеряла твердость, на данном этапе жизни я являюсь кем-то вроде диспетчера. Поэтому нестись ко мне нет никакой необходимости, сумею лишь утешить вас добрым словом. Если вам срочно требуется помощь, в двух словах изложите свою проблему, ответьте на вопрос: какой направленности специалист вам нужен? Гинеколог, венеролог или генитальная пластика?

— Эвелину убили, — прошептала я, — только что, а вы знаете имя преступника, это сын Валентины Бурской. Пожалуйста, не отнекивайтесь, дорога каждая минута, Эвелина мне все рассказала. И еще, я не имею никакого отношения к милиции! Меня зовут Евлампия Романова, можно просто Лампа, я попала в ужасную историю и без вашей помощи из нее не выкарабкаюсь! Поверьте, нам необходимо переговорить именно сейчас, несмотря на позднее время.

— Хорошо, — спокойно ответила Зинаида Самуиловна, — записывайте адрес, я медик и призвана помогать людям в любое время суток.

Дверь мне открыла дама, по виду едва перешагнувшая пенсионный порог.

— Проходите, — кивнула она, — вон тапочки.

Я влезла в шлепки, пораженная внешностью хозяйки. Фигура как у девушки, волосы уложены в изящную прическу, на ногтях яркий лак.

Меня препроводили в комнату, усадили в кресло и разрешили изложить события. Во время моего рассказа Зинаида Самуиловна вздрагивала, потом сняла с кресла большой пуховый платок, зябко закуталась в него и пошептала:

— Ужас! Грехи прошлого часто дают злые всходы, тени оживают и начинают мстить. Эвелина не соврала вам!

— Был мальчик?

— Да, конечно, вполне здоровое дитя. Тина родила его от юноши, дачника. Его родители снимали в деревне домик. Тоня прибежала ко мне в слезах, я очень хотела помочь несчастной и нашла выход.

— И отец ребенка не возражал? С той стороны не было протестов?

Зинаида тихонько засмеялась.

— Милая моя, так называемому отцу было слишком мало лет. Когда Тоня, выбив из Валечки координаты юнца, заявилась к «сватам», те даже не пустили ее на порог. Мать проказника приоткрыла дверь и рявкнула в щель: «Ничего не знаем, мой сын честный, чистый мальчик, убирайтесь прочь к своей дочери-шлюхе, не смейте тут скандалы закатывать. Если девка в подоле принесла, это забота ее семьи. Мало ли что юная шалава сказала, наш мальчик тут ни при чем, он лишь об учебе думает». Пришлось Тоне убираться восвояси и самой решать проблему.

— Имя, — в нетерпении я засучила ногами, — скажите его скорей.

— Новорожденного? Не знаю.

— Его новых родителей!

Зинаида Самуиловна царственно кивнула, потом взяла телефонную книжку, полистала ее и, четко выговаривая слова, произнесла:

— Я медик и призвана хранить чужие тайны, нарушила это правило лишь ради того, чтобы восстановить справедливость, Тина...

Мне пришлось, ломая пальцы, ждать, пока дама закончит борьбу с собственной совестью.

— ...но теперь, когда и та и другая убиты, — заявила Зинаида, — я имею полное право, считаю своим долгом, понимаю необходимость такого поступка...

Я молитвенно сложила ладони, хотя больше всего хотелось заорать во весь голос: «Хватит идиотничать! Назови наконец координаты семьи!»

— Жива только мать Альбина Ожешко, — все с тем же выражением на лице произнесла Зинаида Самуиловна, — записывайте аккуратно, отчество очень сложное: Фелицатовна. Альбина Фелицатовна Ожешко, проживала она в прежние годы в самом центре, в двух шагах от станции метро «Маяковская», есть и телефон, но навряд ли он чем-то вам поможет, дело-то давно происходило.

— Все же дайте и номер телефона! — воскликнула я.

— Нет проблем.

Очутившись в машине, я вцепилась в сотовый аппарат. Конечно, полное хамство беспокоить людей ночью, но нетерпение мое столь велико, что я просто не доживу до завтрашнего утра.

— Серебрякова, — прозвенел бодрый, совсем не сонный голос.

— Простите, Альбину Фелицатовну можно?

— Ошибка. Тут такой нет.

— Девушка, миленькая, не бросайте трубку, — взмолилась я, — помогите.

— Слушаю.

— Я попала в квартиру?

— Нет, это организация.

— По какому адресу вы находитесь?

— Кому надо, тот знает.

— Я совсем не хочу узнавать чужие тайны, просто ранее этот номер принадлежал Альбине Фелицатовне Ожешко, а мне срочно понадобилось ее отыскать!

— Увы, не могу вам помочь, номер принадлежит нашей организации.

— Только улицу назовите, где находитесь, а я пойму, может, вы в бывшей квартире Ожешко расположились!

— Лучше сами скажите адрес, — бдительно заявила Серебрякова. Услыхав координаты, девушка ответила: — Нет, мы находимся в ином месте.

Я было расстроилась, но надежда вновь вспыхнула с новой силой, вполне вероятно, что телефон изменился.

— Спасибо, Серебрякова! — заорала я.

— На здоровье, — вежливо ответила девушка.

Домой я приехала, устав как водовозная кляча, бросила куртку на комод в прихожей, та моментально завалилась за него, но вытаскивать ее сил не было. Прямо в сапогах я прошла в свою комнату, кинула обувь под кровать и заснула, не выпив чаю и не умывшись.

Утром я даже вскочила ровно в шесть, домашние и собаки мирно спали. Решив удрать из дома до того, как первый член семьи, зевая, выползет на кухню, я умылась, оделась и, оставив на холодильнике записку: «Стая не гуляла и не ела», пошла в прихожую. В коридоре выстроились в ряд туго набитые мешки для мусора. Ну откуда у нас такое количество бытовых отходов? Не успел вопрос прийти мне в голову, как на него нашелся ответ: Юлечка вчера решила затеять генеральную уборку и со страстью принялась за дело. Однако мне повезло, что успела удрать из квартиры под предлогом похода в школу. В этой жизни есть несколько ситуаций, попасть в которые я боюсь сильнее, чем очутиться на пожаре. Одна из них — это тотальное очищение жилища от грязи под предводительством Юли. Сережкина жена обладает ярко выраженным синдромом начальника. Собственными руками она ничего не делает, Юля охотно командует, подгоняя домочадцев замечаниями типа: «Если бы не мои указания, ты бы до утра мыла окно» или «Скажи спасибо, что стою над тобой, иначе пыль за шкафом могла бы превратиться в камень, живо собери ее пылесосом».

Зато потом, оглядев сверкающую чистотой квартиру, Юлька удовлетворенно вздыхает и заявляет: «Ох и устала ж я! Тяжелое дело объяснять всем, как нужно трудиться, быстро налейте мне чаю!»

И вы, одурев от тряпки, швабры и пылесоса, отчего-то исполняете и этот приказ.

Я пошла в прихожую, не нашла свою куртку, потом вспомнила, что вчера она упала за комод, вытащила ее и встряхнула. Натягивая на себя куртку, я снова бросила взгляд на туго набитые мешки и ощутила легкий укол совести. Вообще говоря, некрасиво получилось, вчера Юля с детьми драила комнаты, а я сачканула.

Ладно, приму участие в хозяйственных делах, сейчас снесу на помойку мусор.

Черные полиэтиленовые пакеты оказались довольно тяжелыми, и я основательно запыхалась, подтягивая их сначала к лифту, а потом вынося во двор.

— Привет, Лампа! — воскликнула наша соседка Аня Григорьева, выходя из подъезда. — Куда в такую рань с добром?

— Квартиру убирали, — сообщила я, выпрямляя ноющую спину, — вот всякую дрянь выношу.

— Молодцы, — кивнула Анька, — а у меня бардак! Страшное дело. Ты когда вечером дома будешь?

— Не знаю, — ответила я и поперла мешки к бачкам, куда как раз подкатил мусоровоз.

— В десять явишься? — проорала вслед Аня.

— Может быть!

— Приду за рецептом пирога.

— Ладно.

Григорьева побежала в сторону метро, я дотащила ставшие совершенно неподъемными кули до хмурого мужика в темно-синей куртке и сказала:

— Вот! Уж простите, сил нет поднять, чтобы в бачок положить.

— Че у те там? — нахмурился мужик и икнул, распространяя сильный запах перегара. — Строительный отход не берем. Битый кирпич, кафель, паркет ломаный, вызывай для такого спецконтейнер.

— Внутри всякая лабуда, — отдышалась наконец я, — старые шмотки, тряпки с антресолей.

— Ладно, — поверил мне на слово мужик, потом легко подхватил один мешок, швырнул его в грязное нутро машины и констатировал: — Не соврала! Стройотход тяжелее будет!

Страшно довольная собой, я, напевая, выкатилась на проспект, некоторое время спокойно ехала в потоке, но потом остановилась, на дороге возникла пробка. Я оперлась на руль, давно знаю, что не стоит нервничать, столкнувшись с совершенно не зависящими от тебя обстоятельствами. Ну начну я сейчас дергаться, жать на гудок, как вон тот водитель в битой со всех сторон «девятке», высовываться из окна и орать:

— Уберите гаишника, козла, от светофора, когда прибор работает в автоматическом режиме, на дороге порядок!

И чего я добьюсь? А ничего, поэтому сейчас послушаю радио, а еще можно подправить макияж, прическу, покрыть ногти лаком, много чем способна заняться женщина в свободную минуту, мы спокойней мужчин, вот сегодня ни одна дама не выскочила, красная от возмущения, на проезжую часть! А мужчин на дороге уже целая толпа, злые, размахивают руками!

Двигаясь по сантиметру в минуту, я наконец-то добралась до места затора, причиной его была авария, из-за которой перекрыли проспект, впереди замаячило почти свободное шоссе, нажав на педаль газа, я покрепче ухватилась за баранку, время близилось к десяти, будем надеяться, что Альбина Фелицатовна Ожешко в силу возраста не ходит на работу и сидит дома.

Поплутав по кривым переулкам, я еле-еле втиснула «Жигули» во двор старинного дома, стены его образовывали колодец, наверное, в окна, которые выходят во внутренний двор, никогда не проникает солнечный свет. Нужный подъезд оказался открыт, домофона не наблюдалось, и воздух в парадном соответствующий, тут невозможно было дышать.

Побоявшись сесть в лифт, больше похожий на клетку для канарейки, я стала преодолевать пешком бесконечные пролеты и на третьем этаже столкнулась с молодой женщиной, которая, закусив губу, пыталась спустить вниз коляску. Руки матери дрожали от напряжения.

— Давайте помогу вам, — предложила я.

Девушка с благодарностью посмотрела на меня.

— Ой, спасибо. Если можно, свезите колясочку вниз, а я Мишку на руки возьму.

Вынув из короба кулек в голубом конверте, она прижала его к груди, я ухватилась за скользкую ручку, толкнула коляску и сказала:

— Опасно так ребенка выкатывать, вдруг упустишь экипаж! Ступеньки-то крутые.

— А что делать? — с безнадежностью воскликнула девушка. — Бабушек у нас нет, муж на работе! С кем Мишку оставить, пока коляску вниз отвезу? И потом, ее во дворе без присмотра нельзя бросить, мигом сопрут. Вот думаю все, дом-то старый, говорят, еще при царе построен, как они своих детей гулять выволакивали? Неужели тоже мучились?

— Может, тут богатые люди жили? — предположила я, таща неповоротливую колымагу. — У них няньки имелись.

— Фу, — выдохнула девушка, открывая дверь во двор, — ну спасибо! Так мне помогли.

— Ерунда, — махнула я рукой и снова начала восхождение на «Эверест».

Оказавшись перед дверью с номером 32, я нажала на звонок раз, другой, третий... Но из квартиры не донеслось ни звука, никто не вопрошал: «Кто там?» Либо хозяева ушли на работу, либо уехали...

Бах! Поцарапанная дверь отлетела в сторону, на пороге закачалась баба, нет мужик, а может, все же женщина, определить половую принадлежность существа с первого взгляда не представилось возможным.

— Чево звенишь? — заорало оно. — Какого хрена? На часы глянь! Люди только с работы пришли.

— Так утро уже, — пискнула я.

— Вечер, — покачнулось непотребное создание, — ночь, мы спать легли!

Решив не спорить с монстром, я громко сказала:

— Альбина Фелицатовна дома?

— Хто?

— Ожешко!

Чудовище засопело, потом плюнуло на площадку.

— Этта хто?

— Хозяйка квартиры!

— Тута я живу.

— Альбина Фелицатовны нет? Может, она ваша мама? — цеплялась я за последнюю надежду.

Уродина повертела пальцем у виска и с треском захлопнула дверь. Я пошла вниз, глупо было надеяться увидеть Альбину Фелицатовну, дама могла переехать или умереть.

Воздух во дворе показался мне восхитительно свежим, я набрала полную грудь кислорода, ощутила легкое головокружение и услышала нежный голосок:

— Не могла бы ты мне еще разок помочь?

Я обернулась, с явным усилием толкая перед собой коляску, ко мне приближалась молодая мама.

— Пустышку дома забыла, — воскликнула она, — ну не переть же коляску наверх, покатай Мишку, я мигом сношусь!

Не надо совершать благородные поступки, потом трудно остановиться.

— Иди спокойно, — разрешила я.

Девушка кинулась в подъезд, а я стала прохаживаться с коляской между заваленными снегом скамеечками. Юная мать словно сквозь землю провалилась, через четверть часа я стала всерьез размышлять над тем, как поступить с подброшенным мне младенцем, но тут непутевая родительница вывалилась из подъезда и заголосила:

— Господи, прости, пожалуйста. Сосед наш, Николай, страшный урод, запер дверь, а ключ в замке оставил, мне снаружи не открыть, он на игле сидит, совсем без соображения, еле-еле доколотилась, появился, перец мерзкий, зенки выкатил и давай орать: «Ночь дав-

то! Люди с работы идут!» Ума не приложу, как от него
избавиться, может, в милицию сбегать?

— Ты в какой квартире живешь? — перебила я та-
раторку.

— В тридцать второй.

— Давно?

— Ну... не слишком. Меня, кстати, Ляля зовут, хочешь ириску?

Я вздрогнула, мигом вспомнив йоркшириху, поче-
салась и ответила:

— Очень приятно, рада знакомству, я Лампа, это
имя такое, просто Лампа.

Ляля хихикнула:

— Суперское.

— Ну-ка скажи, тебе Альбина Фелицатовна Ожешко знакома?

— Нет, — удивилась Ляля, — а что?

— Эта женщина жила в тридцать второй квартире,
и мне очень надо отыскать либо ее, либо каких-нибудь родственников дамы, допустим, сына.

Ляля попрыгала сначала на правой ноге, потом на
левой.

— Скажи, нудное дело с ребенком гулять! Мне со
всех сторон не повезло! У других балконы имеются,
можно туда ребятеночка вывезти и, пока он спит,
своими делами заниматься. А лучше бабушку иметь,
только у нас с Николаем нет никого! Мы с ним вообще-то из Екатеринбурга, в Москву учиться приехали,
он в автодорожный, а я куда попаду. В результате по-
женились, а жить негде, Колька пошел персональ-
ным водителем к хозяину, вот тут шоколадно получилось. Нам Иван Николаевич две комнаты выбил,
настоящее счастье, теперь мы москвичи с постоянной
пропиской. Сосед, конечно, урод, но ведь он и умереть может! Нам, правда, квадратные метры достались
в ужасном состоянии, комнаты полгода закрытыми
стояли, обои от сырости от стен отошли, кто до нас

там жил — понятия не имею. Впрочем, похоже, что старуха.

— Почему? — спросила я.

Ляля толкнула туда-сюда коляску.

— А она умерла, одинокая была, все шмотки на месте остались, в шкафу платья, такие ни я, ни ты не наденем, всякие салфеточки кружевные, картины в рамах. Я думала, они ценные, потащила одну в скупку, а там меня на смех подняли, оказалось, репродукции, из журналов вырезанные. Нас сюда тетка привела из отдела, которым Иван Николаевич руководит, открыла дверь и заявила: «Лучше, ребятки, вам ничего не предложат, берите эту кубатуру, пока с соседом поживете, а там видно будет. Жилплощадь чистая, никто на ней не прописан. Прав на комнатки и скарб никто не предъявил в установленный законом срок, следовательно, вы полноправные владельцы всего будете». Но я знаю, кто тебе стопудово поможет!

— Да? — безнадежно поинтересовалась я.

— Вон видишь окошко на первом этаже?

— С белыми занавесочками?

— Ага, пошли, там Варвара Михайловна живет, она домоуправ, вернее, теперь уже нет, но про любого всю подноготную выложит. Тетя-гипноз, не хочешь, а все ей расскажешь. Давай, давай!

Вцепившись одной рукой в меня, а другой в коляску, Ляля быстрым шагом подошла к окну и постучала в стекло.

— Лялечка, ты? — донеслось из открытой форточки.

— Во, — шепнула молодая мамаша, — говорю же, гипноз, видит и чует под землей на три метра.

— Опять Мишенька соску выплюнул? — неслось из форточки. — Давай помою.

Занавеска заколыхалась, рама приоткрылась, наружу высунулась пожилая дама, которую легко можно было принять за сестру Зинаиды Самуиловны — прическа, маникюр, макияж.

— Где пустышка? — поежилась Варвара Михайловна. — Холод какой, словно в прежние времена.

— Сосочка у нас чистая, спасибо.

— Тогда зачем стучишь?

Ляля подтолкнула меня к окну.

— Это Лампа, моя подруга, она очень хочет с вами поговорить о... о... о...

— Альбине Фелицатовне Ожешко, — быстро добавила я, — квартира тридцать два, может, помните?

— Маразм еще не заключил меня в объятия, — кокетливо отозвалась Варвара Михайловна, — через окно полезете или в дверь войдете?

Я засмеялась, хозяйка тоже захихикала.

— Сейчас вам открою, — сказала она.

Глава 19

— Кто вы и почему интересуетесь Альбиной, — вперила в меня острые глазки Варвара Михайловна, усаживая на старинном кожаном диване.

Я навесила на лицо самую приветливую улыбку и сказала:

— Не встречался ли вам когда-нибудь глянцевый журнал «Мир историй»[1].

— Хорошее издание, — милостиво кивнула Варвара Михайловна, — вон на столике стопка лежит.

Надо же, какая я внимательная, сразу приметила журнальчик и правильно повела себя, кстати, я весьма положительно отношусь к «Миру историй» и не упускаю возможности купить его в начале каждого месяца. Изучив статью, всегда смотрю на имя автора и давно заметила, что материалы, подписанные Ниной Шварской самые занятные.

— Меня зовут Нина Шварская, — ляпнула я.

---

[1] Журнал «Мир историй» придуман автором, совпадения случайны.

Варвара Михайловна всплеснула руками:

— Это вы писали в январском выпуске о неизвестных эпизодах биографии Достоевского?

Меня в свое время тоже привлек этот материал, я очень хорошо помню его, поэтому спокойно кивнула.

— Да.

— Вы талант.

Мне стало неудобно.

— Право, не хвалите меня.

Варвара Михайловна бросилась к буфету, причитая на ходу.

— Если б знать, что вы, Ниночка, придете... минуточку, простите, но вы вначале представились... э... Лампой.

Осознав свою ошибку, я подавила стон и быстро принялась выкручиваться из создавшегося положения.

— Верно, вы не ослышались, в моем паспорте написано Евлампия Романова, Нина Шварская — псевдоним, наш редактор категорически не желает видеть на полосе мое настоящее имя, оно ему кажется очень нарочитым, напыщенным. Кстати, многие литераторы пользуются не своей фамилией.

— Теперь понятно, — снова посветлела лицом Варвара Михайловна.

Поняв, что дама окончательно поверила неожиданной гостье, я ощутила порыв вдохновения и принялась бодро фантазировать:

— Сейчас я задумала цикл о старых московских жилых домах, о тех людях, которые ютятся в них всю свою жизнь...

— Правильно, — перебила меня Варвара Михайловна, — нас, коренных москвичей... кстати, ангел мой, вы сами откуда будете?

— Я родилась в столице, — улыбнулась я, — младенчество провела на улице Кирова, нынешней Мясницкой, потом папе дали квартиру, и мы уехали в другой район. Но момент переезда я помню смутно, была слишком мала, единственное, что зацепила память: неподалеку от отчего дома была булошная, а там...

— Господи, — всплеснула руками Варвара Михайловна, — сразу видно, что вы, как и я, коренная москвичка, булошная, молошная, так говорят лишь те, чье детство прошло в пределах Садового кольца. Право, приятно встретиться с вами, нас осталось мало, всего ничего, вымирающая прослойка истинных москвичей, не тех, чьи родители перебрались сюда из деревни после войны, а тех, чьи прадеды возводили город. Вы, милая, из какой семьи?

— Мама была оперной певицей, бабушка тоже, — сообщила я чистую правду, — но в нашем роду аристократов нет, прапрабабка была крепостной у Шереметевых, правда, актрисой домашнего театра, очевидно, музыкальные способности передавались генетически, я сама окончила консерваторию по классу арфы, но, увы, карьера не сложилась, вот я и посвятила себя журналистике.

Варвара Михайловна закатила глаза.

— Ах, кажется, тысяча восемьсот шестьдесят первый год был давно, ан нет, всего ничего прошло. Кстати, о крепостном праве, мой супруг, вечная ему память, царствие небесное, был профессором МГУ, историю преподавал. Как-то раз попались ему студенты — совершенные оболтусы, на лекции не ходили, семинары прогуляли, но на экзамен явились. Петр Петрович мой, добрейшей души человек, решил лентяев не корить, да и какой толк? Ну поставит он им «два», так они снова заявятся на пересдачу, вот и надумал профессор задать недорослям самый простой вопрос, чтобы ответили живенько и восвояси убирались!

Преподаватель посадил митрофанушек и велел:

— Ну-ка, драгоценные студиозусы, хочется мне спросить вас о крепостном праве, пару слов всего, подготовьтесь и выходите.

После этой фразы Петр Петрович сел на стул и тщательно прикрылся газетой, преподаватель наивно надеялся, что лентяи приготовили шпаргалки или, по крайней мере, принесли учебники, откуда можно почерпнуть ответ на вопрос.

В аудитории воцарилась напряженная тишина, потом послышался тихий шорох и осторожный шепоток самого главного прогульщика:

— Тань, когда у нас отменили крепостное право?

— Отвянь, Костя.

— Ну скажи!

— В шестьдесят первом году.

Повисло молчание, которое снова нарушил голос Кости:

— Тань, а Тань!

— Ну?

— А че раньше случилось: Гагарин в космос полетел или крепостных отпустили?

Газета выпала из рук Петра Петровича, он захохотал, поставил всем митрофанам «отлично», а потом долгие годы вспоминал Костю и качал головой:

— Экий молодец, год и впрямь шестьдесят первый, только он век перепутал.

— Действительно, смешно, — улыбнулась я, — мой отец тоже был профессором, а заодно и генералом, он частенько рассказывал о подобных казусах.

Варвара Михайловна нежно обняла меня за плечи.

— Ангел мой, у нас много общего, говорите, чем могу вам помочь?

— Хотелось бы услышать рассказ о судьбе вашего дома сквозь призму биографий жильцов, вы, говорят, были домоуправом?

— Нет, деточка, председателем домового комитета.

— Ох, простите.

— Право, это ерунда. Я знаю много интересных деталей, только, поймите меня правильно, не о всем и всех могу рассказать. Вот, допустим, Складовские из девятнадцатой квартиры. Судьба их семьи просто роман, но я буду выглядеть мелкой сплетницей, лучше уж обратиться к самой Зосе Сигизмундовне, она, правда, в маразме.

— Меня интересует Альбина Фелицатовна Ожешко.

— Ох, бедняжка, — вздохнула Варвара Михайловна, — она тоже из старых жильцов, и жизнь ее тоже роман. Об Альбине потолковать можно, она уже на том свете, трагическая история!

— Похоже, в доме обитали одни поляки, — бормотнула я, — Складовские, Ожешко.

— Верно, верно, — закивала Варвара Михайловна, — я по мужу Живульская. Дом наш имеет совершенно невероятную историю.

Я расслабилась, теперь надо внимательно слушать хозяйку, не забыв при этом включить спрятанный в кармане диктофон, надеюсь, милая дама начнет повествование не с момента сотворения мира.

— Когда большевики захватили власть, — начала Варвара Михайловна, — то, естественно, мигом, как тогда говорили, «уплотнили буржуев».

Владельцы домов и шикарных квартир оказались в крохотных чуланчиках при кухнях или дворницких, а места в их спальнях и кабинетах заняли победившие рабочие с крестьянами. Революционно настроенные массы особенно не разбирались, кого выжили из насиженного гнезда: фабриканта, купца, врача или профессора. Имеешь много комнат, значит, чуждый элемент, и все тут.

Среди революционеров было немало интеллигенции и людей, в чьих жилах текла польская кровь, напомню, что до свержения самодержавия Польша входила в состав Российской империи. Самым известным поляком, пожалуй, являлся Феликс Дзержинский, председатель Чрезвычайной комиссии, матери НКВД, бабушки КГБ, ФСБ и прочих Б. В его ведомстве работало много единоверцев, и в конце концов довольно большое количество чекистов польского происхождения получило квартиры в сером доме, ранее принадлежавшем Фелицату Ожешко.

Тихо и мирно в здании не жили никогда, состав квартирантов менялся постоянно, одних арестовывали, на их место въезжали другие, большие апартаменты превращались в коммуналки. Вот Варваре Михайловне повезло, она вселилась в дом, когда был жив ее свекор, известный ученый, которого советская власть всячески привечала, поддерживала и награждала, профессора не коснулись репрессии, а его сын тоже стал доктором наук. Единственное, что не нравилось Варе, — это расположение квартиры на первом этаже, но, по сравнению с испытаниями, которые выпали на долю других обитателей серого дома, это было сущей ерундой, стоило хотя бы вспомнить об Альбине Ожешко, дочери Фелицата, той досталось по полной программе, ей не повезло со дня появления на свет.

Через неделю после рождения дочери Фелицата арестовали. Дальнейшая судьба Ожешко осталась неизвестна: то ли он был расстрелян, то ли погиб в лагере. Жену его отчего-то не тронули, может, просто забыли про Кристину, и она мирно просуществовала в каморке, которая осталась ей после того, как дом отобрали у хозяина большевики. Кристина родила дочь поздно, и, наверное, подорвала свое здоровье. Она умерла, оставив Альбину в двенадцать лет круглой сиротой. Про маленькую девочку забыли все вокруг, и та запросто могла умереть от голода, но господь пнул ее ангела-хранителя, и тот мигом уладил дело. Альбину пригрела соседка по квартире, Ирина Константиновна.

Альбина получила образование и удачно вышла замуж за сына своей второй матери, Ирины, Евгения. Жизнь Ожешко начала налаживаться, супруг делал карьеру, богом данная матушка здравствовала, у Альбины быстро появились дети, сначала мальчик, потом, спустя некоторое время, девочка. Счастье переливалось через край, и до определенного момента Альбина, наверное, думала, что теперь ее ждут только радости. Но жизнь, простите за банальность, состоит из черных и белых полос, весь вопрос лишь в том, какой они ширины и с какой частотой сменяют одна другую. У Ожешко преобладал темный цвет, не успело ее дочери исполниться два года, как умерла Ирина Константиновна, убитая горем Альбина вызвала врачей, чтобы констатировать ее смерть, но медики внезапно заподозрили нехорошее и кликнули милицию.

Затем грянул гром. Выяснилось, что Ирина Константировна приняла огромную дозу сильного сердечного лекарства, которое можно глотать лишь в микроскопических количествах. На кухне обнаружили пустой пузырек и чашку с несколькими каплями недопитой жидкости. Версию о самоубийстве следствие отвергло сразу, Ирина ничем не болела, казалась счастливой и за пару часов до кончины сидела во дворе на скамеечке, болтая с соседками, потом спохватилась и, воскликнув: «Господи, мне же Валечку из яслей забирать, няня заболела», — побежала за малышкой.

Соседки видели потом, как дама и девочка вернулись домой, Валечка подпрыгивала и спрашивала:

— Мы купили эскимо?

— Да, кошечка, — ответила бабушка, — но сначала следует поужинать.

— А братику мороженое?

— Ему нельзя, — терпеливо объяснила Ирина, — он ангиной заболеет, горло у него слабое.

— А мне можно!

— После каши!

Мирно беседуя, девочка и дама вошли в подъезд, а через час Ирина Константиновна скоропостижно скончалась.

Ну, согласитесь, самоубийца навряд ли станет вести себя подобным образом — за десять минут до смерти о пломбире не говорят. Никакой записки мать Евгения не оставила, зато в тумбочке обнаружилось давно составленное завещание, Ирина Константиновна отписала все свое имущество сыну и невестке.

По двору змеями поползли слухи.

— Альбине надоело со старухой жить, — шептались одни соседки.

— Что вы, — возражали другие, — Ирина ей за мать была, роднее родной.

— Подумаешь, небось опостылела старуха.

— Не несите бред.

— Кто ж тогда лекарство подсыпал?

— Неизвестно.

Подобные разговоры кипели постоянно, стихали они лишь тогда, когда во дворе показывались Альбина, ее муж, сын или няня дочки Валечки.

Потом следователи вынесли вердикт: смерть дамы — трагическая случайность, очевидно, ставшая подслеповатой, Ирина Константиновна не увидела, что из пузырька вылилось в воду все лекарство, и выпила смертоносный раствор.

Сплетни поутихли, но все равно нет-нет да поднимали голову. Но несчастья Альбины на этом не закончились. Через три месяца после смерти бабушки от дифтерита умерла Валечка. Теперь соседки перестали осуждать Ожешко, ее начали со страстью жалеть, Альбина тяжело переживала несчастье, а судьба упорно била женщину, затем трагически погиб ее сын на даче, он угорел от печки.

Местные кумушки только удивлялись, глядя, как

Альбина идет из магазина с огромной сумкой и как она еще сохраняет способность передвигаться.

Варвара Михайловна, допущенная в дом Ожешко, дивилась еще больше: и Альбина, и ее супруг Евгений никогда не вспоминали детей, на стенах не висели их фотографии, и никаких следов ребят в доме не было. Похоже, пара ничего не оставила на память о сыне и дочери. Варваре Михайловне такое положение вещей казалось странным, но потом Альбина потрясла ее до глубины души.

Как-то раз Ожешко пришла к Варваре и сказала:

— Мы с Женей поживем на даче, квартиру временно закроем. Вот рабочий телефон мужа на всякий случай.

— У вас же холодный домик! — воскликнула Варвара.

— Почему? Там печь имеется, — ответила Альбина, — будем топить.

Варвара вздрогнула, вспомнив про смерть сына Ожешко, она бы сама, случись в ее семье подобное несчастье, мигом продала злополучную избушку.

— Зачем же на зиму в деревню, где нет ни центрального водопровода, ни магистрального газа, ни канализации, перебираться? — вырвалось у нее. — Да и до службы далеко.

Альбина потупилась:

— Я беременна, врач велел мне до появления ребенка на воздухе пожить, все-таки возраст уже того, не юный!

Варвара Михайловна всплеснула руками:

— Господи, как же тебя так угораздило!

Ожешко улыбнулась:

— Да это счастье просто, мы очень детей хотим, это Женина мечта.

Варвара прикусила губу, ей хотелось крикнуть: «Ни в коем случае не рожай! Бог троицу любит, двое первых деток умерли, и новому дорога в могилу».

Альбина оставила на столе записку с номером телефона и ушла. Домой она вернулась в марте, прижимая к себе кулек.

Онемевшие соседки даже не стали судачить, случившееся было за гранью их понимания. Евгений бегал по двору молодым скакуном, Альбина, как всегда, молчала, в семье снова появилась няня, мрачная, насупленная Настя, в свое время ухаживавшая за Валечкой. Анастасия была довольно молода, но разговорчивостью не отличалась и гуляла с коляской в одиночестве. Если какая-нибудь из местных мамаш подкатывала к ней со своим младенцем, желая скоротать время в дружеской беседе, Настя молча отходила в сторону. Павлика она никогда не оставляла одного, всегда держала при себе, в детский сад мальчика не отдали, в школу он практически не ходил, учителя прибегали на дом. Впрочем, осуждать родителей, потерявших до Павлика двоих детей, никто не стал.

Шли годы, умер Евгений, Альбина похоронила мужа, но внешне ее жизнь нисколько не изменилась. Ожешко по-прежнему ходила по двору, гордо выпрямив спину, сведя все свое общение с соседями к фразе: «Добрый день».

Говорят, чем сильнее бог любит человека, тем тяжелее испытания он ему посылает. Альбину господь, скорей всего, просто обожал, потому что он не оставил несчастную в покое, не дал ей уйти в могилу, обняв внуков. После смерти отца сын долго не прожил, сначала парень простудился, опять в деревне, куда Альбина ездила каждое лето. Его, по слухам, поместили в местную больницу и начали лечить от гриппа. Но, очевидно, медики были не слишком квалифицированны, и Павлик умер. После вскрытия выяснилось, что у него был менингит.

Альбина похоронила сына на местном кладбище и вернулась домой, свой век она доживала в одиночестве.

— Как умер? — воскликнула я.

— От мозговой инфекции, — объяснила Варвара Михайловна, — жутко заразная штука. Да! Вот это судьба! Просто роман! Впрочем, в нашем доме и не такое случалось. Возьмем Карлских, у тех...

Понимая, что болтливую даму сейчас бог унесет весть куда, я не слишком вежливо перебила ее:

— Он в самом деле умер?

— Кто? Павлик?

— Да.

— Конечно.

— Вы ничего не путаете?

— Деточка, — улыбнулась Варвара Михайловна, — я собственными глазами видела свидетельство о смерти, его Альбина в домоуправление приносила, выдана бумага была в той деревне... э... увы, не помню ее названия, все честь по чести, с печатью и на бланке. И потом, отчего вы сомневаетесь?

Я машинально стала заплетать бахрому скатерти в косички. В отличие от Варвары Михайловны я хорошо знаю, что Павлик был неродным сыном Альбины, его произвела на свет школьница Тина Бурская. Ожешко специально поселилась на даче, чтобы никто не видел ее беременной, наверное, дама решила, что лучше перебиться несколько месяцев в малокомфортных условиях, чем ходить по городу с привязанной подушкой. Но Павлик не мог умереть в юношеском возрасте от менингита, иначе все мои рассуждения разваливаются, словно за́мок из песка.

Если нет парня, умер наследник, некому убивать Тину.

Глава 20

— От менингита, — лепетала я, — ну и ну! Вот беда! А может, все-таки он жив остался?

Варвара Михайловна вздохнула:

— Вы, душенька, прямо как Настя.

— Кто?

— Няня бедных Валечки и Павлика, — напомнила хозяйка. — Та, когда ее Альбина рассчитала, всю молчаливость потеряла, тарарам устроила! Трагикомедия в чистом виде получилась! Как вспомню, так и не знаю, плакать или смеяться! Я вас не утомила, не устали слушать?

— Нет, нет, — заорала я, — говорите скорей!

— Дело осенью случилось, — завела Варвара Михайловна, — в самом начале сентября.

Стояла непривычно теплая и сухая для Москвы погода, поэтому местные кумушки, покормив семьи ужином, сочли себя свободными и уселись во дворе чесать языками. Представьте их изумление, когда из подъезда вылетела Настя. Всегда молчаливая, апатичная женщина выглядела непривычно возбужденной, ее щеки пламенели румянцем, из глаз лились слезы.

Бабы на скамейках притихли, а Настя повела себя совсем дико, она схватила с газона палку и попыталась швырнуть ее в стекло хозяйской квартиры, естественно, деревяшка не долетела до окна и упала. Анастасия снова кинула палку и опять потерпела неудачу.

— Вон меня послала, — плакала Настя. — Каково, а! Теперь меня можно и вытурить! Никому я не нужна! Умер он! Как бы не так! Знаю, знаю, за Валей ушел! Ага! Я и рот раскрыть могу! Да-да! Живы они! И они тоже способны заговорить! Вдруг вернутся детки, да к ответу родителей притянут! Один Дима...

У кумушек поотвисли челюсти, Анастасия, громко плача, снова вцепилась в палку и начала, словно безумная, подкидывать ее вверх.

Тут дверь подъезда распахнулась, выбежала Альбина прямо в халате и тапках, непричесанная, неумытая, в общем, такая, какой ее отродясь соседки не видели.

— Настенька, — крикнула она, — иди домой!

— А-а-а, — зарыдала нянька.

— Ты меня не так поняла.

— А-а-а.

— Экая дурь тебе в голову пришла. — Альбина обняла Настю, прижала ее к себе и увела в подъезд, озабоченно приговаривая: — Ну, ну, тихо, горе у нас. Только оно личное, другим дела нет, не кричи, успокойся.

Не успела за ними захлопнуться дверь, как языки замололи с утроенной силой.

— Умом двинулась, — предположили одни.

— Обе психопатки! — восклицали вторые.

— Любой бы на месте Альбины заболел, — качали головами третьи.

Варвара Михайловна пребывала в крайнем возбуждении. Ее, единственную из всего двора, связывало с Ожешко некое подобие дружбы, и потом, по долгу службы, как председатель, она должна была выразить соболезнование жиличке.

Промаявшись неделю, Варвара набралась окаянства и толкнулась к Ожешко, та встретила соседку в нормальном расположении духа, выслушала соответствующие моменту слова и налила гостье чаю.

Варвара мельком огляделась, обратила внимание, что в комнате нет ни одной фотографии Павлика, и поинтересовалась:

— Сама хозяйничаешь? Где же Настя?

— Уволилась!

— Как?

— Павлика больше нет, — сухо ответила Альбина, — Евгений умер, денег у меня кот наплакал, пришлось расстаться с прислугой.

— А-а, — протянула Варвара, — в общем, верно.

На этом беседа иссякла, и председательница, чувствуя себя не в своей тарелке, сочла за благо быстро исчезнуть. С тех пор общение ее с Альбиной свелось практически к нулю, встречаясь во дворе, они раскланивались, но не более того. Ожешко жила очень тихо, и ничего о ее личных делах никто не знал, к Альбине Фелицатовне не ходили гости, а сама она с каждым годом все реже и реже выбиралась на улицу.

Для Варвары Михайловны оставалось загадкой, кто приносит пожилой женщине еду, убирает квартиру, стирает белье, ей самой помогали дети и внуки. Брошенной себя Варвара Михайловна не считает, хоть и живет одна, но телефон под рукой, наберешь номер, и родственники живо примчатся, а у Альбины-то никого нет.

Иногда, впрочем, Варвара видела, как постаревшая Ожешко серой тенью скользит по тротуару, одетая зимой в темно-коричневое пальто и серую норковую шляпу. С председательницей Ожешко здоровалась редко, наверное, стала совсем слепой и не всегда узнавала знакомую.

В последний раз Варвара столкнулась с Альбиной темным декабрьским днем, вышла на улицу, поежилась от холода, сделала пару шагов и наткнулась на нее. Та, еле-еле передвигая ноги, плюхала домой, в руках у Ожешко покачивался пакет, сквозь прозрачный полиэтилен была видна гора банок и коробок, она плелась из супермаркета.

Варвару Михайловну пронзила острая жалость. Вон как судьба несправедлива, они с Альбиной одного возраста, обе прожили большую половину жизни, но какой разный итог! Варвара счастливая мать и бабушка, вполне бойкая дама, следящая за собой. Дети балуют матушку, один купил ей шубу, другой обувь, и только на пенсию Варвара Михайловна не живет, более того, она совершенно не считает себя старухой, бодро ходит, любит посещать театр, участвует во всех событиях двора, в курсе всех сплетен, окружена подругами.

А Ожешко?! Страх смотреть, развалина, горемыка, несчастное, никому не нужное, наказанное жизнью по полной программе существо. Может, ей нужно помочь?

— Альбина, — окликнула знакомую Варвара, — здравствуй, как поживаешь? Хочешь, провожу тебя? Давай поболтаем как встарь, посидим за чашечкой кофе. Пойдем ко мне!

Ожешко молча шла мимо. Решив, что соседка лишилась слуха, Варвара Михайловна попыталась схватить ее за рукав пальто.

— Постой!

Альбина вырвалась, надвинула поглубже на лицо шляпу и хриплым голосом вконец больной бабки просипела:

— Отстань, чаво примоталася!

Затем, тяжело ступая, она исчезла в подъезде. Варвара Михайловна прислонилась к стене. «Чаво примоталася»! Все понятно, у Ожешко прогрессирующий маразм, никогда раньше Альбина, интеллигентная женщина, не разговаривала подобным образом. Впрочем, метаморфоза, произошедшая со старой знакомой, не удивила Варвару.

Не так давно она стала свидетельницей гибели личности одной своей подруги, у той развился синильный психоз, и очень быстро энциклопедически образованная преподавательница превратилась в некое подобие людоедки Эллочки со словарным запасом в несколько слов, откуда ни возмись в речи кандидата наук появились дикие выражения типа «могет, слыхали» или «ихнее дело не мои забавки». Никто с наступлением старости не застрахован от личностных изменений.

Перекрестившись и сказав про себя: «Господи, лучше уж под трамвай попасть, чем такой стать», Варвара Михайловна отправилась по своим делам, встреча с Альбиной не шла у нее из головы. Надо было что-то делать, но вечером в гости прибежала заплаканная невестка с ошеломляющей новостью: внучка Варвары

Михайловны беременна и собирается выходить замуж.

Сами понимаете, что из головы бабушки вмиг вымело все посторонние мысли, она начисто забыла про Альбину Фелицатовну.

Весной Варвара, возвращаясь домой от внучки, составляла в уме список необходимого для младенца приданого. У своего подъезда пожилая дама наткнулась на квадратный приземистый автобусик серого цвета, без окон, на боках машины был нарисован красный крест.

Варвара Михайловна замерла, а потом решила подойти к шоферу и поинтересоваться, в какую квартиру вызвали врачей. Не успела любопытная, простите за каламбур, Варвара приблизиться к водителю, как из подъезда вышли санитары.

Пожилая дама закрестилась, крепкие парни в темно-синих комбинезонах тащили носилки, на которых покоился черный пластиковый мешок. Лица работников трупoвозки закрывали респираторы, сзади брел мальчишка в милицейской форме, лицо его было серым, словно газетная бумага.

Парни ловко впихнули свою ношу внутрь фургона, и трупoвозка покатилась прочь. Молоденький участковый привалился к стене дома.

— Тебе плохо? — кинулась к нему Варвара. — На, водички глотни, всегда в сумке бутылочку ношу.

— Спасибо, бабушка, — прошептал юнец и начал жадно глотать жидкость.

— Что случилось? — стала расспрашивать его Варвара.

— Соседка у вас померла, из тридцать второй, — еле-еле выдавил милиционер, — одинокая! Ну и запах там стоит, она вся разложилась, черви ползают!

Варвара побелела, а мальчишка наклонился над газоном и начал издавать булькающие звуки...

— Во как, — горько вздохнула сейчас моя собеседница, — плохо жила, ужасно умерла, не дай господи подобную смерть. Кошмар!

Я вздрогнула, но ничего не сказала.

— Квартира некоторое время пустовала, — продолжала Варвара Михайловна, — опечатанная, ну а потом из нее коммуналку сделали. Большую квартиру двум семьям дали, уж и не знаю, почему организация, которой принадлежит жилплощадь, так ею распорядилась, просто безобразие. Теперь там живет молодая пара, вполне приличная, но провинциалы, не москвичи, а у них в соседях мужчина, он тоже вначале вполне достойным казался, но потом стало ясно: отвратительная личность, и тоже не имеет столичных корней. Впрочем, я должна отметить справедливости ради, что из наших жильцов не все родились в Москве, однако являются интеллигентными людьми. Вот, например, семья Липкиных! Анна Витальевна...

И Варвара Михайловна принялась с горящими глазами рассказывать совершенно ненужные мне сведения о незнакомых Липкиных.

— Простите, — перебила я ее, — телефона Насти у вас, конечно, нет.

— Какой Насти? — изумленно заморгала Варвара Михайловна, уже с головой окунувшаяся в семейную историю Липкиных.

— Женщины, которая служила у Альбины в няньках.

Варвара Михайловна почесала кончик носа.

— Как не быть! Имеется в старой книжке. Понимаете, я ведь исполняла обязанности председателя домкома, а в прежние времена в доме порядок царил. Это сейчас людям головы посрывало, больше половины здания сдается. Кто в квартирках обитает! Сплошь провинция! И попробуй спроси: «Милые, принесите справочку о наемщиках, сообщите их паспортные данные», — могут и русским устным послать, потому что вместо порядка и аккуратности у нас теперь демократия и терроризм. А раньше очень строго было. Москва считалась режимным городом, всякая лимита сюда ограниченно попадала, столица государства должна была выглядеть достойно. Спору нет, электричество теперь жгут и днем и ночью, реклама горит! На Тверской просто Новый год безостановочный, а во дворах!!! Лучше не заглядывать. Так, знаете ли, малоинтеллигентные провинциалки выглядят: платье роскошное, а нижнее белье булавками заколото. На станции метро «Маяковская» бомжи сидят! Что, там милиции нет? Прогнать их некому? Есть, думаю, патрульные, но им на все наплевать! Либо они деньги с нищих имеют! А раньше милиция строгой была, суровой! К нам в правление раз в месяц участковый приходил и требовал: «Ну-ка, доложите немедленно, появились ли новые люди в квартирах? К кому из жильцов родственники прибыли? Или кто прислугу нанял?!» Поэтому, стоило Альбине Настю заиметь, как я все ее координаты переписала, правда, у девки московская прописка была постоянная. Я, честно сказать, удивилась, думала, нянька бог весть откуда, ну совсем маловоспитанная особа, лапотная.

— Можете отыскать ее телефончик? — в нетерпении воскликнула я.

— Без проблем, — кивнула Варвара Михайловна, открыла ящик стола, вытащила оттуда пухлый блокнот, полистала распадающиеся страницы и торжественно возвестила: — У меня как в аптеке! Никифорова Анастасия. И адрес имеется, и номер.

— Хорошо бы она на прежнем месте обитала, — пробубнила я, записывая телефон.

Варвара Михайловна скривилась:

— Куда же Насте деться? Знаете, коренные москвичи в отличие от провинциальных нуворишей, оккупировавших наш город, люди бедные, как родились в коммуналках, так в них и живут до смерти, не по карману нам новые хоромы, это — с одной стороны, а с другой... Вот я, например, ни за что со своей жилплощади не тронусь, хоть ты мне дворец подари, потому что в этих комнатах память о любимых витает, о муже моем дорогом, о его родителях. На месте Настя, точно.

— Отчего вы столь в этом уверены? — вздохнула я.

Варвара Михайловна сунула блокнот в стол и сердито хлопнула ящиком.

— Когда Альбина скончалась, я совестью мучиться стала. Ведь нас некое подобие дружбы связывало, хоть Ожешко в душу к себе никого и не пускала, но со мной вела себя не столь холодно, как с остальными. Да, последние годы она окончательно замкнулась в своем одиночестве и ни с кем общаться не желала, я на нее даже немного обиделась и решила: так — значит, так, никогда к людям я не навязывалась. Только мне бы понять: заболела Альбина, умом тронулась, да и неудивительно, сколько несчастий перенести, троих детей похоронить. Странно, как она вообще жива после всех испытаний осталась. В общем, виновата я перед ней, следовало хоть изредка ее навещать, убеждаться, что соседка жива. А то умерла в одиночестве и лежала долго непогребенной!

Ощущая свою вину перед Ожешко, Варвара Михайловна решила, что та должна иметь приличную могилу, с памятником, а не быть зарытой в общей яме вместе с десятком бомжей. Поэтому Варвара стала предпринимать активные действия. Она собрала с жителей дома сумму на гроб, на последнюю одежду, отпевание и поминки. Потом встал вопрос: кто придет на кладбище. Жильцы не пожадничали, когда Варвара ходила по квартирам и просила пожертвование, не отказал никто, но в крематорий народ ехать не хотел категорически.

— Какого хрена мне рабочий день терять из-за бабки, которую я и не видел практически? — грубо, но честно высказался Рюмин из сорок пятой квартиры.

И остальные были того же мнения, рубли отсчитывали, но время тратить не желали.

Варвара Михайловна поняла, что рискует оказаться единственной провожающей, и в полном отчаянии позвонила бывшей няньке.

Настя спокойно выслушала активную общественницу и отрезала:

— И не надейтесь.

— Почему? — удивилась Варвара Михайловна. — Вы столько лет провели вместе, или ты больна?

— Здоровее вас, — рявкнула Настя, — и помоложе между прочим! Просто не желаю об Альбине Фелицатовне вспоминать, умерла она, и до свиданья.

— Боже, как ты жестока! — вырвалось у Варвары. — Ведь Альбина сейчас у престола господнего.

— Будет вам богомолку из себя корчить, — весьма грубо оборвала Настя старуху, — она, скорей всего, у сатаны в помощницах сейчас, уголек в костры подсыпает, глядит, чтобы несчастные грешники мучились посильнее.

— Настя!!!

— Что?

— Как ты можешь даже произносить такое!

Бывшая нянька засмеялась:

— Да уж, умела Альбина Фелицатовна нужное впечатление произвести, этакой мышкой-норушкой выглядела. Только я-то про нее все знала и помогала ей, не за бесплатно, конечно. И ведь понимала, обманет она меня, как всех, не выполнит обещание, не получу я ее квартиру... эх, да ладно! Повезло ей со мной, молчу до сих пор, хотя теперь и развязать язык можно, найти их всех... Но не стану!

— Кого найти? — ошарашенно спросила Варвара Михайловна.

— Хотя все равно ничего они не получат, — дудела свое Настя, — но... я не хочу, не буду, да и не доказать ничего. Черт им с Евгением судья. Я ничего знать не желаю. Небось муж с женой после смерти встретились и на пару дьяволу прислуживают. Она, наверное, за старое принялась.

— За что принялась? — окончательно растерялась Варвара.

И тут Настя начала смеяться, испуганная Варвара Михайловна терпеливо ждала, пока нянька перестанет веселиться. Наконец та остановилась.

— Думаете, вы про всех все знали? — воскликнула она. — Ходили, вынюхивали, выспрашивали. Ан нет! То, что мне известно, вашим никогда не станет. В доме такие дела творились! А вы и не слыхивали о них, в ерунде копались! В общем, пошла вон!

Из трубки полетели гудки. Варвара Михайловна застыла у аппарата, так ее еще никто не обижал.

Отзвуки обиды слышались в голосе пожилой дамы даже сейчас, спустя не один день после того неприятного разговора.

— Жива Настя, — поджимала губы Варвара Михайловна, — в прежней квартире обитает грубиянка. Вот ведь странность, вроде коренная москвичка, а хамка.

Глава 21

Я села в машину и стала искать невесть куда завалившийся мобильный. Однако Варвара Михайловна странный человек, ну почему она решила, что тот, кто родился в Москве, на голову выше тех, кто приехал в столицу на работу или учебу? Откуда столь пренебрежительное отношение к людям и пещерный снобизм? Постоянная столичная прописка отнюдь не является гарантией замечательных душевных качеств ее обладателя. И потом, если поковыряться в родословной тех, кто появился на свет в районе, допустим, Арбата, Черемушек или Ленинского проспекта, то, скорей всего, мы обнаружим дедушек-бабушек, приехавших в город в начале двадцатого века торговать рыбой или пшеном из каких-нибудь сельских мест. Кстати, вспомним Ломоносова, который притопал в Москву бог весть откуда почти босым и основал потом столичный университет.

Пальцы наткнулись на аппарат, с тех пор как технический прогресс пошел по пути миниатюризации мобильников, я стала тратить больше времени на обнаружение телефона, вечно он заваливается невесть куда. Правда, эта модель, похожая на диктофон, лучше остальных.

— Алло, — прозвенел высокий голос, — говорите.

Тут только я сообразила, что отчество пожилой дамы мне неизвестно.

— Будьте любезны Никифорову Анастасию.

— Это я.

— Извините, как вас величать по батюшке.

— Андреевна.

— Анастасия Андреевна, ваш телефон подсказала мне Варвара Михайловна, помните такую?

— Э... ну в общем...

— Мне очень надо с вами встретиться! Срочно! Прямо сейчас! Дело не терпит отлагательства! Умоляю, не откажите! — закричала я в трубку.

На удивление звонким сопрано бывшая няня ответила:

— Только не нервничайте, я могу принять вас дома, если не боитесь заразы, простудилась я, кашель, насморк.

— Это совершенная ерунда! Уже несусь! Буду через час.

— Ладно, — чихнула в трубку Анастасия Андреевна.

Сгорая от нетерпения, я вела себя так, словно сидела за рулем крутой дорогущей иномарки, а не дышащих на ладан «Жигулей»: мигала фарами, нажимала на клаксон и пару раз объехала пробку по встречной полосе.

Здание, в котором проживала Настя, оказалось мрачным, угрюмым, очень похожим на то, в котором вековала век Альбина Фелицатовна, только находились пенаты няни в районе метро «Новослободская».

Дверь мне открыла симпатичная женщина в яркокрасном спортивном костюме, нос и рот ее были прикрыты марлевой маской.

— Здрасти, — выпалила я, — Евлампия Романова от Варвары Михайловны.

Женщина кивнула.

— Тапочки надевайте и проходите сюда.

Вздрагивая от нетерпения, я переобулась в резиновые шлепки и поторопилась за «спортсменкой». Меня провели в кухню, но неожиданно посадили не за большой круглый, накрытый клеенкой стол, а предложили устроиться около чего-то, отдаленно напоминавшего барную стойку.

— Можно посмотреть ваши руки? — вдруг поинтересовалась хозяйка.

От удивления я растерялась, но положила ладони на розовый пластик.

— Ногти свои? — подняла вверх брови женщина.

— А что, человек может иметь чужие ногти? — не выдержала я.

— Естественно, — спокойно ответила женщина, — многие сейчас носят акрил или гель. Честно говоря, когда вы позвонили и так нервно повели разговор, я решила, что проблема в нарощенной пластинке, а тут... обычный маникюр.

Продолжая светскую беседу, хозяйка выложила передо мной несколько никелированных железок, потом наполнила водой пластмассовую мисочку, капнула туда жидкое мыло и деловито осведомилась.

— Делаем короче? Хотя, думается, не надо.

— Вы собрались делать мне маникюр?

— Ну да!

— Но я совершенно не за этим к вам пришла.

— Педикюр?

— Вовсе нет, пожалуйста, позовите Анастасию Андреевну, я с ней договорилась о встрече.

— Это я.

— Господи, — вырвалось у меня, — каким же кремом для лица вы пользуетесь?

Настя озадаченно моргнула:

— Кремом? Нашим, отечественным, я особо не заморочиваюсь.

Я потрясла головой:

— Но вам по виду и сорока лет не дать!

— Так мне их и нет, — возмутилась Настя.

— Извините, ошибка вышла. Мне нужна Анастасия Никифорова, пожилая дама, работавшая няней у...

— Это моя мама, — ответила Настя, выливая воду в раковину. — Я думала, вы — клиентка. У нас так часто бывает, сломает дама ноготь и в истерике валяется. Я решила, вам мой телефон кто-то из клиенток дал, отчего же человеку не помочь? Вот, маску нацепила, чтобы заразу не распространять.

— Но я же представилась, что от Варвары Михайловны!

Никифорова протерла столешницу салфеткой.

— У нас в салоне тьма народа обслуживается, мой телефон у многих имеется, я в заработке нуждаюсь и готова на дому людей принимать, всех и не упомню, кому ногти делала. Постоянных клиентов, конечно, знаю, а таких, которые лишь в канун дня рождения своего являются, в голове не держу, может, и ходит какая-нибудь Варвара Михайловна. Ну зачем мне вам отказывать?

— Уж извините, глупо получилось.

— Ничего страшного.

— А матушка ваша дома?

Настя села и оперлась подбородком на руку.

— Мама скончалась совсем недавно.

— Какой ужас! — в полном отчаянии воскликнула я.

Маникюрша грустно посмотрела на меня.

— Да, без родителей плохо! Отца я не знаю, он в маминой жизни случайным человеком был, а меня она уже, мягко говоря, в зрелом возрасте родила, так мы и жили вдвоем.

— Вот несчастье! — лепетала я. — Просто беда.

— Вы были знакомы с мамой? — нахмурилась Настя.

Я чихнула.

— Нет, очень надеялась с ней поговорить, дело важное, но теперь оно, похоже, похоронено.

В носу снова зачесалось, я опять чихнула.

— Навряд ли вы от меня так быстро заразились! — воскликнула Настя.

— Нет, нет, не волнуйтесь.

— Давайте я вам чаю налью!

— Спасибо, — согласилась я, ощущая ужасную усталость. — Никого не осталось: ни Альбины Фелицатовны...

Настя со стуком поставила чашку.

— Откуда вы знаете эту мерзавку?

— Альбину Фелицатовну?

— Ну да!

— Долгая история.

— Расскажите, — потребовала девушка.

Наверное, следовало, выпив чаю, вежливо откланяться и уйти, но на улице, несмотря на день, сильно потемнело, из свалившихся на Москву туч падали хлопья липкого противного снега, задул пронизывающий ветер, опять начинался буран.

Я представила себе, как выхожу из подъезда, плетусь, путаясь в поземке, к машине, сажусь на ледяное кресло, потом попадаю в пробку... А на кухне у Насти тепло, уютно, напиток она заварила по всем правилам в чайничке, а не сунула в чашку пакетик, еще на столе лежит коробочка сливочной помадки, моих самых любимых конфет. Лучше посижу некоторое время у приветливой хозяйки, глядишь, и снегопад прекратится.

Взяв одну конфетку, я откусила кусочек и начала рассказ о журналистке и о статье, которую хотела написать.

Настя оказалась замечательной слушательницей, она ни разу не прервала меня, только глаза ее из серых превратились в ярко-синие, а на щеках заиграл румянец.

— Знаете, — воскликнула она, когда я, беззастенчиво слопав всю помадку, завершила повествование, — похоже, вас мне провидение послало, чтобы за маму отомстить! Я этой Альбине давно гадость сделать хотела, очень рада узнать, что ее жизнь завершилась столь ужасно. Мама, правда, обронила вскользь о смерти бывшей хозяйки, но подробностей не выложила. Мамочка, хоть и не имела образования, в отличие от Альбины Фелицатовны была по-настоящему интеллигентным человеком. Чужие тайны она хранила свято. Я обо всем узнала, только когда мама почувствовала близость кончины, неверующей она была, вот и решила напоследок душу открыть не священнику, а дочери. Ладно, давайте по порядку, сначала я изложу известные мне факты, а уж потом вы статью напишете, но только правдивую! Понимаю, это глупо, но очень хочется, чтобы люди про Альбину Фелицатовну прочитали и воскликнули: «Жила же на свете поганка!»

Настя Никифорова выросла в Москве, родилась и жила всю жизнь в одном и том же доме. Родители ее были дворниками, людьми простыми, образованием не отягощенные, газет и книг они не читали, радио не слушали, мели целыми днями свой участок и больше ни о чем не размышляли. Тихих, скромных Андрея с Раисой жильцы и начальство уважали за трезвый образ жизни и за редкую честность. Один раз Рая нашла перед домом золотую цепочку и, не жалея времени, методично обошла все квартиры, отыскивая разиню, посеявшую дорогую вещь. Люди, жившие с дворниками в одном доме, очень ценили работяг. Во-первых, на прилегающей территории всегда царила чистота, во-вторых, Рае можно было смело оставить ключи от квартиры. Дворничиха могла встретить ребенка из школы, впустить его домой, полить в ваше отсутствие цветы, покормить кошку. Кое-кто просил Раю сбегать за хлебом или молоком, притащить картошки с рынка, еще она приглядывала за подростками и мигом пресекала любые опасные шалости, отнимала сигареты и могла стукнуть метлой матерившегося парня. Андрей был мастер на все руки! Починить кран, исправить проводку, реанимировать рассыпавшийся комод, вбить гвоздь, повесить картины для него не было проблемой...

Через некоторое время Раиса стала домоуправом, а муж ее помощником. Настя очень любила родителей и гордилась ими. В их доме жили разные люди, был среди них даже самый настоящий генерал. Но какой толк в крупных звездах на погонах, если ты пьяница и дебошир? А папа Насти спиртного капли в рот не брал и частенько помогал еле передвигающему ноги военному доковылять до квартиры.

В общем, детство Насти было совершенно безоблачным, и она росла таким же честным и всегда готовым помочь людям человеком, как и ее родители. Одна беда, учеба никак не давалась Настеньке, и она с трудом переползала из класса в класс.

— Подумаешь, — говорила ее мать, — возьму тебя к себе на работу, не печалься, главное — честность, а не ум.

И Настя продолжила династию, вскоре она поливала чужие цветы, кормила кошек и покупала хлеб.

Когда Настюше исполнилось восемнадцать лет, умерла от диабета мама, а всегда трезвый отец вдруг стал пить и тоже очень быстро ушел за любимой женой, в домоуправлении работали теперь совсем посторонние люди, и девушке стало с ними невмоготу. Ей, выросшей в доме и считавшей жильцов своей семьей, было крайне неприятно видеть, как новые сотрудники обманывают людей, вымогают у них деньги и тяп-ляп делают работу. Пару раз Настя попыталась усовестить негодяев, но потом поняла, что горбатых могила исправит, и подала заявление об увольнении по собственному желанию.

Уволиться-то Настя уволилась, но куда потом идти на службу? Наверное, девушке пришлось бы нелегко, но тут ее судьбу устроила Серафима Ивановна из семнадцатой квартиры.

— Одна моя знакомая, — сказала она, — ищет няню для новорожденной дочки, семья самая обычная, муж, жена, мальчик, а теперь еще и девочка.

Настя сразу ухватилась за предложение и оказалась в доме у Альбины Фелицатовны.

Сначала девушке показалось, что Серафима Ивановна нашла ей место в раю. Альбина и ее муж Евгений жили душа в душу, а свекровь, Ирина Константиновна, обожала невестку, считала ту своей дочерью. Да и не могло быть иначе. Ирина сразу рассказала Насте, что сначала заменила Альбине родителей, а потом выдала ее замуж за своего сына. В общем, в этой квартире царило счастье. «Дорогая», «мамусенька», «любимый» — иначе друг к другу тут не обращались, слегка портил картину мальчик Дима, немного угрюмый, предпочитавший отделываться односложными ответами типа «да», «нет», «спасибо», «сделаю». Но Дима уже был школьником и в особой опеке не нуждался, Альбина подчеркивала, что Настя нанята для крошки Валентины.

Квартира у Ожешко была большая, а Валечка очень нервным, перепутавшим день с ночью ребенком, поэтому Настя поселилась у Альбины в маленькой комнатке, примыкавшей к кухне. И довольно скоро с глаз няни упали розовые очки. Не так уж просты и хороши были отношения между членами семьи, как казалось на первый взгляд.

Альбина обожала мужа, у нее даже лицо менялось, когда Евгений приходил домой. Услыхав звонок в дверь, женщина опрометью кидалась в прихожую и начинала прислуживать уставшему супругу, забирала пальто, шапку, перчатки. Настя вытаращила глаза от изумления, когда первый раз увидела, как Альбина, присев на корточки, развязывает шнурки ботинок мужа. Евгений спокойно принимал знаки внимания, его совершенно не смущало, что жена хлопочет вокруг него, аки курица вокруг слабого цыпленка, и он не спал с супругой в одной спальне, имел отдельную комнату. Все в доме было подчинено Евгению. Еда готовилась только та, которую любил он, — жирные, наваристые щи и мясо. Если в воскресенье Евгений укладывался на диване спать, Альбина бродила на цыпочках, шикая на каждого, кто осмеливался кашлянуть. Именно для Жени покупались дорогие фрукты. Как-то раз Настя стала свидетелем совсем уж дикой сцены.

Дима взял с подоконника яблоко и хотел помыть его.

— Деточка, — сладко пропела мать, — положи назад, это для папы.

Вскоре Насте стало понятно, что при всей своей приветливости и внешней любвеобильности Альбина относится к детям более чем равнодушно. Нет, она не кричала на отпрысков, не ругала их, не била. Мать тщательно следила за ребятами, их хорошо кормили, одевали, Диму водили в театр и консерваторию, для Валечки наняли няню, но... последнее яблоко отдавали

Евгению. И еще, Альбина всегда была ровно вежливой, словно воспитательница или гувернантка. Любая мать рано или поздно срывается, может накричать на чадо, отшлепать его, и ничего страшного в этом нет. Альбина же напоминала автомат по оказанию материнских услуг, она все делала правильно, вовремя, ни в чем плохом обвинить даму было нельзя, но Настя поняла: хозяйка не любит детей, впрочем, как и свекровь, заменившую ей мать. Альбина ходила с улыбочкой, которую остальные люди принимали за искреннюю, но чего-чего, а искренности в Ожешко не было ни капли, она просто умела владеть собой. И Насте вскоре представился случай убедиться в своей правоте.

Справляли день рождения Ирины Константиновны, в доме толпились гости, и Настя помогала Альбине по хозяйству, металась между кухней и гостиной, таская подносы с пирогами и блюда с мясом.

Потом именинница, очевидно, утомилась сидеть за столом, Ирина встала и предложила:

— Может, прервемся с трапезой?

— Еще один тост, — подскочил Евгений, — мамочка, любимая, все в этом доме сделано твоими руками, ты сумела создать для меня уют...

Речь длилась довольно долго, подвыпивший Евгений, обожавший мать, никак не мог остановиться, в конце концов смущенная Ирина воскликнула:

— Женечка, ты всех утомил перечислением моих заслуг, право, смешно.

— Нет, нет, — загомонили гости.

— Пусть теперь каждый скажет о мамуле хвалебное слово, — закричал Женя, — и выпьем!

Присутствующие, вдохновленные предложением, стали соревноваться в выборе комплиментов.

— Красивая! — завопил лучший друг Евгения Яков.

— Отличная хозяйка, — добавила его жена.

— Умница.

— Любящая мать.

— Прекрасная бабушка.

— Лучезарная.

— Богиня.

— Ой, — подскочила Альбина, — а торт! Со свечами!

«Сейчас принесу», — хотела было сказать Настя, но хозяйка уже ринулась в кухню.

Няня побежала за Альбиной, вслед ей неслось:

— Лучшая из всех.

— Наше солнышко.

— Право, хватит, — не вынесла славословий Ирина Константиновна, — я сижу словно на своих похоронах.

— Жить тебе до двухсот лет, — грянул хор голосов.

Настя, мягко ступая в тапочках-чувяках, дошла до кухни, приоткрыла дверь, хотела войти внутрь и замерла, в узкую щель она увидела Альбину, та втыкала в торт одну большую свечу, в середину. Она была украшена идущей по кругу надписью, ее сделал Дима, указал, сколько лет исполняется любимой бабушке.

— Двести лет, двести лет, — скандировали подвыпившие гости, — нет, триста! Триста!

И вдруг Альбина плюнула прямо на свечку.

— Чтоб тебе сдохнуть наконец, старая сука, — с яростью произнесла она, — побыстрей!

Ноги Насти приросли к полу, на лице Альбины появилась наконец-то не вечно ласковая улыбка, а искренняя эмоция, и это была ненависть. Наверное, с таким лицом царь Ирод приказал расправиться с младенцами.

Глава 22

Ошеломленная открытием, Настя стала еще внимательней приглядываться к хозяйке и поняла: та ненавидит всех вокруг, свекровь, Валю, Диму. Только

Евгения Альбина любит болезненно-страстно, с такой силой, что это чувство выжгло в ее душе все остальные эмоции. Но ничего плохого ни детям, ни свекрови Ожешко не делала, внешне она соблюдала все приличия, семья казалась образцовой и безмятежно счастливой. Но потом сверкающий лак на поверхности лопнул, и из-под него стала проглядывать чернота. Настя очень хорошо запомнила день, когда в семье Ожешко начались несчастья.

В тот вторник Альбина отправила няньку в «Детский мир».

— У Валечки колготок нет, — просюсюкала она, — даже в поликлинику пойти не в чем, езжай в центр да без покупки не возвращайся.

Надеюсь, вы помните, что речь идет о том времени, когда в СССР наблюдался острый дефицит любых товаров, купить колготки для ребенка было почти непосильной задачей. Настя до позднего вечера проносилась по магазинам и вернулась домой с пустыми руками. Няня предполагала, что хозяйка выразит неудовольствие, отругает ее, но, когда Никифорова вошла в прихожую, там было полно людей: милиция, «Скорая помощь», какие-то женщины, Варвара Михайловна. Именно председательница домкома тихим шепотком объяснила Насте, что случилось.

Ирина Константиновна, давно испытывавшая дискомфорт со стороны сердечно-сосудистой системы, регулярно пила капли. Как почти все лекарства, предназначенные для сердца, их следовало принимать в малых дозах. Ирина отмерила нужную порцию, потом захотела разбавить снадобье водой, и пошла на балкон. Женщина выставила на холод кувшин с недавно вскипяченной водой, мороз должен был быстро остудить ее.

Не думая ни о чем плохом, Ирина Константиновна внесла кувшин в кухню, наплескала водички в лекарство и одним махом выпила снадобье, через пару секунд она, даже не успев вскрикнуть, упала на пол. Скончалась Ирина не сразу, может быть, ей еще можно было помочь, но Альбина, думавшая, что свекровь приглядит за внучкой, мирно спала, у Ожешко в тот день разыгралась мигрень, Дима уехал с одноклассниками на экскурсию. Евгений был на работе.

Невестка проснулась от яростного плача двухлетней Валечки спустя пару часов после случившегося. Найдя свекровь бездыханной, Альбина вызвала всех, кого можно. Тело увезли, экспертиза показала, что покойная приняла убойное количество лекарства, абсолютно пустой пузырек из-под капель, стоявший на столе у стакана, следственная бригада прихватила с собой. Его внимательно изучили и нашли на нем отпечатки пальцев Ирины, а поверх них следы крохотных ручонок Валечки. Допрашивать двухлетнего ребенка дело непростое, но следователь все же попытался пообщаться с Валечкой, а та, живая и развитая девочка, быстро показала ему, как трясла над стаканом флакончик.

— Ты играла с бабушкой? — ласково поинтересовался мужчина.

— Кап-кап, — закивала девочка, — Валя бабе помогла! Кап-кап! Вкусно. Кап-кап. Ира ням-ням, и бух. Кап-кап! Валя бабе помогла. Мы играли! Всегда вместе играем — мама, Валя и баба.

Ситуация выглядела совершенно прозрачной. Двухлетний ребенок просто играл, а в результате умерла бабушка. Валечку, естественно, оставили дома, врач-психиатр велела Альбине:

— Вы обязаны сделать все, чтобы девочка никогда не узнала о том, чем закончилась ее шалость. Мой вам совет, уезжайте отсюда, рано или поздно кто-нибудь из местных кумушек откроет ребенку правду.

Альбина кивала головой, Евгений молчал, менять квартиру супруги не стали.

— Это наше родовое гнездо, — гневно заявил

муж, — тут жили поколения моих предков! Прадед, дед, отец, теперь я. Из-за одной мерзавки...

На этих словах горло Жени сжал спазм, и он ушел в кабинет. Альбина побежала за ним, маленькая, ничего не понимающая Валечка решила, что мама играет в догонялки, и бросилась следом. С криком: «Поймала, поймала!» — она вцепилась матери в подол.

И тут Альбина изо всей силы ударила дочь, малышка отлетела в сторону, стукнулась лбом о косяк двери и беззвучно свалилась на пол.

— Господи, Альбина Фелицатовна, — кинулась к воспитаннице няня, — вы ж ее убить могли, виданное ли дело крошку так метелить.

— Хоть бы поганка умерла, — со злостью выкрикнула Ожешко, — как нам с убийцей жить? Она меня матери лишила!

Глаза хозяйки пылали гневом, щеки алели румянцем, на лице было выражение отчаяния, но Настя, отчего-то вспомнив день рождения Ирины Константиновны и плевок Альбины в торт, усомнилась в искренности ее чувств. Что-то в данной ситуации было не так, но что, Настя не понимала.

Няня отнесла Валечку в детскую и уложила в кровать, ни Евгений, ни Альбина не пришли проведать ушибленную малышку. Утром отец подозвал к себе няньку и заявил:

— Валентина не должна выходить из комнаты никогда. Пусть там ест, пьет, срет и моется. А ты следи, чтобы эта мерзавка носа в коридор не высовывала. Будет кто во дворе спрашивать, отчего девка не гуляет, отвечай: «Заболела, при смерти лежит».

— Господи, — перекрестилась Настя, — что вы говорите, грех-то какой.

— Молчи, дура, — процедил сквозь зубы Евгений, — хуже будет, если я эту сволочь головой о стену шваркну.

Настя перепугалась, она очень хорошо знала, как хозяин любил покойную мать, поэтому поспешила в детскую и заперлась изнутри на ключ.

Маленькая Валечка не понимала, что случилось, она плакала, просилась к маме, папе и звала бабушку Иру. Малышка не могла еще осознать понятие «смерть» и слова няни: «Бабуля умерла», были для нее пустым звуком.

— Когда баба Ира придет? — всхлипывала девочка.

— Бабулю похоронили, — в который раз повторяла Настя.

— А когда мама придет? — округляла глазенки Валечка. — Хочу к маме!

— Она ушла.

— Где папа?

— На работе.

— Пойдем гулять.

— Нельзя, ты болеешь, — выкручивалась Настя.

В душе Насти постепенно поднималась злость на Альбину и Евгения, ну разве можно запереть крошку, как ужасную преступницу, в четырех стенах. Да, случилось ужасное, непоправимое несчастье, Валечка отравила бабушку, но ведь девочка не осознавала того, что делала. Если родители, боясь пересудов, не хотят выводить ее во двор, то лучше поменять жилплощадь. И почему Евгений запретил дочери передвигаться по квартире, неужели он стал ненавидеть малышку до такой степени?

Больше месяца Валя провела в заточении, из членов семьи к девочке заглядывал лишь брат Дима, да и то на пару минут, в отсутствие родителей.

Потом мальчик шепнул Насте:

— Вальку отдадут.

— Куда? — опешила няня.

— Другим родителям.

— Как это?

— Не знаю, — буркнул Дима, — я краем уха слышал, папа маме сказал: «В пятницу избавимся от дряни».

В четверг вечером Евгений вызвал Настю в свой кабинет и сурово заявил:

— Я, Альбина и Дима уедем на выходные, ты же возьмешь Валентину и около полуночи выведешь ее осторожно во двор, потом доставишь девку вот по этому адресу. Отдашь ее Бурским, Антонине и Григорию, и вернешься домой.

— Как это — отдашь? — вытаращила глаза Настя.

— Оставишь у Бурских.

— Зачем?

— Так надо. Валентина теперь у них жить будет.

— Не понимаю...

— А незачем тебе понимать, — стукнул кулаком по столу хозяин, — разболталась тут! Я деньги тебе плачу и требую работу. Не нравится — увольняйся. Валентина мне больше не дочь, ее Бурские забирают, им заплачено больше некуда. Все! Забыли убийцу, вычеркнули ее из жизни, пусть скажет спасибо, что не в детдом определили.

— Но Валечке всего два годика, — попыталась вразумить хозяина Настя.

— Заткнись, — оборвал Евгений, — навсегда. Через неделю после того, как гадина уползет в чужое гнездо, скажи там, во дворе, что она умерла в больнице: мол, поехала с нами, был приступ крупа, врачи не спасли. Кстати, вот справка о смерти для домоуправления.

Настя с ужасом уставилась на листок.

— Откуда вы документ взяли?

— Где взял, где взял, купил! — завопил Евгений. — Пошла ты на... Вон! К чертям! Собакам! Дура!

Потом он схватил старинную настольную лампу на бронзовой ноге и собрался швырнуть ее в няньку.

Настя взвизгнула, выскочила в коридор и наткнулась на Альбину Фелицатовну.

Ожешко обняла Настю и зашептала:

— Милая, помоги нам. Женечка не может убийцу матери видеть, хоть она ему и дочь. А я тоже не могу на Валентину смотреть. И потом, что из нее вырастет в дальнейшем? С раннего детства преступница. Женечка этих Бурских нашел, они нормальные люди, свою девочку имеют чуть старше Вальки. Видишь, все замечательно устраивается. Евгений много денег им отдал, очень много, пришлось ему залезть в долги. Ну да ладно, не важно, откуда средства взялись. Главное, жить вместе с Валькой невозможно, то, что случилось, ни забыть, ни простить нельзя. Отвези мерзавку в новую семью сама, помоги нам Христа ради. Женечка дело обстряпал, Валентине Бурские рады будут, она им квартиру принесла.

Настя во все глаза смотрела на хозяйку, куда подевались ее вежливая улыбка и спокойствие? Сейчас лицо Альбины перекашивала гримаса, а из глаз текли слезы.

— Конечно, — кивнула няня, — я все сделаю.

— Главное, молчи потом.

— Не моя это тайна, — пожала плечами Никифорова, — я не приучена чужие секреты выбалтывать.

Альбина вздрогнула.

— Награжу тебя по-царски.

— Спасибо, вы и так мне хорошо платите.

— Денег дам, много.

— Благодарствую.

— Но не сейчас, поистратились мы из-за Вальки, с Бурскими расплатились, документы всякие покупали!

— Мне ничего не надо.

— Только держи язык за зубами, никто не должен знать, что Валя жива, у нас на руках свидетельство о ее кончине настоящее, из загса.

— Видела его, — бормотнула Настя.

— Дам тебе денег, много, много... Но попозже! Не обману!

— Нет нужды.

— Значит, сделаешь? — лихорадочно шептала Альбина.

— Да, — подтвердила Настя, которая чувствовала себя гаже некуда.

Альбина всхлипнула и кинулась в ванную, Настя побрела в детскую, где сидела ничего не подозревающая о своей судьбе Валя, завернула за угол коридора и налетела на Диму.

— Ты что здесь делаешь? — подскочила нянька.

— В туалет хочу, а там мама, — быстро ответил мальчик.

— Подслушивал?!

Дима поманил пальцем няню, а когда та наклонилась, шепнул:

— Ты ее точно увезешь?

Настя не нашлась что ответить, просто замерла с идиотским выражением на лице.

— Ага, — еле слышно сказал мальчик, — мама ее теперь ненавидит! И папа тоже! Только она ведь маленькая!

Няня выполнила приказ Евгения, почти ночью она доставила хныкающую Валю по указанному адресу. Дверь открыла женщина, внутрь она Настю не пригласила, втянула Валечку в квартиру, потом сама вышла на лестничную клетку, плотно прикрыла дверь и хищно воскликнула:

— Передай своим, что все в порядке.

— Ладно, — кивнула Настя.

— Мы отсюда завтра уезжаем на другую квартиру с двумя дочерьми, в новом доме вопросов не возникнет.

— Понятно.

— Пусть не сомневаются, мы рот на замке держать умеем!

— Да.

— Еще один момент, придется ей имя поменять, так и скажи Евгению. Эвелиной звать ее станем.

— Но почему? — удивилась Настя.

— Нашу старшую дочь зовут Валентина, — пояснила незнакомка, — двух Валь в одной семье быть не может. Так и передай своим — девчонка теперь Эвелина Бурская.

Вернувшись назад, няня, с трудом дождавшись вечера воскресенья, сказала Евгению:

— Я все сделала.

— Хорошо!

— И еще...

— Да замолчи! — взвизгнул хозяин. — Надоела!

— Насчет имени... Валю в той семье станут звать по-другому, — решила все же закончить фразу Настя.

— Хоть свиньей рогатой, — взвился Женя, — какая мне на хрен разница? Заткнись! Не нужные никому сведения! Не вздумай Альбину Фелицатовну глупостями тревожить, рассказывать про имена.

Настя кивнула и ушла. Полгода потом она исполняла обязанности домработницы, старалась изо всех сил, но, видно, не угодила хозяевам, потому что Альбина однажды сказала:

— Настенька, нам надо расстаться. Увы, нет больше средств тебе платить.

Няня вздохнула, она хорошо понимала, по какой причине от нее избавляются, но внешне приличия были соблюдены. Евгений поблагодарил Никифорову, вручил ей конверт с трехмесячным жалованьем, а Альбина Фелицатовна подарила золотые часы.

— Это очень дорогая вещь, — сказала она, — от дедушки Ирины Константиновны осталась, антиквариат, видишь, как я к тебе отношусь, семейную реликвию преподнесла.

Настя положила презент в шкатулку, решив, что

если вещь и впрямь столь ценная, то пусть останется на черный день.

После этого судьбы Альбины Ожешко и няни разошлись. Настя родила дочку, назвала тоже Анастасией и стала ее воспитывать. Конечно, Никифоровой приходилось нелегко, работала она по-прежнему по чужим людям, получала не слишком много и отчего-то нигде долго не задерживалась, просто рок какой-то. Только привыкнет к новому воспитаннику, а его родители либо получают направление на работу за границу, либо к ним приезжает из провинции бабка, чтобы ухаживать за внуком, либо ребенок заболевает.

Как-то, в очередной раз лишившись службы, Настя пришла домой и расплакалась. Ну отчего ей так не везет! Ведь служит честно, старается изо всех сил, и что получается?

И тут раздался звонок телефона, на том конце провода была Альбина Фелицатовна.

— Ты сейчас служишь у кого-нибудь? — забыв поздороваться, поинтересовалась бывшая хозяйка.

— Нет, — шмыгнула носом Настя.

— Ко мне пойдешь?

— Да, — с радостью согласилась Анастасия, — только без проживания.

— Придется тебе к шести утра приезжать, а в полночь уходить.

— Ничего, ничего, я согласна! — воскликнула страшно нуждавшаяся в заработке Настя. — Только к кому меня зовете? Димочка-то уже совсем взрослый.

— Дима умер.

— Как? — ахнула Настя.

— Мне тяжелы воспоминания, — ответила Альбина, — тем более сейчас, после родов.

— Не поняла, — ошарашенно воскликнула няня, — кто родил-то?

— Я, мальчика, Павлика.

Настя чуть не села мимо стула.

— Вы... но ведь... э... э...

Альбина издала сухой смешок.

— Намекаешь на мой возраст? Конечно, поздновато матерью становиться, но так уж судьба распорядилась. Короче, идешь на работу?

— Ага! — закричала Настя.

Глава 23

Настя вернулась к Альбине Фелицатовне. Ни Евгений, ни его жена никогда не вспоминали Валю, а о Диме мать сказала:

— Угорел он на даче. Думали уж с супругом, что судьба нам бездетными быть, да господь послал Павлика, все не одни.

Настя усердно выхаживала болезненного мальчика, Павлик ухитрялся подцепить все существующие болячки, рос тихим, молчаливым ребенком, шумные игры он не любил и вообще больше напоминал по складу характера девочку. Павлуше нравилось играть не в машинки или солдатиков, а в куклы. Мальчик упоенно шил им наряды, делал прически, и как-то Евгений сказал:

— Надо бы ему хоккеем заняться или борьбой, чтобы поздоровел и от болячек избавился.

И Настя отвела паренька в секцию, но ничего хорошего из затеи не вышло. На коньках Павлик стоял плохо и страшно боялся, что его толкнут или прижмут к бортику. А от борьбы он отказался сразу, едва увидев, как спортсмены «ломают» друг друга на ковре. Спортивные занятия закончились, практически так и не начавшись.

— Что он все болеет? — воскликнул один раз Евгений.

— Ну это не моя вина, — неожиданно резко ответила Альбина.

Настя от неожиданности уронила чашку, услышав сие заявление, а муж быстро посмотрел на жену и опустил глаза.

Анастасия удивилась еще больше. С годами любовь Ожешко к мужу не угасла, наоборот, она трансформировалась в огромное, всепоглощающее чувство. Альбина Фелицатовна, как и раньше, завязывала Евгению шнурки и квохтала над ним.

Няня только качала головой. Ну зачем ее хозяйка родила мальчика? Материнские чувства у Альбины Фелицатовны были в зачаточном состоянии, нет, она не делала Павлику зла, но только, если в дом входил голодный Евгений и в тот же момент, требуя поесть, начинал ныть сынишка, Ожешко, не кормившая ребенка грудью, совала няньке рожок и неслась подавать ужин мужу. Девяносто девять женщин из ста в подобном случае кинулись бы к ребенку, но Альбина Фелицатовна оказалась сотой, которая предпочитала супруга.

А еще у Ожешко стала развиваться боязнь старости, хозяйка подолгу сидела у зеркала, втирая в лицо кремы и делая маски. Каждое утро Альбина вставала в шесть и торопилась в ванную, оттуда выходила при полном макияже и с прической.

— Охота вам ни свет ни заря вскакивать, — не утерпела один раз Настя, — поспите до девяти.

— С ума сошла! — нахмурилась Альбина. — Женечка меня ненакрашенной увидит и разлюбит, поймет, что я старею. Боже, это ужасно! Неужели нет радикального средства от морщин?!

Няньке стало жаль окончательно свихнувшуюся на почве обожания мужа хозяйку.

— Не переживайте, — попыталась она утешить Альбину, — он сам не юнец, живот вырос, и лысина появилась. Куда же ему от жены, с которой жизнь провел, деваться? Никто ваше «добро» не заберет!

Альбина моргнула раз, другой, потом молча отвернулась к зеркалу и принялась накладывать на щеки румяна. Настя пошла на кухню, испытывая чувство зависти. Конечно, Ожешко потеряла голову от любви к мужу, но, с другой стороны, не всем дано испытать столь всеобъемлющее чувство. В союзе Альбина—Евгений остальные были лишними, и Настя не понимала, зачем Ожешко понадобился Павлик. Вот отец любил мальчика и часто беседовал с ним или читал сыну книги вслух. Но едва Женя говорил:

— Павлуша, пойдем в кабинет, Жюля Верна полистаем, — как Альбина Фелицатовна мгновенно восклицала:

— Ах, как хорошо, а я с вязанием в уголочке посижу, ведь не помешаю?

Ожешко явно не собиралась делить Евгения ни с кем, даже с родным сыном.

Летом семья уезжала на дачу, Евгений, связанный работой, не мог ежедневно мотаться в Подмосковье, он навещал своих в субботу и воскресенье. Едва электричка увозила мужа в Москву, как Альбина скучнела. В понедельник она старательно пыталась чем-то занять себя, во вторник скисала окончательно и говорила Насте:

— Мне в город надо срочно, ты тут одна справишься.

Няня кивала, хозяйка, веселая, словно птичка, упархивала к супругу. Возвращалась она в четверг вечером и, забыв поцеловать Павлика, сразу кидалась к плите, приговаривая:

— Женечка в пятницу вечером прибудет, надо тесто на пирожки поставить, сделать его любимые, с капустой.

— Лучше с мясом, — один раз попросил Павлуша.

Мать уставилась на сына, а затем раздраженно воскликнула:

— Фу, глупости! Женечка только с капусткой любит!

Вот и поймите теперь, зачем даме был нужен ребенок? Она им совсем не занималась, матерью Павлуше была Настя. Мальчик вырос, стал подростком, а няня была при нем.

Но всю глубину чувства Альбины Настя поняла, когда Евгений умер. Вдова превратилась в зомби, несколько месяцев она ни с кем не разговаривала, ела то, что подсовывала ей испуганная Настя, и отказывалась выходить из квартиры. Потом Альбина Фелицатовна опомнилась и превратила комнаты в мемориальный комплекс. По всем стенам она развесила фото обожаемого Женечки и запретила Насте трогать вещи покойного. Более того, Ожешко стала вести себя так, словно Евгений ушел на работу и вечером обязательно вернется.

— Ты купила газеты? — вопрошала она у Насти. — Положи на тумбочку, Евгений вечером почитает.

Няня вздрагивала, но исполняла приказ.

Альбина Фелицатовна не изменила своим привычкам, она по-прежнему вставала в шесть, накладывала на лицо макияж и варила супругу какао.

— Дорогой, — кричала вдова, — завтрак на столе!

Настя и Павлик вздрагивали, но ничего не говорили.

Во всем остальном Ожешко казалась вполне нормальной, она даже повеселела, вот только начисто отказывалась считать мужа мертвым, могла сказать знакомым:

— Женечка в командировке.

Но поскольку никакого вреда от этого никому не было, Настя решила не обращать на закидоны хозяйки внимания. Жаль, конечно, что нянька была необразованна, иначе она бы спохватилась и вызвала к Альбине психиатра, может, тогда и не случилось бы несчастья.

Как-то летом на даче Альбина в один из дней весьма резко спросила:

— А куда подевались книги из библиотеки? Отчего внизу вместо Брокгауза стоят дурацкие издания и какие-то журналы напиханы?

— Мама, — спокойно ответил Павлуша, — старой энциклопедией никто не пользуется. Я переместил ее наверх, а на нижние полочки поставил нужные мне книги.

Глаза Альбины чуть не вылезли из орбит.

— Что? Ты переворошил библиотеку?

— Да, — кивнул сын, — разве нельзя?

— Конечно, нет! — взвизгнула дама.

— Почему?

— Папа читает Брокгауза.

Павлик крякнул.

— Мама, мне очень неудобно наверх за книгами лазить.

— С ума сошел! Верни энциклопедию.

— Пусть наверху останется.

— Нет!!!

— Мама... — начал было юноша, но мать не дала ему договорить.

Тонкая рука, украшенная кольцами, со всего размаха опустилась на щеку парнишки.

— Ты не уважаешь отца!

Павел вздрогнул и впервые в жизни заорал:

— Хватит бредятины! Папа умер.

— Что? — отшатнулась Альбина.

— Отец в могиле, — четко произнес Павел, — достаточно с меня твоего идиотизма, теперь я тут хозяин. Извини, я устал от истерик и кривляний. Мне жаль папу, не хватает его, но портить себе жизнь я не дам. Знаешь, мама, тебе следует посетить психиатра, попить лекарства, авось в себя придешь!

Альбина рухнула на диван.

— Кто умер?

— Хватит! — рявкнул сын.

— А ты, значит, хозяин? — прищурилась мать.

— Да, — кивнул Павел, — я достаточно взрослый, чтобы стать во главе семьи. Пойми, пожалуйста, папы нет, но есть я, и мне тоже хочется наконец хоть капли внимания.

Настя ожидала, что Альбина с воплем: «Прости милый, я всегда была с тобой несправедлива!», бросится на шею юноше или упадет в обморок, но няньке и в голову не могло прийти, как станут развиваться события.

Альбина Фелицатовна выпрямилась.

— Хозяин? Ха-ха-ха! Ты приемыш, дурная кровь, весь пошел в своих, не известных никому родителей!

— Мама? — попятился Павлик. — Ты о чем?

— Сумасшедшей меня считаешь?

— Нет, нет, просто ты...

— Не смей мне «тыкать», выродок.

— Мамочка...

— Я тебе, дрянь, не мать.

— А кто? — окончательно растерялся паренек.

Альбина зло засмеялась:

— А-а-а! Хотел у меня утешение отнять. Я-то себя успокоила: Женечка не умер, просто уехал. А ты решил глаза мне открыть. На, гляди, Альбина Фелицатовна, нет с тобой Женечки! В самое больное место, в сердце, гвоздь забил. Ну и я тебе отплачу, может, и лучше, что так случилось! Хозяин! Нищая дрянь, вот ты кто! И совсем не сын Женечки! И уж не мой, это точно!

С этими словами Ожешко подлетела к юноше, изо всей силой толкнула его и, когда тот, не удержавшись на ногах, упал на пол, нависла над ним и заорала:

— Правду очень любишь? Про смерть мужа мне напомнил! Так слушай про себя истину.

Ни Настя, ни Павлик не успели даже пошевелиться, как Альбина Фелицатовна начала издавать нечленораздельные звуки.

— Валька, слава богу, убралась... все... нету ее. Дима, дрянь, дрянь, угорел. Женечка знал: у них дурная кровь. Я его совсем убедила... да... он поверил, но потом... Павел! Ох, горе...

Настя прижала руки к лицу, а Павлик растерянно спросил у няни:

— Это она про кого говорит?

— О Валентине и Дмитрии, — тихо пояснила Настя, — твоих сестре и брате, умерших в раннем возрасте.

Альбина Фелицатовна услыхала слова няньки и захохотала словно безумная:

— Да жива Валька! Только, слава богу, я избавилась от нее навсегда, а Дима угорел сам, честное слово! Случайно это вышло, клянусь!

— Господи, — еле выдавил из себя Павлик, — надо врача вызвать и срочно маму в психиатрическую клинику везти.

Настя не знала, что делать, она понимала испуг воспитанника, но, с другой стороны, в отличие от Павлика она была в курсе некоторых событий, Валентина-то и впрямь жива, вот подробностей о гибели Димы нянька не знала.

Внезапно Альбина Фелицатовна перестала смеяться, она спокойно промокнула глаза кружевным платочком и сказала:

— Нет, Павел, я вполне нормальна, в нашем роду сумасшедших не было, я хорошо знаю своих предков, а вот ты этим похвастаться не можешь, потому что являешься лицом без роду без племени. Я не твоя мать, никогда не рожала тебя на свет и счастлива признать сей факт. Ты никогда не нравился мне, потому что имеешь отклонения, очевидно, генетические, ты — нечто маловразумительное... Ну разве нормальный юноша станет мечтать о профессии парикмахера? Право, смешно, парни мечтают стать учеными, военными, но никак не цирюльниками. Ты с детства был дефектен, но Женечка, мой муж, увы, обожал тебя, и ради него я терпела около себя нечто мерзкое. Фу! Не следовало тебе сейчас начинать скандал, не надо было трогать энциклопедию и называться хозяином и уж совершенно нельзя было пугать меня сумасшедшим домом. Зря ты так поступил, теперь знай правду. Я усыновила тебя. На самом деле тебя родила непотребная девка, малолетняя проститутка. Евгений очень хотел иметь сына, и ради мужа, ради его счастья, мне пришлось пойти на то, отчего душа переворачивалась. Нет в тебе ни капли благородной крови, увы, весь пошел в мамашу. А уж кто твой отец, ей самой неведомо. Привокзальная б...!

Площадное слово вырвалось у Альбины словно плевок, Настя остолбенела, никогда она не слышала от хозяйки столь грубых выражений.

— А теперь, — гордо выпрямив спину заявила Альбина, — ты должен убраться отсюда!

Павлик заморгал.

— Прямо сейчас, — вскинула голову Ожешко.

Павел развернулся и ушел в свою комнату. Альбина Фелицатовна усмехнулась и велела Насте:

— Ступай пригляди за выродком, чтобы не спер чего!

Высказавшись, дама удалилась к себе, Настя потрясла головой и ринулась за Павликом, воспитанник молча уминал кулаком в сумке вещи.

— Миленький, — бросилась обнимать парнишку нянька, — успокойся, она сейчас не в себе, наговорила невесть чего, сам понимаешь, психопатка.

— Нет, — всхлипнул Павлик, — на этот раз она не соврала, лгала она раньше, когда улыбалась и сюсюкала, только я очень давно понял: она меня не любит. Переживал, конечно, старался матери понравиться. Детское сердце чуткое, фальшь мгновенно улавливает. Небось сама видела: Альбина Фелицатовна со мной возиться не хотела, в муже растворялась, а сын так, побоку. Слава богу, теперь все на место встало: я приемыш, отсюда ее равнодушие и нежелание целовать меня. Знаешь, она никогда не говорила мне «спокойной ночи» и не обнимала на ночь. Все, я ухожу!

— Куда? — засуетилась Настя. — Эй, стой, ночь на дворе!

— Не важно, — ответил Павлик, — больше здесь находиться я не имею права.

— Погоди.

— Нет.

— Только до утра.

— Не стану!

— Павличек! — в полном отчаянии воскликнула Настя. — Ну ради меня!

Паренек обнял няньку.

— Ты всегда пыталась заменить мне маму, спасибо, я очень люблю тебя, но настала пора найти ту, что произвела меня на свет.

— Да зачем? — чуть не рыдала Настя. — Пойми, ни одна нормальная женщина не отдаст свое дитя, значит, твоя мама...

Дальше Настя говорить не стала, догадалась захлопнуть рот.

Павлик кивнул и закончил за нее фразу:

— ...шалава и проститутка. Пусть так, но она родила меня на свет и неизвестно по какой причине была вынуждена бросить. Вот найду ее и задам ей несколько вопросов. И потом, вполне вероятно, что матери, той, настоящей, требуется моя помощь! Ясно?

Настя растерянно смотрела на воспитанника, женоподобный мямля Павлик в тяжелой ситуации неожиданно проявил несгибаемую твердость характера.

Юноша дошел до двери, обернулся и сказал:

— Передай Альбине Фелицатовне спасибо за приют и хорошее отношение. Еще скажи, что я не собираюсь более беспокоить ее, никогда не вернусь и не напомню о себе, ничего не взял, только паспорт и совсем немного носильных вещей, да и то не ею купленных. У меня с собой лишь шмотки, которые дарила Каролина Карловна.

— На, на, — Настя стала судорожно совать Павлику деньги, — это мои, личные, не хозяйские!

Паренек поколебался, потом сунул купюры в карман.

— Спасибо, прощай. А этой передай — пусть объявит меня умершим, как и ту несчастную девочку.

Дверь ударила о косяк, Настя рухнула на галошницу и зарыдала в голос. Из комнаты выплыла Альбина Фелицатовна.

— Что воешь? — сердито осведомилась она.

— Павлуша ушел!

— Скатертью дорога. Он прилично одет? — неожиданно поинтересовалась хозяйка.

От странности вопроса у няни высохли слезы.

— Нормально, — прошептала она, — он ничего с собой не взял, только вещи, которые ему ваша лучшая подруга, Каролина Карловна, подарила.

Альбина Фелицатовна усмехнулась:

— Похоже, сегодня день откровений, Каролина никогда не была моей подругой, хоть и частенько просиживала тут часами. Женечка дружил с Яковом, братом Каролины, а я, естественно, чтобы не расстраивать супруга, общалась с этой... гм... дамой. Меня совершенно не волнует, в каких шмотках вымелся из дома пащенок. Я только спросила: он хорошо одет?

— Ну да, — кивнула Настя, — как обычно, аккуратно, чисто...

— Вот и отлично, — воскликнула Альбина, — ночь стоит темная, авось кто-нибудь на его вещички польстится и прибьет его за них!

Тут Настя окончательно лишилась дара речи, да и кто бы не потерял его, услыхав такое!

— Хотя мерзавцам везет, — спокойно вещала хозяйка, — небось жив-здоров останется, гадости говорить обо мне начнет. Ну да на это наплевать, вот только бы про отца не стал глупости придумывать...

Настя судорожно икнула.

— Что, — прищурилась Альбина, — ты так любила уродца, что никак успокоиться не можешь?

— Как же иначе, — с трудом выдавила из себя нянька, — ведь с пеленок его растила.

— А вот у меня к нему любви нет, — хмыкнула Альбина, — и быть не могло! Да уж! А все она, Ирина Константиновна, ее придумка была, все из-за нее! Еще тогда следовало мне ей отпор дать, да Женечка... Ладно, тебя это не касается. Впрочем, можешь успокоиться. Далеко твое любимое чадушко не уйдет, к Каролине попрет, больше некуда, ни друзей у него, ни приятелей нет. А Каролина всегда поганца обнимала, целовала, подарки таскала! Цирк прямо! Не стони, к сожалению, ублюдок выживет. Езжай домой, неделю отдыхай, ты мне пока не нужна, потом на городскую квартиру приходи, я с дачи съеду.

Настя выполнила приказ, но, когда она пришла на городскую квартиру, Альбина ей заявила:

— Ты уволена!

— За что? — поразилась Настя.

— Я должна объяснять? — прищурилась хозяйка. — Прощай.

Настя пошла по лестнице вниз, оказалась во дворе, и тут с ней случилась истерика. Она стала кричать, сбежались соседи, в конце концов из дома выскочила Ожешко, увела ее к себе, напоила чаем и сказала:

— Приходи в субботу.

— Вы меня не увольняете? — прошептала Настя.

— Нет, конечно, — вздохнула Альбина, — просто ты неправильно поняла мои слова. Я имела в виду, что тебе до выходных приходить не надо.

Глава 24

А спустя неделю Альбина Фелицатовна сказала няньке:

— Больше я в твоих услугах не нуждаюсь.

— Совсем? — понуро спросила Настя, не ожидавшая увольнения.

— Детей у меня малых нет, — прозвучало в ответ.

— Но... где мне найти работу?

— Это твое дело.

— Хоть рекомендацию дайте, — взмолилась Настя.

— Не вздумай кому-либо рассказывать, что ты у меня работала, — отрезала Ожешко.

— Но почему?

— Я так хочу! — рявкнула Альбина Фелицатовна. — Усекла?

— Понимаете, — попыталась ее урезонить няня, — сейчас без рекомендации никуда не устроиться.

— Не моя это печаль.

— Хорошо, я поняла, но только скажите хоть словечко, — взмолилась Настя, которую не отпускала тревога.

— О чем?

— Павлуша где устроился? Сердце неспокойно.

Альбина Фелицатовна вдруг захихикала.

— Вот поэтому я рекомендаций тебе не дам, совсем с ума сошла, я давно за тобой странности замечала, несешь дурь всякую, в маразм впала. Где же Павлу быть? Дома он, вернее, сейчас на занятиях.

— Как?!

— Совсем плохая, — вздохнула Альбина Фелицатовна, — чему удивляешься?

— Но... был скандал... вы... он... — забормотала няня.

— Хватит идиотничать, — оборвала хозяйка няньку, — ничего такого не случилось, тебе все привиделось.

Еще две недели Настя маялась бессонницей, а потом решила все же тайком наведаться вечером во двор Ожешко и попытаться узнать — дома ли Павлик. Вполне вероятно, что юноша вернулся домой и помирился с Альбиной и теперь они не хотят, чтобы Настя работала у них. Свидетели скандалов, таких, когда выплескивается вся правда, никому не нужны. Настя и не претендовала на возвращение на службу, ей, любившей воспитанника, хотелось просто знать, что с ним все в порядке.

Около одиннадцати вечера Настя подошла к зданию и уставилась на окна квартиры Ожешко. В спальне Альбины горел свет, но в остальных комнатах было темно.

Тревога царапнула няньку за сердце, Павлик никогда не задерживался в городе позже девяти, но сейчас, похоже, бывшая хозяйка сидит одна.

— Настя! — раздалось за спиной.

Никифорова, полагавшая, что двор пуст, вздрогнула, обернулась и чуть не застонала, ну надо же было так вляпаться, налететь на главную местную сплетницу.

— Ты как себя чувствуешь? — осведомилась Варвара Михайловна. — Вышла из больницы?

— Откуда?

— Да ладно, — отмахнулась Варвара, — мне можно правду сказать, я никому не разболтаю, со всяким случиться может, тем более после такого переживания, Альбина-то молодцом держится, но она кремень.

Нянька в легком обалдении слушала Варвару Михайловну, и мало-помалу ей стало ясно, что произошло. Альбина Фелицатовна сообщила всем, что Павлик умер, а Настя попала в сумасшедший дом, не сумела справиться со стрессом и тронулась умом.

— Парень жив, — закричала Никифорова, — он ушел из дома.

— Да, да, конечно.

— Поругался с матерью.

— Точно, точно.

— Но он вернется.

— Ага.

— Вы мне не верите!!!

Варвара Михайловна по-птичьи склонила голову набок.

— Настенька, может, тебе лучше еще в больничке отдохнуть. Извини, но Альбина принесла в домоуправление свидетельство о смерти, его ей в деревне выдали, в сельсовете.

Нянька вздохнула и, не попрощавшись, ушла, она поняла, что Альбина Фелицатовна успела выдать всем свою версию произошедшего, как всегда, объявила сына мертвым и попросту купила нужную бумагу.

Дочь Насти замолчала, я тяжело вздохнула.

— Да уж, некрасиво она с вашей мамой поступила, та ей верой и правдой служила, тайны ее хранила и что получила взамен? Черную неблагодарность! Ее выгнали на улицу!

Настенька покраснела.

— Вы до конца не дослушали! Мама пыталась пристроиться на работу, но безуспешно. Возраст уже немолодой, рекомендаций нет, специального образования тоже. Но потом ей повезло, нашлась приличная семья без особых заморочек, у них младенец был, и мамулю брали, но с одним условием: сообщить телефон последних хозяев.

И Никифорова дрогнула, номер написала, но предупредила:

— Я честный человек и у достойных людей работала, только Альбина Фелицатовна очень просила ее не беспокоить.

Нянька наивно надеялась, что будущим хозяевам хватит этой информации, но наниматели моментально связались с Ожешко, и когда на следующий день Настя явилась на работу, ее встретили чуть ли не с кулаками.

— Понимаем теперь, отчего у вас рекомендаций нет! — кричала мама малыша.

— Ты в психушке сидела, — подхватил отец, — сумасшедшая баба, клевещешь на хозяев.

— Нам все про тебя Альбина Фелицатовна рассказала, — брызгала слюной хозяйка, — мы в курсе твоих выходок.

Няня попыталась оправдаться, но ее не стали слушать, вытолкали взашей.

— Понимаете, какая Альбина дрянь? — возмущалась сейчас Настенька. — Оговорила маму! Я очень рада, что Ожешко так плохо закончила! Вы теперь напишите про нее статью, пусть люди узнают, что за гадина была Альбина Фелицатовна! Эти несчастные дети! Она их вышвырнула вон: и Валю, и Павла. Ну ладно, Павел был приемный, непонятно, зачем его Евгений усыновить надумал, но Валя-то родная, и о Диме Альбина не плакала! Вот гнида! Вы согласны?

— В принципе, да, — кивнула я, — скажите, Павел не объявлялся?

— Нет, — поджала губы Настенька.

— Не звонил няне, не интересовался ею?

— Абсолютно! Очень похож на Альбину Фелицатовну, — подвела итог Настя, — хоть и не родная кровь, да рядом текла, неблагодарный мальчишка! Моя мать его воспитывала, нежней родной мамаши была, душу в него вложила, а Павел о ней ни разу не вспомнил. Мама до конца жизни тревожилась о парне, а тому недосуг было номер набрать. Вот какие люди бывают!

— Вы не знаете случайно координат Каролины Карловны?

— Откуда бы!

— Действительно, — пробормотала я.

— Хотя она сюда звонила.

— Да? Зачем?

— Понятия не имею, — дернула плечом Настя, — снимаю трубку, а там голос пожилой: «Позовите Анастасию Никифорову, скажите, что Каролина Карловна просит».

Девушка сразу поняла, что незнакомка хочет поговорить с матерью, и ответила:

— Она умерла.

— Неужели? — с непонятным выражением воскликнула Каролина Карловна. — Совсем?

— По-вашему, можно скончаться наполовину? — не сдержалась Настя.

— Деточка, — сурово оборвала ее Каролина Карловна, — не хамите. Значит, Анастасия на том свете?

— Я уже ответила, да!

Каролина Карловна отсоединилась, не сочтя нужным попрощаться.

Поблагодарив Настеньку, я вышла на улицу и побежала к машине.

В конце концов, меня не волнует, почему покойная Альбина Фелицатовна столь жестоко обращалась с детьми, важно иное — Павлик жив, и он на самом деле сын Тины Бурской.

Я домчалась до своих «Жигулей». Минуточку, маленькую Валечку Евгений отдал в семью Бурских, Антонина, решившая за деньги воспитывать чужого ребенка, выдав его за своего, сказала няньке Никифоровой:

— Девочку будем звать Эвелиной, у нас уже есть дочь по имени Валентина!

Навряд ли в Москве найдется еще одна семья Бурских, в которой жили бы Эвелина и Валентина. Значит, вот по какой причине ребенка дома третировали, Эву взяли из-за денег, наверное, Евгений выплатил им хороший куш. Григорий с Тоней сначала обрадовались, деньги быстро потратили, но потом до них дошло: приемыша нужно кормить, одевать, обувать, учить. Новые родители так и не сумели полюбить девочку, пинали ее всю жизнь. Но что самое интересное! Евгений зачем-то потом усыновил Павлика! Просто с ума сойти! Зачем?

Покачав головой, я села за руль и, чувствуя даже

сквозь куртку ледяное сиденье, быстро включила мотор. Говорят, сейчас есть в продаже какие-то специальные согревающие коврики для кресел, пока стряхиваешь снег с машины, сиденье нагревается, и вы с комфортом устраиваетесь на нем. Надо купить такой, похоже, замечательная штука.

Откуда-то снизу послышался писк мобильного, я удивилась, стала искать телефон и в конце концов обнаружила его у педалей. Значит, идя к Насте, я случайно обронила аппарат, хорошо еще, что он остался в автомобиле, а не шлепнулся в снег, увы, я неаккуратна и порой лишаюсь самых необходимых вещей. Сколько раз теряла ключи, записные книжки, кошельки.

Я подняла мобильный и встревожилась. На дисплее высветилось сообщение о двадцати трех непринятых звонках, все они были сделаны из дома. Понимая, что у нас стряслось нечто экстраординарное, я трясущимися пальцами потыкала в кнопки и услышала звонкий голос Юлечки.

— Да.

— Это Лампа.

— Ну сколько можно тебе звонить! — с гневом воскликнула девушка.

— Извини, пожалуйста, я забыла мобильный в машине.

— На целый день! Чем ты вообще занимаешься?

— Прости, так вышло, я разговаривала с очень нужным человеком, не смотрела на часы!

— Безобразие.

— У нас все в порядке?

— Смотря что считать порядком!

— Дети здоровы?

— А что им сделается? — не спешила сменить гнев на милость Юлечка.

— Собаки не заболели?

— Прекрати задавать кретинские вопросы, — прошипела Юля, — лучше ответь на мой: ты сегодня мешки в коридоре видела?

— Да, я еще подумала: ну откуда у нас такое количество мусора!

В трубке повисло напряженное молчание, потом Юля в полнейшем негодовании продолжила:

— Мусора?! И что же ты сделала с пакетами?

— Ну решила, что вы разобрали антресоли, — зачастила я, — и выволокла их на помойку.

Снова установилась тишина, вдруг Юля заорала так, что я чуть не уронила телефон:

— Ребята, она все стащила на улицу, в бачки.

— Что случилось? — закричала я в ответ.

Из сотового вдруг донесся спокойный голос Костина.

— Лампудель, гони домой, на месте узнаешь.

Я вцепилась в руль, похоже, произошла какая-то несуразица, но особенно переживать не следует, потому что и люди, и собаки живы-здоровы, а все остальное не имеет значения.

Дверь мне открыл Кирюшка, выглядел он самым диковинным образом. На нем были лишь майка и семейные трусы. Слегка удивившись я спросила:

— Тебе не холодно?

— В принципе нет, — прозвучало в ответ.

— И все же, — я решила не упустить момента повоспитывать подростка, — в таком виде можно слоняться по квартире лишь тогда, когда дома никого нет, лучше, на мой взгляд, надеть джинсы и футболку.

— Твой взгляд замечателен, — кивнул Кирюша, — иди на кухню, ждем тебя не дождемся!

Я сняла куртку и в полном недоумении вошла в любимое всей семьей помещение. Через секунду стало ясно: в мое отсутствие домашних поразило безумие.

На Юлечке была атласная ночнушка, слегка вульгарная, на мой взгляд, ярко-красная с черными кружевными вставками, Сережка щеголял в полотенце, которое он обернул вокруг бедер, Лизавета сидела в пижаме, байковой, уютной, украшенной изображениями танцующих мышей. Из всех присутствующих она выглядела наиболее адекватно. Но краше всех смотрелся Вовка. Бедра майора туго обтягивали ярко-зеленые в желтый горох лосины, а с плеч кокетливо свисал розовый шарфик.

Сначала я просто разинула рот, но потом быстро сообразила — лосины некогда принадлежали Лизе, но их давно отправили в ссылку, повесили на крючок в чулане, где они и болтались не один месяц, а вот шарфик откуда?

Не успела я прийти в себя, как Лизавета подскочила ко мне и с воплем: «Немедленно снимай, я еще могу успеть в гости!» — принялась стаскивать с меня пуловер.

Я взвизгнула и попыталась вырваться из ее цепких рук.

— Кирюха! — взвыла Лиза. — Помоги, а то она опять ушмыгнет!

Мальчишка ухватил меня за талию.

— Скидывай джинсы! — заорала Лизавета. — Живо!

Очень хорошо зная, что со спятившим человеком спорить нельзя, я ласково воскликнула:

— Сейчас отдам, только можно я переоденусь у себя?

— Зря ты, Лизка, ее раздеваешь, — прищурился Кирик, — тебе в Лампины шмотки не втиснуться!

— Запросто! Пусть вытряхивается из штанов, — топала ногами девочка.

Больше всего в создавшейся ситуации меня удивило не поведение потерявшей ум Лизы, а мрачное молчание остальных. Ни Сережка, ни Костин, ни Юлечка не произнесли ни слова.

— Прямо тут снимай, — бесновалась Лиза, — никуда не отпущу! У меня из-за тебя жизнь рушится!

Делать нечего, пришлось прилюдно разоблачаться. Издав рычание, Лизавета выхватила у меня джинсы с пуловером и исчезла. Я кинулась в ванную за халатом, но ничего там не нашла, пришлось нестись в спальню. Я распахнула шкаф и ахнула. Лишь пустые вешалки и полки.

В полном изумлении я плюхнулась на диван и затряслась.

— Холодно? — участливо поинтересовался Костин, войдя в спальню.

— Ага.

— И мне тоже, — вздохнул майор, — вот спасибо, лосины нашел и шарфик отрыл!

— Куда подевались мои вещи? — спросила я. — Не скажу, что их было много, но мне хватало на все случаи жизни!

— Она еще издевается! — заорала, врываясь в комнату, Юлечка. — Сама на помойку все отволокла! Мы голыми остались!

— Ничего не понимаю, — отшатнулась я.

На пороге возник Сережка.

— Всем молчать! — рявкнул он, поправляя служащее набедренной повязкой полотенце. — А ты, Лампецкий, слушай.

Чем дольше Сережка говорил, тем больше я цепенела, да и что тут скажешь!

Вчера я, устав, словно ездовая собака, рухнула в кровать рано, сил не было раздеться, свои джинсы, пуловер и белье я швырнула в кресло, повесить одежду в шкаф была не в состоянии.

Юлечка же, наоборот, явилась домой, горя энтузиазмом.

Весь день, вспоминая несчастную Ириску, она чесалась безостановочно. Решив, что ужасные клещи поселились в одежде, Юля объявила тотальную дезинфекцию.

Она собрала все, подчеркиваю, все вещи Сережки,

Лизаветы, Кирюши и майора, потому что он тоже чесался и у него в квартире сделали дизинфекцию. Заглянула она и ко мне, опустошила полки, вешалки, но джинсов и пуловера, валявшихся в кресле, не заметила, не увидела она и моей куртки, которая мирно упала за комод и осталась там лежать до утра, а в сапогах я притопала в свою спальню и сунула их под кровать.

Юля человек педантичный, поэтому она полностью выполнила инструкцию, а в ней было написано: «Сложите одежду в мешки, побрызгайте туда дезинфекцией, плотно завяжите их, подержите пару часов на холоде, затем оставьте на ночь в теплом помещении».

Правда, Сережка, наблюдавший, с каким рвением жена обрабатывает вещи, предостерег ее:

— Не глупи, завтра нам всем на работу!

— Ерунда, — пропыхтела Юлечка и засунула в очередной мешок трусы мужа, — ты же спишь голым!

— Но на службу в голом виде не пойти, — резонно возразил Сережка.

— К утру все обеззаразится, вытащишь шмотки из мешка, и вперед.

— Они же будут мятые! — возмутился супруг.

— Я выглажу их быстро, — пообещала Юля, — или хочешь с чесоткой жить?

В этот миг, как назло, в комнату притопала Ириска и, сев посередине, начала изо всех сил орудовать лапами. Сережка и Юлечка немедленно зачесались.

— Наверное, ты права, — вынужден был признать парень, — к тому же мне завтра только к двум на работу!

— Вот и отлично, — обрадовалась Юлечка, — Костин тоже собирается на службу позже, школа закрыта на карантин, Кирюшке и Лизавете спешить некуда. Лампе, думаю, незачем в восемь уноситься, успеем все погладить!

О, как Юлечка ошибалась! Я подхватилась ни свет ни заря, влезла в валявшиеся джинсы, пуловер, достала из-за комода куртку и унеслась прочь, решив по дороге выбросить «мусор».

Глава 25

— Ну и как я выгляжу? — заорала Лизавета, врываясь в комнату.

Я изо всех сил старалась не захохотать. Девочка напоминает сейчас докторскую колбаску, видели небось иногда на прилавках такие толстенькие туго набитые батончики. Оболочка сильно натянута, мясной «начинке» явно тесно в «одежке». Вот и мой пуловер был мал Лизавете, ее руки торчали из рукавов, а нижний край свитера не прикрывал пупок. К тому же Лизу природа щедро наградила бюстом четвертого размера, а мне забыла дать даже первый, поэтому кофточка на груди у девочки грозила лопнуть. Еще хуже дело обстояло с джинсами, они напоминали бриджи, и мне было непонятно, каким образом девица ухитрилась их застегнуть. Если честно, Лизина мадам Сижу больше моей размера на два.

— Правда, классно? — спросила Лизавета. — Так я побегу?

— Куда? — со вздохом поинтересовалась Юлечка.

— К Ленке на день рождения. Там Никита будет! — выпалила Лиза и испарилась.

— Значит, так, дорогая, — прошипела Юлечка, — ты кашу заварила, тебе ее и расхлебывать.

— Что ты имеешь в виду? — поежилась я.

— Немедленно отправляйся в магазин и купи всем одежду, в которой можно выйти из дома! — взвилась Юля.

Я вздрогнула.

— Ну...

— Собирайся.

— Уже вечер, лавки со шмотками в основном закрыты, — попыталась сопротивляться я.

— Неподалеку круглосуточный центр открыт, — не сдалась Юля, — всего-то делов — пару кварталов проехать. Сейчас напишу тебе наши размеры. Дорогое не бери, хватай чего попроще, мужчинам свитера и...

— Извини, конечно, но в чем я пойду? Лизавета утащила мою одежду! — напомнила я.

— Она в Никиту влюбилась, — захихикал Кирюша, — ну не дура ли? Поэтому и унеслась, боялась, что он Машку Петрову окучивать начнет.

— Я и рада бы купить одежду, но голой-то не могу ехать, — загудела я.

Присутствующие переглянулись.

— Мне непременно завтра надо быть в девять на службе! — взвизгнул Костин.

— А я встречаюсь с клиентом! — заорал Сережка.

— Между прочим, — ожил Кирюша, — я должен идти на тренировку.

— А все Лампа, — завершили они хором.

Я сидела тихая, как нашкодивший щенок, но потом вдруг сообразила:

— Может, есть служба доставки одежды на дом? Ну, типа пиццы. Заказал, к примеру, джинсы, их и привезли.

— Да, — оживился Сережка, — по каталогу, и как мы раньше не догадались.

— Давай телефон! — заорала Юлечка.

— Не идиотничайте, — взревел Вовка, — ваш заказ через три месяца придет.

— Вау, — подпрыгнул Кирюшка, — я столько дома не высижу. Хотя в принципе Лизка же придет и...

— Знаю! — закричала Юлечка и унеслась.

На кухне стало тихо-тихо, и тут запел мой мобильный.

— Лампа, — защебетала из трубки совершенно

счастливая Лизавета, — мы тут у Лены всю ночь плясать будем. Вот, слушай.

— Алло, — произнес другой, не Лизаветин, а женский голос, — не волнуйтесь, я мама Лены, дети под моим присмотром, у них же в школе карантин, вот мы и решили гулять до упаду, не переживайте, тут еще наш папа есть, будет полный порядок.

— Нет, нет, — заорала я, — Лизавета должна вернуться!

— Но почему? — удивилась мама Лены. — Вечеринка проходит под пристальным вниманием взрослых, никакого безобразия мы не допустим.

Я растерялась, сказать милой даме, решившей устроить ребятам незабываемый праздник, этакий второй Новый год, правду: «Лизавета должна вернуться, чтобы я сумела надеть свои вещи и пойти в магазин»? Как бы вы отреагировали, услышав подобную фразу из уст родственницы подруги дочери?

— Лампуша, — зашептала в трубку Лизавета, — ну плиз, умоляю! Тут Никита!!!

— Ладно, — вздохнула я.

— Ваууу, — донеслось из трубки.

— И чего там? — насупился Вовка.

Я раскрыла было рот, но тут вдруг в кухню впорхнула наша соседка Аня.

— Хорошо живете, — завела она, — дверь открыта, звонка не слышите. Ой, извините, я не вовремя, да? Вы уже спать ложитесь.

— Ничего, — буркнул Сережка и быстро ушел.

Кирюшка и Вовка предпочли убежать беззвучно.

— Чего пришла? — весьма невежливо спросила я.

— Так за рецептом, — ответила Анька, — пирога из творога, утром же договаривались!

Я вытащила замусоленную тетрадку.

— Пиши.

Тщательно занеся в свой блокнот количество нужных ингредиентов, Анька не сдержала любопытства:

— Тебе не холодно?

— Нет.

— Всегда дома так ходишь?

Я уже собралась сказать соседке: «До свидания, мне спать пора», но тут на середину комнаты выбралась Ириска.

— Ой, какая хорошенькая, — восхитилась Аня, — симпапулечка-малипулечка. А чего она все время чешется?

— Из-за этой милой собачки мы голыми остались, — вздохнула я.

— Это как? — вытаращила глаза Анька.

Горестно вздохнув, я стала излагать историю про клещей и чесотку. По мере рассказа Аня начала тихонько елозить пальцами по шее, плечам, груди.

— И что? — вдруг перебила она меня. — Опасная болезнь-то? От нее умирают?

Я уставилась на Аньку, наша соседка служит на одном из аэродромов столицы, то ли принимает, то ли отправляет багаж за границу. Теперь понятно, отчего у людей постоянно пропадают чемоданы и сумки! Дурак, он везде дурак, и дома, и на работе. Спросить такую чушь? Смертельная ли болезнь чесотка!

— Чума, — вырвалось у меня, — дикая зараза, просто по воздуху летает! Завтра все вымрем, сначала наш дом, потом вся улица, Москва, затем Россия, ну и покатится по миру, как в Средние века.

— Лампа, — заорала Юлечка, — беги сюда скорей, я падаю!

Забыв про глупую Аню, я ринулась на зов и нашла Юлю на стремянке в узеньком коридорчике между ванной и туалетом.

— Ну-ка, — велела она, — хватай.

В то же мгновение мне на голову шлепнулись два пакета.

— Хорошо, что вспомнила, — отдуваясь, сказала

Сережкина жена, сходя на пол, — вот тебе прикид. Сейчас пыль стряхнем, одевайся и рули в магазин.

— Это что? — изумленно воскликнула я, глядя, как Юля вытаскивает на свет божий нечто странное.

В руках у нее появилась коротенькая, некогда ярко-оранжевая, а теперь тускло-желтая юбчонка из искусственного меха. К ней был приторочен огромный пушистый хвост, торчащий морковкой вверх, а изнутри топорщилась пышная нижняя юбка из жесткой ткани, все вместе напоминало балетную пачку, но из искусственного меха и с хвостом. Верх у костюмчика оказался не менее оригинальным: полупрозрачная кофточка цвета гнилого апельсина и корсаж все из того же меха.

— Это что же такое? — в полном изумлении воскликнула я.

— Костюм лисы Алисы, — охотно пояснила Юлечка.

— Лисы? — повторила я. — Алисы?

— Ну да, — кивнула Юля, — Лизавета в нем на елке плясала, на школьном карнавале, классе эдак в седьмом, а может, в восьмом, я и не упомню. Еще и шубка есть... Где она, во!

Юлечка проворно вытащила из другого пакета коротенькую курточку с капюшончиком. Надо ли говорить, что она была в тон пачке?

— Натягивай, — велела Юля.

— Это? — подскочила я.

— Ну да.

— С ума сойти, никогда!

— Почему?

Интересный вопрос! Юлечка на самом деле не понимает, почему я не испытываю восторга при виде карнавального костюма лисы Алисы, или прикидывается?

— Холодно, — вырвалось у меня, — на улице мороз.

— Ерунда, — принялась горячо уверять Юля, — костюм сшит из материала типа искусственная собачка, он дико теплый, и потом, ты же на машине отправишься, сядешь у подъезда, вылезешь около центра, быстро купишь одежонку и назад. Особенно выбирать не надо, хватай первое попавшееся по размеру, завтра сами себе другую купим, лишь бы на улицу можно было выйти.

— Я не хочу разгуливать в костюме лисы!

— Всего-то на полчаса!

— Нет!

— Очень даже симпатичная вещица, — замахала руками Юлечка.

— Нет.

— Но другой одежды в доме не имеется!

— Если пачка с хвостом тебе так нравится, отчего бы самой не нацепить ее? — нашла я нужный аргумент. — Съезди в магазин лично, явно лучше меня выберешь шмотки!

Юлечка цокнула языком:

— Понимаешь, Лампуша, на мне это не застегнется, у тебя талия тоньше!

Я потупила взгляд. Да уж, Юле не видать такой талии, у меня она пятьдесят шесть сантиметров. Не следует думать, что столь потрясающую талию я заработала в результате жесткой диеты и усиленных занятий спортом. Вовсе нет, она досталась мне по наследству от мамочки, которая до самой смерти сохранила «рюмочную» фигуру. Знаете, размер талии на самом деле зависит от состояния косых мышц пресса. Как все мышцы, их, конечно, можно слегка подтянуть, но только слегка. Если от природы они у вас вялые, то, как ни старайся, в осу не превратишься. Поэтому посмотрите внимательно на маму, бабушку, сестру и успокойтесь. Так фишка легла, в вашей семье женщины похожи на прямоугольные брусочки. Вот, например, Катюша, она стройная, но ее параметры 88—75—88. И ничего тут не поделать, с генетикой не поспорить. Господь лишил мою родную подругу тонкой талии, зато, когда остальные стояли в очереди за идеальной фигурой, Катюша пристроилась за умом и сообразительностью. У меня же получилось наоборот, и, если честно, я немножечко горжусь этими своими параметрами. И сейчас, конечно, Юлечка права, юбчонка может застегнуться только на мне, я самая стройная.

— ...Потом корсет, — продолжала Юля, — нет никаких шансов втиснуться в него с моим третьим размером бюста. Мех треснет! А ты у нас доска доской, прямо как Лизавета в детстве!

Хорошее настроение мигом испарилось, желание наряжаться лисой Алисой исчезло окончательно.

— Никуда я не пойду!

— А кто выкинул мешки? — пошла в атаку Юля. — Лишил всех одежды?

Я понурила голову, и тут Юлечка, шмыгнув носом, добавила:

— Ну ладно, конечно, заставить тебя всем помочь я не сумею, сама в это не втиснусь, значит, завтра с утра на работу выйти не смогу!

— Позвони кому-нибудь из подруг, пусть принесут одежду!

— Ага, и стать всеобщим посмешищем, — заплакала Юлечка, — кстати, никто: ни Вовка, ни Серега, ни Лизка, ни Кирюха — не захотели друзей просить, неохота дураками прослыть. Тебя ждали, думали, ты поможешь. Ладно, ладно...

Мне стало стыдно. Действительно, два дня подряд без уважительной причины никто из наших пропустить службу не может. У Юли и Сережки накроются сделки, про майора я даже не говорю.

— Зашнуруй корсаж, — безнадежно сказала я.

— Вау! — взвизгнула Юлечка. — Ну спасибо! Никогда тебе не вспомню про выброшенные шмотки!

Я, сопя от напряжения, принялась натягивать на себя наряд лисы Алисы. В конце концов, если разобраться, Юлечка абсолютно права, кто заварил кашу? Лампа. Вот теперь ей и расхлебывать позор чайной ложкой.

Пачка села как влитая, а курточка оказалась короткой, только до талии, зато у нее был капюшон с пришитыми треугольными ушами.

— Ну и как? — поинтересовалась Юля.

— Ничего, — кивнула я, — ты права, искусственный мех теплый, сверху здорово, а вот снизу как-то не очень.

— Экая ты капризная, — скривилась Юлечка.

— Пачка вверх торчит, — пояснила я, — и на мне колготок нет, их Лизавета натянула, кстати, и сапоги отсутствуют!

Юлечка прикусила нижнюю губу, потом стукнула себя ладонью по лбу и убежала. Я попыталась опустить вниз хвост, чтобы хоть чуть-чуть прикрыть ноги, но ничего не вышло. Рудиментарный орган не желал двигаться, он был жестко зафиксирован, скорей всего, просто пришит к костюму.

— Сколько раз говорила, — радостно заявила, возвратившись, Юлечка, — ничего нельзя выбрасывать! На!

Я взглянула на блестящую упаковку.

— Мне их Олька Федькина подарила, — верещала Юля, доставая из хрустящего пакетика нечто ярко-белое, — она совсем с ума сошла, приволокла их и давай хихикать: «Это вам с Серегой для раздувания угасающих чувств пригодятся».

Продолжая безостановочно болтать, Юля протянула мне что-то странное, но уже через секунду стало ясно — это не колготки, а чулки на широкой резинке.

— Цепляй! — приказала Юля.

— Все равно сапог нет, — ответила я.

Жестом фокусницы она поставила на пол два здоровенных спортивных ботинка.

— Это что?

— Старые Кирюшкины кроссовки, давай, давай, — подпрыгивала в нетерпении Юлечка, — завяжешь шнурочки потуже, и вперед.

Через четверть часа я входила в торговый зал огромного, сверкающего огнями магазина. Ей-богу, не понимаю, зачем такая махина работает круглосуточно. Неужели это выгодно хозяину? Сейчас в мраморном вестибюле было всего два покупателя: мужчина лет сорока, который разглядывал витрину с часами, и женщина, молоденькая брюнеточка, застывшая возле манекена, наряженного в кружевной пеньюар.

— Эй, ты куда? — крикнул секьюрити, тосковавший у входа.

Меня удивила бесцеремонность вопроса.

Во-первых, отчего охранник мне «тыкает», а во-вторых, с какой стати он решил вдруг проявить особый интерес к моей скромной персоне? Может, ответить ему: «Хочу покататься у вас на роликовых коньках»? Я раскрыла было рот, но потом поймала уже вертевшуюся на кончике языка фразу про ролики. Увы, мужчины в форме, как правило, лишены чувства юмора.

— Пришла одежду купить, — ответила я с улыбкой.

— Врешь! Покажи деньги?

Растерявшись от хамства, я вытащила кошелек.

— Вот.

— Ну-ну, иди, — сменил гнев на милость секьюрити.

Однако какие странные порядки в этом центре, впрочем, сейчас ночь, может быть, охране велено проявлять после захода солнца особую бдительность?

Решив не ругаться с малокультурным парнем, я почапала по залитой светом галогеновых ламп галерее. Не скажу, что в костюме лисы Алисы я ощущала себя комфортно. Коротенькая юбочка топорщилась, хвост оказался очень тяжелым и тянул меня назад. Но самое главное, холод пробирал почти до костей. Пачка не прикрывала ног, а чулки едва достигали попы. Мадам Сижу у меня замерзла, как ледяной каток. Да еще при каждом шаге подвязки медленно спускались вниз, я не могу похвастаться аппетитными бедрами, скорее наоборот, эта деталь моего тела лишена округлостей, и резинкам было не на чем держаться. Пару раз мне пришлось останавливаться и подтягивать чулки. Огромные кроссовки хоть и со шнурками, завязанными двойным морским узлом, тоже не придавали легкости походке, я шла, шаркая ногами, словно ребенок, которому не в меру экономные родители купили обновку, «штоб на три года хватило».

На первом этаже не было никакой одежды: продукты, косметика, сувениры, посуда, постельное белье, часы... У витрины последнего магазина по-прежнему маячил мужик со связкой пакетов «Рубашки и брюки».

Обрадовавшись, я приблизилась к покупателю и очень вежливо, с самой приятной улыбкой на лице сказала:

— Добрый вечер!

Дядька обернулся, икнул и вскрикнул:

— Ой! Чего вам надо?

Да уж, похоже, сегодня у меня вечер встреч с неучтивыми личностями.

— Не могли бы вы оказать мне небольшую услугу?

— Нет!!!

— Право, чистая ерунда!

— Нет!!!

Я пошевелила совершенно озябшей нижней частью тела. Если бы пушистый и наверняка теплый хвост мог опуститься вниз, бедная госпожа Романова сумела бы спастись от обледенения.

Чулочки стали тихо сползать, я быстро поддернула их и продолжила:

— Подскажите, где тут продают одежду?

— К-какую? — прозаикался покупатель.

— Любую, для взрослых и молодежи, на первом этаже ничего похожего нет.

— Ты с ней кадришься? — заорали за спиной.

Я обернулась, за левым плечом маячила хорошенькая брюнетка, та самая, что разглядывала кружевное белье.

— Мишка, кобель, — зашипела она, пиная мужика мыском сапога, — чуть отвернись, он тут же прошмандовку найдет.

— Леночка, — растерянно ответил мужчина, — она сама ко мне пристала.

— Вовсе нет, — возмутилась я, — это неправда.

— Еще чего! — подскочил Миша. — Ты хочешь сказать, что это я тебе глазки строил и задом тут вертел?

— Ничего такого я не делала, просто хотела узнать...

Но договорить мне не удалось, разъяренная Леночка со всего размаха треснула меня по голове сумочкой.

— Не смей лапать чужого мужа! Своего заведи! — заорала она. — Ах ты б..., ..., ...!!!

Я отшатнулась, и в ту же секунду чулки, свернувшись баранками, рухнули на огромные кроссовки. Миша взвизгнул:

— Вот видишь, Ленуся, я не трогал ее, а она стриптиз устраивает.

— Ща тебе глазки-то повыдергаю, — бесновалась Леночка, — ваще бесстыжая!

— Вы не так меня поняли, — залепетала я, — чулки мне просто велики, я хотела узнать у Миши, где тут одеждой торгуют?

— А-а-а, — завизжала Леночка, — ишь придумала, дрянь, а это что, не видишь?

Ее короткий пальчик ткнул вверх, я подняла взор

и увидела огромное табло: «1-й этаж — сувениры, косметика...»

— Стоишь под указателем и к мужику подкатываешься! — бушевала Леночка.

— Простите, не увидела объявления, — попыталась я купировать скандал.

Леночка замерла, я было подумала, что инцидент исчерпан, наклонилась, чтобы вернуть чулки на место, и тут баба зловеще спросила:

— А откуда ты знаешь, что его Мишей зовут?

Я не успела ответить, потому что в ту же секунду ревнивица с криком: «Стоит задницу показывает, видно, вы давно снюхались» — бросилась на меня с кулаками и повалила на пол.

Глава 26

Можете мне не верить, но до сегодняшнего дня я никогда не дралась. В детстве меня всегда водили за руку старшие, и любые конфликты на улицах были исключены, и вообще, я выросла и живу в такой среде, где люди предпочитают решать спорные ситуации вербально. Кстати, словом можно ранить намного больней, чем кулаком, но некоторые люди не понимают сей простой истины и лезут драться.

Не имея опыта рукопашного боя, я совсем растерялась, и Лена ухитрилась пару раз весьма больно стукнуть меня лбом о сверкающий мрамор пола.

Потом примчались охранники, схватили нас и доставили в служебное помещение.

— Эту в холодную, — велел лениво зевающий, похожий на бегемота мент.

Именно мент, а не простой секьюрити. На нем была хорошо знакомая мне форма, точь-в-точь такая пылится у Костина в шкафу.

У меня отобрали сумочку, а потом втолкнули в каморку, по которой гулял ледяной сквозняк, и когда за мной в конце концов пришли охранники, я приобрела кондицию сосульки.

— Ну, — нагло прищурился мент, — ща оформлю задержание.

— С какой стати? — возмутилась я.

— Проституция запрещена!

— Вы приняли меня за падшую женщину?!

— Ага, за совсем упавшую, — согласился «бегемот», — ишь придумала, к посетителям приставать!

— Просто я хотела спросить, где расположен отдел «Рубашки и брюки».

— Не бреши! Заявление пострадавшие написали.

— Пострадавшие! — Я пришла в окончательное негодование.

— Во, — поднял вверх сосискообразный палец милиционер, — читаю: «Подошла ко мне, делая непристойные телодвижения, а затем, сняв колготки, предложила заняться сексом в извращенной форме, с особым цинизмом оскорбив меня в присутствии законной жены, нанеся последней моральный ущерб в размере миллиона рублей!»

— Офигеть, — только и сумела выдавить я из себя, — это просто бред.

— И на что ты рассчитывала, нацепив сей костюмчик с хвостом? — почти по-отечески поинтересовался кретин в форме. — Извращенцев ловишь? Зоофилов? Собакой прикидываешься?

— Лисой Алисой, — машинально поправила я его и тут же обозлилась на себя за это.

Слабым оправданием моей растерянности могло служить лишь то, что в подобной ситуации я оказалась впервые.

— Молодец, — одобрил мент, — ну и че? Оформляться станем или решим по-другому проблемку?

Я топнула ногой:

— Идиотизм! Я законопослушная гражданка...

Вторая часть фразы застряла в горле, потому что мерзкие чулочки снова срулетились на кроссовки. Милиционер поморщился.

— Ну это ты зря! Знаю, кое-кто натурой берет, но я брезгливый, в общественном месте не стану. Впрочем, готов пойти тебе навстречу, гони тысячу евро и шагай домой.

Я хотела было вознегодовать, но вовремя взяла себя в руки и ответила:

— Ладно, но для этого мне надо позвонить.

Ментяра вытащил из моей сумочки сотовый.

— Прошу.

Я набрала домашний номер.

— Алло, — пропела Юлечка.

— Позови Вовку.

— Могу сама его размер назвать!

— Мне его размер не нужен, — под гнусное хихиканье «бегемота» взвыла я, — дай сюда Костина! Быстро!

— Что стряслось? — спросил через минуту майор.

— Меня арестовали в торговом центре за проституцию, сейчас оформляют задержание, но за сумму в тысячу евро отпустят домой.

— Еду! — рявкнул Вовка.

Я положила сотовый на стол и ласково улыбнулась «бегемоту».

— Все станцевалось, мой котик, евро уже бегут.

— Можешь на диване устраиваться, — подобрел мент.

Я подтянула чулки, села на продавленные подушки и, положив голову на хвост, задремала.

— Кому тут штука евро нужна, — прогремело над головой.

Я открыла один глаз, второй открылся сам. В комнате стоял Костин, выглядел он самым нетривиальным образом. Ноги обтягивали все те же Лизаветины лосины в крупный горох, на ногах были вьетнамки, согласитесь, самая обычная обувь для московского февраля. Шею Вовка обвязал розовым шарфиком, а торс майора украшала куртка, нежно-голубая, с опушкой из крашеного кролика. Она была ему явно мала, «молнию» застегнуть Костин не сумел, а рукава лишь наполовину прикрывали волосатые руки.

— Ты кто? — в полном обалдении поинтересовался мент.

Костин вытащил удостоверение и помахал им перед носом мздоимца, тот, побледнев, вскочил и отдал честь старшему по званию.

— Садись, — милостиво разрешил майор, — и представься!

— Сержант Приходько, Виктор Николаевич.

— Тут мою жену задержали, — заявил Вовка.

— Ее? — дрожащим голосом спросил взяточник, тыча пальцем в мою сторону.

— Ага, — кивнул Костин, — что-то я не пойму, какие евро?

— Евро? — затряс головой «бегемот», быстро разрывая бумаги, лежавшие на столе. — Сам не знаю. Это что такое евро?

— Европейская валюта, — улыбнулся Вовка, — крепче доллара сейчас.

— Да? — изумился Приходько. — Скажите, пожалуйста! Ну я-то за границу не езжу, мне бы денег на Крым набрать.

— Он меня задержал за проституцию, — мстительно заявила я.

— Да? — поднял брови Вовка.

— Нет! — взвизгнул мент. — Она не поняла! Наоборот...

— Что «наоборот»? — ухмыльнулся Костин. — Не задержал, а разрешил заниматься непотребством?

Я захихикала, а милиционер, вспотев, принялся мямлить:

— Просто мы заволновались: ходит дама, с хвостом...

— В костюме лисы нельзя зайти в торговый центр? — прикинулась я идиоткой.

— Нет, то есть да, вернее, нет, — забулькал Приходько, затем, окончательно потеряв ориентацию во времени и пространстве, ляпнул: — Одежда у ней странная.

Костин одернул голубую куртенку.

— Так каждый одевается по своему вкусу.

Виктор Николаевич, словно завороженный, уставился на лосины майора.

— Вам что-то и во мне не нравится? — спросил Костин.

— П-п-порядок, — выдавил из себя Приходько.

— Сколько евро я должен за жену?

— Н-ничего!

— Да ну? Точно?

— Аг-га!

— Лампудель, — гаркнул Костин, — разворот через левое плечо, шагом марш на выход.

Я с неохотой встала с дивана, ну вот, только хорошо устроилась, пригрелась на пышном хвосте! И снова на мороз.

— К-как ее зовут? — простонал Приходько.

— Лампа, — машинально ответил Костин, — а зачем тебе? Никак все же протокольчик составить решил?

— Н-нет, — протянул Виктор Николаевич, потом дрожащей рукой схватил графин с мутной водицей и принялся глотать прямо из горлышка.

Я с сочувствием посмотрела на мента. Женщина по имени Лампа, разгуливающая ночью по торговому центру в костюме лисы Алисы, — согласитесь, одного этого хватит, чтобы ощутить себя героем пьесы абсурда! Так еще у этой бабы имеется муженек, майор МВД, носящий в феврале вьетнамки, лосины в горошек и голубую куртенку с опушкой из крашеного кролика. Право слово, воды в этом случае мало, я на месте Приходько опрокинула бы стаканчик с более крепким напитком!

— Давай, Лампадос, — поторопил меня Вовка, — нам еще одежонку купить надо!

— Бегу, — кивнула я и повернулась к Приходько: — Где тут магазин «Рубашки и брюки»?

— Третий этаж, — в полнейшем изнеможении ответил «бегемот», обмахиваясь газетой.

Я вскочила на ноги, чулки бубликами рухнули на кроссовки, Виктор Николаевич ойкнул, Костин выпихнул меня из комнаты и сурово заявил:

— Отчего, если за дело берется госпожа Романова, то получается полная белиберда?! Немедленно подтяни чулки, у тебя жуткий вид.

— На себя посмотри, — не выдержала я, — где куртенку раздобыл?

— Потом потолкуем, — рявкнул Вовка, — дуем на третий этаж за нормальными штанами.

Ноги майора, туго обтянутые лосинами, бойко двинулись вперед, я топала сзади, гордо неся высоко поднятый хвост.

Утром, едва стрелка будильника подобралась к семи, я быстренько выскочила из кровати и увидела на стуле аккуратно повешенные джинсы и пуловер. Лизавета, благодарная за разрешение гулять почти ночь напролет, вернула взятые напрокат вещи в полном порядке.

Быстро одевшись, я вылетела из дома, не позавтракав, нетерпение толкало в спину. Лучшая подруга Альбины Фелицатовны, Каролина Карловна, любила Павлика. Нянька была уверена, что ее воспитанник пошел к этой женщине. Осталось лишь отыскать Каролину Карловну, но у Настеньки не оказалось никаких координат дамы. Фамилии ее она тоже не знала, остался лишь один шанс напасть на ее след: поговорить с Варварой Михайловной.

Почему именно с ней? Дама самозабвенная сплетница, занимавшаяся, как раньше говорили, общественной работой. Такая особа знает про окружающих все, с Альбиной Фелицатовной Варвара Михайловна состояла в приятельских отношениях, Ожешко вроде дружила с Каролиной Карловной, может, председательница правления знает что-либо о последней? Ну хоть фамилию!

Оказавшись в уже знакомом дворе, я постучала в окно. Створка приотворилась, выглянула Варвара Михайловна при полном параде, даже с накрашенными губами.

— Опять вы, деточка?

— Да, уж простите за столь ранний визит.

— Я не принадлежу к людям, продавливающим подушку до полудня, — заявила пожилая дама, — кто рано встает, тому бог подает, я поднимаюсь в шесть. Вы что-то забыли?

— Вам знакомо имя Каролина Карловна? — без всяких экивоков спросила я.

Варвара Михайловна поежилась.

— Студено как! Лучше заходите в дверь, а то еще простыну, сидя, как кошка, на подоконнике. Зачем вам Каролина? — жадно поинтересовалась сплетница, втягивая меня в прихожую.

— Знаете ее? — обрадовалась я.

— Естественно.

— Можете адрес подсказать?

Варвара Михайловна ткнула пальцем в окно.

— Там она, вообще-то, живет.

— Где?

— Пятый подъезд, квартира сто, но она...

— Здорово, — перебила я Варвару Михайловну, — побегу, до свидания.

— Так зачем она вам? — попыталась выведать бывшая председательница. — Постойте, послушайте...

— Потом объясню, — крикнула я, кидаясь во двор.

Не думая о времени, я, не успев отдышаться, ткнула пальцем в звонок. В конце концов, наша жизнь полна дурацких условностей. Ну кто решил, что неприлично беспокоить людей в ранний час? Может, прав Винни-Пух, распевавший бодрую песенку: «Кто ходит в гости по утрам, тот поступает мудро. Тарам-пам-пам, тарам-пам-пам, на то оно и утро»?

— Офигела, да? — спросила открывшая дверь девушка чуть старше Лизы. — С крыши упала?

— Вроде нет.

— И че меня разбудила? Я только спать легла.

— Утро уже.

— Это для тебя! А для меня вечер, — обозлилась окончательно девчонка, — сорок минут назад я с работы приперлась. Чтоб всех разорвало! Ты ваще кто?

— Евлампия Романова.

Девица хихикнула.

— Ну-ну, тогда я Физдипекла Кошкина.

Пришлось вытащить паспорт, девчонка уставилась в него, затем, слегка порозовев, сказала:

— Ладно, не злись, мне и в голову прийти не могло, что такое имечко существует. Меня Мариной зовут.

— Ерунда, я вовсе не обиделась.

— Но как бы тебя ни звали, — снова начала возмущаться Марина, — это не дает тебе повода людей ни свет ни заря будить.

— Каролина Карловна тут живет?

— Кто?

— Каролина Карловна.

— Первый раз про такую слышу.

— Это пятый подъезд, сотая квартира?

— Ну.

— Мне сказали, она тут.

— Не, — потрясла головой Марина, — вы спутали, здесь я и Николаевич, старикашка дурацкий.

— Может, дедушка про Каролину Карловну слышал? — решила не сдаваться я.

— Ну-у, — с сомнением протянула Марина и заорала: — Эй, Николаич! Николаич! Старый пень! Ау-у-у!

В коридор на дрожащих ногах выбрался старичок.

— Здравствуй, Мусенька! — обрадованно воскликнул он. — Ты мне бутербродиков принесла?

Марина вздохнула.

— Вот, любуйся, Николаич, ходячее несчастье. Мне его дочка с квартирой сдала.

— Как это? — удивилась я.

— Очень просто, — пояснила Марина, — плачу только сто баксов и за дедом приглядываю. Дочь его по командировкам мотается, ей некогда. А со мной ловко получается, я ночь в клубе пляшу, день дома.

— Колбаска есть? — с надеждой спросил дедуля.

Марина набрала полную грудь воздуха и рявкнула:

— Да-а-а! Докторская!

— Ой, хорошо, — обрадовался старичок.

— Эй, Николаич! Сто-о-ой!

— Что, Мусенька?

— Ты Каролину знаешь?

— Кого?

— Каролину.

— Кого?

— Каролину-у-у, — взвыли мы с Мариной на два голоса.

Дедуся притормозил.

— Каролину?

— Да-а.

— Какую?

— Карловну, — набатом загудела я, — Каролину Карловну.

Николаич зашевелил пальцами.

— Герцогиню Курляндскую?

Марина посмотрела на меня.

— Она?

Я растерянно пожала плечами:

— Может, и так.

— Ладно, — приободрилась стриптизерша. — Николааич! Ну-ка, расскажи нам про Курляндскую! Адрес ее можешь назвать? Ау-у! Николаи-и-ич! Старый пень! Ау-у-у!

— Зачем ты, Мусенька, так кричишь? — с укоризной воскликнул старичок. — Согласен, я, конечно, старый пень, но уши у меня пока мхом не заросли, великолепно слышу окружающих!

Щеки Марины снова покрылись легким румянцем.

— Во, — смущенно отметила она, — у него иногда слух включается! В общем, Николаич, на кухне в холодильнице лежит колбаска, а еще я тебе вкусного из клуба приволокла, там, в коробках, найдешь.

— Спасибо, Мусенька, ты светлый ангел.

— Светлые ангелы те, кто мне в стринги денежки засовывает, — сверкнула глазами Марина, — кабы не они, мы бы с тобой сейчас лапу сосали. Да не об этом разговор. Можешь адрес Каролины назвать?

— Герцогини Курляндской? — начал новый виток беседы старичок.

Я стала терять терпение, но Марина спокойно ответила:

— Ага.

— Замок Шлоссер.

— Это где? — разинула я рот.

Николаич снова пошевелил пальцами.

— Ну, в тысяча пятьсот шестьдесят третьем году...

— Пошло-поехало, — взмахнула изящной ручкой стриптизерша, — понесло-покатилось! Николаич вообще-то профессор, историю преподает!

— Постойте! — воскликнула я. — Эта ваша герцогиня Курляндская когда жила?

— Дата рождения Каролины никому точно не известна, — сообщил Николаич.

— Черт с ним, с днем, — подскочила я.

— Месяц тоже.

— Год назовите, — заорала я, — на худой конец, столетие!

— В документах есть упоминание о ее первой свадьбе...

— Ну!

— Пышное торжество.

— Ну!

— Море гостей.

— Ну!!!

— Праздник потом перерос в побоище...

— Год скажи, — снова на два голоса заорали мы с Мариной.

— Тысяча пятьсот семьдесят первый.

— Тебе эта Каролина нужна? — фыркнула танцовщица.

— Нет.

— Ага! Николаич, поближе ищи!

— Герцогиня Курляндская была одна!

— Значит, мне нужна просто Каролина Карловна, — грянула я свое, — обычная тетка, ваша современница.

Николаич ласково улыбнулся:

— Ангел мой, история простыми, как вы выразились, тетками, не занимается. Пойду колбаски откушаю.

Глава 27

Не добившись от Николаича толку, я в полной тоске выпала во двор и мигом услышала из приоткрытого окошка:

— Милочка, разве можно так быстро бегать! Кричу, кричу, а вас и след простыл. Каролина-то уехала!

— Но вы же меня только что отправили в сотую квартиру!

— Нет, неправильно, — возмутилась Варвара Михайловна, — не было такого!

— Как это не было! — обозлилась я. — Откуда же я номер апартаментов взяла? От вас услышала.

— А не так! — не сдалась Варвара Михайловна. — Вы спросили, где жила Каролина Карловна! Жила! Жила! В прошедшем времени, я и ответила чистую правду про пятый подъезд, а потом хотела уточнить, что Хованской...

— Кого?

— Вот снова меня перебиваете, — укоризненно покачала головой сплетница. — Хованская Каролина Карловна, мы же о ней беседуем! Я попыталась сказать: она уехала, но вы убежали и...

— А куда уехала Хованская?

— Экая вы торопыга! Заходите ко мне, не во дворе же беседовать.

Заскрипев зубами, я пошла назад. Встречаются на свете люди из породы зануд, общаться с ними, как правило, очень тяжело. Одна из наших с Катей подруг, Олеся Шмакова, развелась с мужем, вполне положительным, не пьющим, не гулящим и нормально зарабатывающим человеком. Услыхав о разводе, Катюша страшно удивилась и воскликнула:

— Олеся, чем же тебе не угодил Леня?

Олеська тяжело вздохнула:

— Всем хорош, но жить с ним невозможно. Зануда он. Знаешь как он разговаривает?

— Ругается? — заинтересовалась я.

— Что ты, — замахала руками Олеся, — Леня вежливый до сладости, как пряник.

— Тогда чем ты недовольна? — воскликнула Катюша.

Олеся ответила:

— Попробую объяснить. Ну вот такой пример. Звоню ему и спрашиваю: «Леня, ты едешь домой?» Отвечает: «Нет!» Ну я, естественно, начинаю возмущаться: «Как же так, ведь мы договорились, у нас в семь гости!» А муженек спокойно сообщает: «Буду вовремя».

Олеся пришла в еще большее негодование и закричала:

— Каким образом? Ты же не едешь домой!

— Уже еду.

— Но только что ответил на мой вопрос: нет.

— В тот момент я шел к машине по двору, — как ни в чем не бывало сообщил Леонид, — согласись, идти еще не значит ехать, а сейчас я уже рулю.

И так во всем! Если Олеська звонила домой и интересовалась: «Ленчик, ты покормил собаку?», то слышала в ответ: «Нет».

Естественно, Олеся возмущалась:

— Я же просила дать псу кашу.

— Уже даю, — летело из трубки, — когда мы начинали разговор, я еще не кормил Джульку, только грел ей ужин.

Теперь вам ясно, отчего Олеся сбежала от положительного до зубовного скрежета муженька? Кстати, я ее понимаю, зануда — это страшное испытание, и, похоже, Варвара Михайловна относится к этой славной категории людей. Слабым оправданием для пожилой дамы служит то, что она, очевидно, испытывает недостаток общения и сейчас страстно хочет вновь заполучить заинтересованную слушательницу.

— Я не успела вам ничего объяснить, — засуетилась Варвара Михайловна. — Вот, пожалуйте сюда, в гостиную, сядем на диванчик. А что за интерес к Каролине Карловне?

— Материал о жизни дома нужно проиллюстрировать фотографиями, — я вошла в роль журналистки, — а у...

— Господи! — всплеснула руками Варвара Михайловна, с ловкостью трехмесячного котенка кидаясь к большому шкафу. — А нам Каролина не нужна! У меня столько снимков! Сейчас все вам продемонстрирую.

Я застонала от осознания собственной глупости, вот теперь мне точно конец пришел! Надо же было свалять такого дурака. Варвара Михайловна уже выкладывает на стол огромные альбомы, остановить ее не получится, с таким же успехом можно пытаться выловить из стакана с водой бурно растворяющуюся таблетку аспирина.

— Вот, это мы празднуем Первое мая всем домом, — занудила сплетница, — ой, ха-ха! Какое пальто у Лены Марковой из восемнадцатой квартиры! Господи, в чем мы ходили! Хотя Маркова известной модницей слыла, ее дед...

Я вцепилась пальцами в подлокотник кресла, ладно, посижу для приличия минут десять, а затем начну выдавливать из болтуньи новый адрес Каролины Карловны, хотя мне теперь известна ее фамилия — Хованская. А это уже немалый успех.

Варвара Михайловна сосредоточенно листала альбом, вдруг на одной из страниц затемнели пустые места. Пожилая дама нахмурилась.

— Это почему же так? — забормотала она. — У меня аккуратно все было заполнено... без пробелов... Куда подевалось? Неужели... Ну и ну! — Нервно поправив идеально уложенные волосы, Варвара Михайловна замолчала, а потом весьма сердито воскликнула: — Уж извините, это не в ваш адрес упрек! Но некоторые журналисты настоящие прощелыги! Это еще интеллигентно сказано, потому что на самом деле следовало бы назвать ее воровкой!

— Кого? — насторожилась я.

Старуха ткнула пальцем в пустую страничку альбома.

— Вот, украла! Сначала, правда, попросила, мило так: дайте мне на пару деньков, когда книга выйдет, получите часть гонорара. Но я сразу отказала. Бог с ними, с чужими воспоминаниями, а фото в единичном экземпляре, пропадет в их редакции с концами! Очень тогда обидно будет! Ну пройда! Закивала в ответ на мой отказ и сказала: «Понимаю и не смею настаивать». Мы потом остальные снимки просмотрели, а эта, с позволения сказать, журналистка, водички попить попросила. Значит, пока я на кухню ходила, она снимочек украла. Ах мерзавка! Ну ничего! Я найду ее! А если не отыщу, то с этой актрисой побеседую, Валентиной Бурской! Писательницей захотела стать! Кривляка!

Знакомое имя будто щелкнуло хлыстом мне по темечку.

— Кто у вас украл фото? — резко спросила я. — Какое отношение к этой истории имеет Валентина Бурская?

Варвара Михайловна выпрямилась.

— Слышали про сию актрисульку?

— Да.

— А я вот ранее не имела чести, — гордо вскинула подбородок хозяйка, — потом еще у Альбины Фелицатовны поинтересовалась: «Ну почему она ко мне пришла? К тебе ей дорога, коли вы дружили!» Но Ожешко уже плохая была...

— Варвара Михайловна, — взмолилась я, — если можно, спокойно, по порядку, без спешки, расскажите мне про фото.

Сплетница откинулась на спинку.

— Некоторое время назад в мою квартиру вечером позвонили. Была зима, на улице крутил снег, ветер. Я глянула в глазок и увидела перед дверью стройную, худенькую, скромно одетую девушку...

Начало разговора сильно напоминало сказку, но дальнейшая часть оказалась вполне реальной.

Девица представилась сотрудницей издательства

«Марко», одной из крупнейших структур, заваливающих рынок книгопечатной продукцией.

— Меня зовут Влада, — улыбалась гостья, — я пришла предложить вам хорошо оплачиваемую работу.

— Деточка, — изумилась Варвара Михайловна, — я не умею писать книги!

— И не надо, — лучилась Влада, — просто расскажите кое-что. Давайте только сначала я введу вас в курс дела. Слышали имя «Валентина Бурская»?

— Нет, — честно призналась Варвара Михайловна, — она кто?

— Знаменитая актриса, звезда театра «Лео», много снимается в сериалах.

— Последние годы я не хожу на спектакли и телевизор не гляжу, глаза болят.

— Не беда, — отмахнулась Влада, — наше издательство, кроме всего прочего, выпускает мемуары известных людей.

— Очень люблю подобную литературу, — закивала Варвара Михайловна, — и часто поражаюсь, насколько господь бывает щедр к некоторым людям, сколько таланта дает: и в опере, допустим, он поет, и книгу написал!

Влада улыбнулась.

— Не хочется лишать вас иллюзий, но зачастую великие граждане не сами пишут мемуары. Чаще всего они просто рассказывают о своей жизни, а потом в дело вступает «негр».

— Чернокожий? — оторопела сплетница.

Девушка рассмеялась.

— Литературный «негр», на сленге издателей, — это человек, написавший за кого-то книгу, на обложке его имени нет, там стоит фамилия того, кого покупатели считают автором. В случае с Валентиной Бурской таким негритосом являюсь я. Валентина Григорьевна человек удивительной судьбы, многое из того, что она рассказала, кажется мексиканским сериалом. Конечно, воспоминания — вещь абсолютно субъективная, очень часто в них много, как бы поделикатней выразиться, фантазии. Но все же выдумка должна хоть немного походить на правду. Я написала книгу и представила ее в «Марко», главный редактор пришел в изумление и велел мне найти хоть какие-нибудь доказательства слов Бурской, уж поверьте, ее рассказ звучал совершенно фантастично, Агата Кристи отдыхает. Такой сюжет! Наш главный редактор даже сказал: «Влада, найдешь нужные фотки или добудешь свидетельские показания — выпустим мемуары, — если поймешь: она наплела с три короба, сделаем из рукописи детектив. Подобная фактура не имеет права пропасть!» Вот, я и пришла к вам!

— Но я никогда не знала Бурскую! — воскликнула Варвара Михайловна.

— Охотно верю, а про Альбину Фелицатовну слышали?

— Ожешко? Конечно!

— Правда ли, что у нее умерли все дети?

Варвара Михайловна мгновенно принялась рассказывать милой Владе историю жизни своей соседки и, только выболтав все, что можно, поинтересовалась:

— А зачем вам Ожешко?

Влада задумчиво ответила:

— Альбина Фелицатовна и Валентина Григорьевна родственники, в книге Бурской много страниц посвящено Ожешко.

— Не может быть! — удивилась Варвара.

— Почему? — улыбнулась Влада. — Кстати, нет ли у вас фотографий Ожешко?

Понимаете, как обрадовалась истосковавшаяся без собеседников Варвара этой фразе? На стол легли альбомы, и пожилая дама получила возможность выговориться до конца!

— Какие снимки украла эта Влада? — быстро спросила я.

Варвара Михайловна нахмурилась:

— Редкие, неповторимые. На одном запечатлены почти все жильцы двадцать второго апреля на субботнике в честь дня рождения Ленина. Мы стоим во дворе, я около Альбины. Счастливое время! Все пока у нее живы: свекровь Ирина Константиновна, крохотная Валечка, сынишка Дима, муж Евгений. Эх, если б я знала, что скоро многие умрут, может, в тот момент и ощутила бы полнейшее счастье! Да, жизнь быстротечна.

— А второй снимок?

— На нем Новый год, но уже спустя много лет. У Альбины остался только Павлик, он сидит на саночках, — с готовностью затарахтела Варвара, — рядом стоит Настя, нянька. Чуть поодаль сама Ожешко, мои дети, уже почти взрослые. Знаете, мы в доме раньше очень дружно жили, праздники вместе отмечали, Первое мая, например, и Девятое тоже, столы прямо в садике накрывали. А нынче каждый за себя, да и скверика нашего нет, на его месте теперь автомобили ставят, поговорить не с кем, хотя в нашем доме полно долгожителей. Наверное, аура такая, способствует здоровью. Вот я ни на что не жалуюсь, только печень...

Боясь, что Варвара Михайловна сейчас съедет на тему болячек, я весьма невежливо перебила ее:

— Неужели вы не рассказали Альбине Фелицатовне о визите Влады?

Варвара Михайловна кивнула:

— Как же, прямо сразу.

— А та что ответила?

— Выслушала меня спокойно и протянула: «Валентина Бурская? Актриса театра «Лео»? Книга воспоминаний? И при чем тут я? Глупость какая-то».

— Не знаете, Альбина потом не ходила к Бур-

:кой? Может, женщины подружились? — быстро
:просила я.

Сплетница покачала головой:

— Очень скоро после нашего разговора на Альбину налетел маразм, всех узнавать перестала, из квартиры лишний раз не высовывалась, какие уж тут поездки
по театрам, а затем Ожешко скончалась.

— Каролина Карловна тоже умерла? — спросила я.

Варвара Михайловна улыбнулась.

— Вот она точно триста лет проживет.

— Почему?

Пожилая дама пожала плечами:

— Знаете, примета есть: если кто тебя раньше
:мерти умершим объявит, то как минимум век протя-
нешь. Каролину Карловну в больницу свезли, летом дело было, при полном дворе носилки выносили. Она у
нас одиноко жила, детей не имела, только брат и был,
Яковом его звали. Наши-то Яшу мужем Каролины считали, но нет! Брат он ее, но и тот скончался. Каролина с Альбиной дружили, мужчины тоже тесно общались, семьями друг к другу ходили. Яков первым на
тот свет ушел, за ним Евгений убрался, прямо сразу,
через неделю, а уж потом, спустя, правда, довольно
большое время и Каролину унесли. Вдвигают носилки
в машину, соседи столпились, ну кто-то и спросил:
«Что с ней, скоро ли поправится?» Врач так мрачно и
ответил: «Инсульт, да еще в немолодом возрасте, тут
никто вам точный прогноз не даст».

Наутро по дому слух прошел: Каролина скончалась. Все поохали, поахали, хотели денег на похороны
:обрать, только потом выяснилось, что никто не запи-
:ал номер больницы, куда увезли Каролину. Варвара
Михайловна решила начать поиски тела жилички, но
тут у дамы заболел сын, и из ее головы вылетели все
мысли, кроме одной: как вылечить юношу.

Каролина Карловна растворилась в неизвестнос-
ти, квартира ее была закрыта и, что удивительно, оп-

лачена. В домоуправление регулярно поступали квитанции. А потом появилась бойкая тетка, назвалась риелторшей и сообщила, что Каролина Карловна жива и даже здорова, но после перенесенного инсульта врачи настоятельно рекомендовали ей перебраться на свежий воздух. Сейчас Каролина находится в санатории, но она хочет продать городскую квартиру и купить домик в зеленой зоне Подмосковья.

Риелторша предъявила доверенность от Каролины, и дело завертелось. Вскоре в сотой квартире появился новый жилец, дедушка Николаевич, а позже вселилась Марина.

— Отвратительная девица, — бубнила сейчас, поджимая губы, Варвара Михайловна, — пляшет голая перед мужиками! Квартира, кстати, на дочь этого Николаевича оформлена, я ей позвонила и осторожно поинтересовалась: «Знаете ли, кем работает Марина?» А в ответ такой вопль раздался! Ну всех слов я привести не способна, суть же состояла в том, что квартира в частном владении и жить там может любой, кого пустила хозяйка.

Варвара Михайловна, человек социалистической закалки, не успокоилась и рванула к участковому с жалобой на девицу непотребного поведения, которая устроилась в доме без прописки.

Но милиционер, произведя проверку, неожиданно ответил:

— Полный порядок, договор о найме комнаты оформлен в агентстве.

— Но она проститутка! — воскликнула Варвара.

— Можете конкретно указать фамилии ее клиентов? — нахмурился участковый.

— Нет, — растерялась дама.

— Тогда не клевещите.

— Девка пляшет голой!

— Верно, она танцовщица в легально открытом заведении, претензий к ней нет.

Пришлось Варваре Михайловне прикусить язык.

— Вы в курсе, где живет Каролина Карловна? — подпрыгнула я от нетерпения.

— Конечно, в домовой книге четко указано, куда съезжают люди!

— Дайте мне адрес!

Варвара Михайловна поджала губы.

— Ну...

— Пожалуйста! — взмолилась я. — Поверьте, мне очень надо.

— Ладно, — смилостивилась дама, — сейчас.

Она взяла трубку, набрала номер и проворковала:

— Людмила Петровна, добрый день, это я. Спасибо, грех жаловаться в моем возрасте, живая проснулась — уже хорошо! Гляньте в документиках, куда выписывалась Хованская из сотой квартиры, у меня в гостях корреспондентка, статью о нашем доме пишет. Ага, конечно, подожду. Как, как? Поселок Изобильный? Это где же? А, Красногорский район, ясненько. Да, да, сейчас заверешу разговор с журналисткой и загляну. Что вы говорите? Избил? До больницы? Вот это новость! Уже бегу! — Шлепнув трубку на рычаг, Варвара Михайловна выпалила скороговоркой: — Записывайте, слышали адрес?

— Да, — закивала я.

— Извините, — алчно сверкнув глазами, воскликнула Варвара Михайловна, — мне надо в домоуправление, ЧП в доме! Конечно, я давно не работаю, но помогаю людям. Надо же! Быков жену избил! Не ожидала от него! Хотя, может, она ему изменила? Надо разобраться!

С горящим от возбуждения взором пожилая дама буквально вытолкала меня за дверь, она потеряла всякий интерес к корреспондентке и очень спешила к некой Людмиле Петровне, готовой выложить совершенно восхитительную, свежую информацию о скандале в семье Быковых.

Глава 28

Иногда мне хочется расцеловать операторов мобильной связи, этих милых девочек, готовых дать вам любую информацию. Конечно, услуги справочной стоят недешево, но, с другой стороны, потеряв деньги, вы сохраняете массу времени, а оно порой дороже потраченных средств. Вот и сейчас, не успела я набрать хорошо знакомый номер, как услышала:

— Девятнадцатый, Анна, чем могу помочь?

— Подскажите адрес поселка Изобильный, — попросила я.

— Минуточку, Красногорский район...

— Это я знаю, а как туда ехать?

— Откуда будете следовать? — деловито осведомилась Анна и тут же выдала оптимальный маршрут.

— Вы супер! — заорала я вне себя от радости.

— Рада помочь, — профессионально вежливо ответила служащая.

Я запихнула трубку поглубже в сумку и схватилась за руль. Красногорский район не так уж и далеко, если не попаду в многокилометровую пробку, то могу оказаться на месте часа через полтора.

Изобильный оказался самой обычной деревушкой, на фешенебельный коттеджный поселок не тянул. Несколько десятков скромных, правда, каменных домов было разбросано в чистом поле. Никаких деревьев тут не росло, общего забора и бдительной охраны не имелось. Но, видно, в поселке все же работал управляющий, потому что узкая дорога оказалась расчищенной от снега, и мои «Жигули» без проблем докатились до дома номер 22.

Я вышла из машины и вдохнула упоительно свежий воздух, больше всего на свете мне хочется жить на природе, вид бесконечных крыш из окон нашей квартиры угнетает. Одно время мы весьма активно искали загородный дом, ради его покупки я готова была пожертвовать кое-каким наследством, доставшимся мне от отца, и мы даже нашли вполне подходящий вариант, переехали, почувствовали себя счастливыми, но потом случилась очень неприятная история, пришлось вернуться в город и временно «заморозить» мечту. Но каждый раз, выезжая за пределы огромного, сумасшедшего мегаполиса, в которой превратилась Москва, я с тоской думаю: «Как хорошо вдали от шумных проспектов. Нет, надо решительно забыть о прежних неприятностях и приступить к строительству дома»[1].

Стряхнув с себя не очень радостные воспоминания, я поискала на калитке звонок, не найдя ничего на него похожего, решила постучать, но железная дверь мягко открылась. Похоже, в Изобильном живут крайне беспечные люди.

Я пересекла небольшой дворик, еще раз удивилась полнейшему отсутствию деревьев, поднялась на крыльцо, снова решила позвонить, но не обнаружила ни пупочки, ни клавиши, ни окошечка домофона, пихнула дверь, и опять поразилась: не заперто.

— Есть тут кто живой? — заорала я, стоя в крохотной прихожей.

— Здесь я, — прозвучало в ответ, — ступайте в гостиную.

Я повесила на крючок куртку, стащила сапожки и босиком пошла по идеально вымытому коридору мимо закрытых дверей в сторону помещения, из которого неслись звуки музыки.

Просторная двадцатиметровая комната была обставлена не слишком дорогой и далеко не новой мебелью. В «стенке» мерцал голубым экраном телевизор, перед ним в глубоком велюровом кресле сидела пожи-

---

[1] История, о которой вспоминает Лампа, описана в книге Дарьи Донцовой «Принцесса на Кириешках», издательство «Эксмо».

лая дама, на ее ногах, укрытых пледом, спал, свернувшись клубком, большой черный кот британской породы.

— Добрый день, — без всякого удивления сказала хозяйка.

— Здравствуйте, — кивнула я и, не удержавшись, добавила: — У вас дверь не заперта и калитка тоже.

— Знаю, — кивнула дама, — это специально, мне тяжело быстро ходить, пока доковыляю до прихожей, люди уходят, думают, в доме никого нет.

— Сейчас опасно так жить!

— Право, ерунда, красть у меня нечего, — улыбнулась хозяйка.

Я вздохнула, с одной стороны, это верно, с другой — увы, есть люди, для которых и старенький телевизор хорошая добыча, такие на все готовы, лишь бы бутылку водки получить.

— Вы ко мне? — снова без всякой настороженности поинтересовалась дама.

— Я ищу Хованскую.

— Слушаю вас внимательно.

— Каролина Карловна?

— Да.

— Ой, — воскликнула я, — как хорошо, что вы!.. Окончание фразы замерло на языке.

— Что? — усмехнулась Каролина Карловна. — Отчего вы замолчали? Не конфузьтесь, я отлично понимаю недосказанное: хорошо, что вы живы.

— Вовсе нет! — покраснела я. — Я не то хотела сказать... а... а... вы... э...

— Полноте, — отмахнулась Каролина Карловна, — сама порой удивляюсь, все знакомые уже на том свете, одна я осталась! Два инсульта перенесла, инфаркт, а все скриплю. Право, странно. Вы из собеса? Или как он теперь там называется?

Я заулыбалась во весь рот.

— Нет, из издательства «Марко».

— Не слыхала о таком, — равнодушно обронила Каролина Карловна.

Если честно, я сама только что узнала от Варвары Михайловны название издательства, но Каролине Карловне об этом говорить не следует.

— Я пишу книгу...

— Представьтесь, пожалуйста.

— Ох, извините, Евлампия Романова, можно просто Лампа.

— Продолжайте, — кивнула хозяйка, — вы, насколько я поняла, писатель?

— Ну... да! Задумала интересное произведение, некий симбиоз истории, краеведения и детектива, хочу описать жизнь одного московского дома.

— Так.

— Выбрала объект.

— Так.

— Нашла жиличку с самой интересной судьбой.

— Понятно.

— Изучила ее биографию.

— Так.

— Но с самой героиней поговорить не смогла. Она умерла.

— Так.

Бесконечное «таканье» стало меня раздражать, но злить Каролину Карловну никак нельзя; улыбаясь, как японка на свадьбе, я продолжала:

— Я вынуждена по крупицам собирать данные о даме.

— Так.

— Пообщалась уже со многими ее соседями. Но у меня остались вопросы!

Каролина Карловна приоткрыла рот. «Так», — мысленно сказала я, но хозяйка произнесла иное:

— И какое отношение я имею к вашей книге? Кто дал вам мой адрес?

— Варвара Михайловна, живущая в том доме.

— Ах, эта! Так.

— Она сообщила много интересного.

— Не сомневаюсь, думаю, в основном ложь.

— Вот поэтому я и приехала к вам.

— Так.

— Хочется знать правду о вашей близкой подруге.

— У меня их нет, — вежливо, но твердо отрезала Каролина Карловна, — я осталась одна, все умерли.

— Да, да, я сразу же сказала, что разговор пойдет об ушедшей из жизни женщине, Альбине Фелицатовне.

Каролина Карловна вздрогнула.

— О ком?

— Об Ожешко, — слегка испугалась я, — вы же дружили?

— Нет.

— Как?

— Просто, не дружили.

— Но Варвара Михайловна сказала, что Ожешко и вас связывала...

— Нет.

— Извините, не понимаю, — лепетала я.

Старуха выпрямилась.

— Очень даже просто, НЕТ!

— Не дружили?

— Не хочу говорить на эту тему.

— Значит, вы общались, — обрадовалась я.

— Уходите.

— Пожалуйста, ответьте мне.

— До свидания.

— Очень прошу!

— Дверь открыта, — ледяным тоном заявила Хованская, — не смею вас задерживать.

— Только один вопросик! О ее сыне!

Каролина Карловна издала тяжелый вздох.

— Экая вы настырная! Можете тут хоть год провести, но ничего, кроме «нет», от меня не услышите.

— Я готова заплатить за информацию!

Хованская презрительно поджала губы.

— О бедный мир, — произнесла она, — все покупается! Но я не принадлежу к торговкам. После ваших последних слов мне стало совсем мерзко, исчезните, неуважаемая! Оставьте призраки спать в могилах.

Из моих глаз внезапно потекли слезы. Каролина Карловна, похоже, полная противоположность Варваре Михайловне.

— Утрите лицо, — сердито велела хозяйка, — ни к чему сырость разводить, напишите про другую женщину, не про Альбину!

Тот, кто встречается со мной продолжительное время, очень хорошо знает: Лампа Романова не принадлежит к породе плакс. Конечно, у меня, как у всех людей, случаются приступы депрессии и припадки отчаянья, но после смерти родителей я научилась отличать горе от беды. Горе — это когда случилось нечто абсолютно непоправимое: цунами смыло страну с населением, а беда все остальное. С горем следует научиться жить, а с бедой можно бороться. Уволили тебя с работы? Незачем лить сопли, ищи новую службу. Нет денег? Снова рыдания не помогут, вместо того чтобы жалеть себя и завидовать гражданам, рассекающим по улицам на дорогих иномарках, рой лапками, пытайся заработать, меняй службу, получай новую профессию и не стыдись любого труда, даже самого непрестижного. Уйдя от мужа, я поняла еще одно: женщина, существующая в теплице, никому не интересна, к тому же экзотические цветы мало живут и постоянно болеют. Можно принимать горстями витамины, ходить в спортзал, иметь штат врачей, и все равно будешь загибаться от аллергии, простуды, мучиться бессонницей. Осознание собственной никчемности убивает столь же верно, как порция яда, поэтому никогда не плачьте от жалости к себе, лучше сожмите кулаки и скажите:

— Я все могу, покажу всем, на что способна!

Эти простые мысли пришли мне в голову не сразу, не в двадцать лет я разобралась, что к чему, и вот уже не первый год стараюсь бороться с обстоятельствами. Если честно, не всегда удается выйти победительницей, но рыдать по поводу своей неудавшейся жизни я перестала, я вообще больше никогда теперь не плачу.

И вот сейчас вдруг дала маху, причем на глазах у совершенно незнакомой, враждебно настроенной ко мне женщины!

Я попробовала подавить рыдание, но огромный, горький комок застрял в горле. Меня охватила усталость, в носу защипало так, словно ноздри засыпало перцем, глаза изнутри жгло огнем, ноги потеряли способность двигаться. Не сумев справиться с собой, я громко зарыдала, уткнув лицо в ладони.

Внезапно на колени мне плюхнулся тяжелый теплый мешок, крохотные, нежные лапки обняли мою шею, что-то шелковое прижалось к рукам. Я невольно опустила ладони, в ту же секунду кусочек наждачной бумаги начал быстро-быстро скользить по щекам, утирая слезы, раздалось умиротворяющее: «Мр-р-мр-р-мр-р».

Я открыла глаза, на моих коленях столбиком стоял огромный, неправдоподобно толстый кот. Его передние лапки обнимали меня за шею, мордочка терлась о лицо. Животное явно пыталось утешить плаксу, похоже, кот сильно нервничал. Многие домашние любимцы, проводящие жизнь в тесном контакте с человеком, тонко чувствуют перепады настроения двуногих.

Вот, допустим, наша мопсиха Феня всегда знает, когда у меня болит голова, стоит лечь в кровать, как Фенюшка громоздится хозяйке на макушку. Согласитесь, лежать с десятьюкилограммовым мопсом на башке не слишком комфортно, причем обычно Феня спит у меня в ногах, в волосы хозяйки она зарывается лишь тогда, когда мой затылок разрывается от боли, значит, собака неведомым образом чует болезнь и пытается прогнать ее.

— Епифан, — тихо сказала Каролина Карловна, — не приставай.

— Мр-р-р.

— Иди ко мне, — настаивала хозяйка.

— Мр-р-р, — ответил кот, продолжая со страстью утешать плаксу.

Надо сказать, что ему это удалось, мои слезы высохли. Я обняла кота и пробормотала:

— Спасибо, милый, ты очень вовремя пришел. Ничем не могу отблагодарить тебя, лишь поцелуем.

Епифан положил голову мне на плечо и замурлыкал еще громче.

— Вы любите животных? — другим, ласковым тоном осведомилась Каролина Карловна.

— Да, — кивнула я, — но, увы, кошек у нас нет, вот переедем в собственный дом и обязательно заведем.

— На мой взгляд, кот и в квартире уместится.

— Верно, — вздохнула я, ощущая в душе жуткую усталость, — мы того же мнения, только сейчас имеем Мулю, Аду, Феню и Капу, — это мопсы, потом еще стаффордшириху Рейчел, двортерьера Рамика и жабу. С последней, правда, хлопот мало, сидит в аквариуме, но обижается, если к ней весь день не подходят. А еще появился йоркшир Ириска несколько дней тому назад.

— Появился? — удивилась Каролина Карловна. — Йорк? Сам?

— Ну, не совсем так, — шмыгнула я носом, — все началось с аварии и красного зайца, сидевшего на остановке.

Брови Каролины Карловны медленно поползли вверх.

— Красный заяц?!

— Не сочтите меня за сумасшедшую, — улыбнулась я и совершенно внезапно для себя рассказала неприветливой старухе все.

Причем по непонятной причине я выболтала и свою личную историю, поведала о встрече с Катей, о том, как члены семьи Романовых стали моей родней, о шутнице судьбе, которая столкнула на улице двух однофамилиц и, если можно так выразиться, «одноотчественниц», мы ведь с Катюшей обе Андреевны. Наверное, некто на небе с самого начала планировал сделать нас сестрами, но потом заснул, а когда очнулся, девочки уже родились в разных семьях, вот провидение и решило исправить свою ошибку, теперь обе госпожи Романовы идут по жизни, крепко взявшись за руки.

Не знаю, отчего я исповедовалась перед Каролиной Карловной, может быть, из-за кота Епифана, который продолжал греть меня мурлыканьем, а может, потому, что Каролина Карловна сидела молча, не перебивала странную гостью, не гнала ее теперь прочь и с лица дамы смыло гнев и настороженность.

Наконец фонтан иссяк, я сгорбилась на стуле, Хованская очень спокойно произнесла:

— Мне тяжело двигаться, сделай одолжение, сходи на кухню, завари нам чаю и принеси сюда, в шкафчике найдешь необходимое.

Отметив, что Каролина отбросила холодно-вежливое «вы», я осторожно подняла толстого Епифана, положила его на диван и отправилась хозяйничать.

Получив кружку горячего чая, Хованская вдруг улыбнулась.

— Знаешь, Епифан моя лакмусовая бумажка, если он идет к человеку на руки — значит, гость без злобы и гадости, если шипит, выпускает когти — надо побыстрей избавляться от незнакомца. Ты мне симпатична.

— Спасибо, — пробормотала я.

— А еще, — помешивая ложечкой сахар, продолжала хозяйка, — похоже, ты не соврала, любишь животных на самом деле, не спихнула Епифана с колен, когда вставала, а отнесла его тушку на диван.

Я заморгала.

— Ну сталкивать животных нельзя даже с небольшой высоты, они ведь могут испугаться от неожиданности, сломать лапу...

Каролина Карловна засмеялась.

— Ох, Епифан сразу нужного человека вычислил, тут меня все соседка обхаживает, каждый день прибегает, сю-сю, мусю... так вас люблю. Только Епифан ее стороной обходит, никак в руки не дается, понимает, стервец, Мария Николаевна надеется, что я домик ей отпишу, от того и любовь. А к тебе со всех лап бросился слезы слизывать. Ладно, хорошо, расскажу про Альбину, но прежде ответь, как ты относишься к гомосексуалистам?

Поверьте, я ожидала от пожилой дамы любого вопроса, кроме этого.

— Гомосексуалистам?

— Да, — кивнула Каролина Карловна.

— Никак не отношусь, я человек традиционной сексуальной ориентации, — ошалело ответила я, — была замужем, потом разочаровалась в браке.

— Не о том речь!

— А о чем? — окончательно растерялась я.

— Как поведешь себя, если узнаешь, что один из твоих друзей гей?

Я пожала плечами:

— Никак.

— То есть?

— Если двое мужчин или женщин в тиши спальни занимаются друг с другом сексом, это их интимное дело, — ответила я, — человек вправе распоряжаться личным телом по собственному усмотрению. Общество должно вмешиваться в подобные ситуации лишь в одном случае: если имеет место факт совращения несовершеннолетнего. Но, с другой стороны, при чем тут геи? Когда шестидесятилетний мужчина развращает пятиклассницу, он вроде бы предается традиционным утехам, но педофил должен быть наказан. Понимаете, я обучалась в консерватории, потом непродолжительное время концертировала, а за кулисами встречаются разные люди. Одно время по Москве ходила шутка: «Кто из оркестрантов дирижера N спит с женщиной? Только пианистка Таня Х.». Меня такое положение вещей не смущало, и потом, вспомним великого Петра Ильича Чайковского или, возьмем ближе, Фрэди Меркьюри. Слушателю ведь все равно, что они делали дома, главное, их волшебная музыка и песни. Извините, если мои мысли кажутся вам неправильными, ничего поделать не могу. Я вообще-то никогда не интересуюсь сексуальными пристрастиями людей, для меня главное — хорошие они друзья или нет? И то, что плохо для меня, может быть приятно другим. Моя покойная мама частенько повторяла: «Помни фразу: «Не судите, да не судимы будете».

Каролина Карловна поправила плед, которым были прикрыты ее ноги.

— Да уж, бедный Петр Ильич Чайковский всю жизнь пытался бороться с собой, даже женился, но, увы, счастья не обрел. Хорошо, слушай меня внимательно. Альбина Фелицатовна скончалась, Евгения, ее мужа, и моего Якова тоже более нет на этом свете. Я осталась одна, вреда уже никому не принесу. Бедные дети! Несчастные Валечка, Дима и Павлик. Вот уж невинно загубленные души!

Глава 29

Каролина выросла в Москве, в самом центре, ее родной дом стоял в одном из кривых столичных переулков, и отцу, военному в чинах, было очень удобно ходить на работу, именно ходить, потому что Карл Хованский трудился в районе Бульварного кольца. Каждый день он брал портфель и шел на службу, дома оставалась жена Зося, потом в семье появился Яков.

Зося, родив сына, была крайне разочарована, она мечтала о маленькой трогательной девочке, а появился мальчик, и, очевидно, он вырастет таким же солдафоном, как и отец. Зося боялась властного, неулыбчивого, моментами очень злого Карла, муж обращался с женой, как с рядовым срочной службы: «Принеси, подай, пошла вон». Никаких нежностей, романтических ужинов, прогулок при луне и поцелуев на ночь он не признавал. Впрочем, на отдых в Крым они ездили вместе, но на пляже Карл спал, в номере потом читал газету, жене мог за сутки не сказать ни слова. Может, супруга и примирилась бы с такой жизнью, имей она хорошую профессию, работала бы спокойно, шагала по служебной лестнице, реализовывалась на производстве. Но Зосенька ничего не умела да и не хотела делать, проводив мужа «в присутствие», она принималась драить квартиру, потом бежала на рынок, готовила обед, и так изо дня в день, словно раб на галере, гребла веслами быта. Ясное дело, что через пару лет на Зосеньку навалилась тоска, из ее глаз по каждому поводу и без оного лились слезы.

Обратись Зося с такими симптомами к врачу сегодня, ей бы незамедлительно поставили диагноз «депрессия» и начали бы лечить таблетками, но в годы ее молодости такого недуга не знали, а женщин, рыдающих от скуки, называли истеричками. Карл исправлял настроение супруги оплеухами, если видел на ее хорошеньком глуповатом личике кислую гримаску, мигом отсыпал благоверной порцию затрещин, приговаривая:

— С жиру бесишься! Вот моя мать двенадцать детей родила, ей ныть некогда было.

Зосенька, у которой никак не получалось забеременеть, заливалась слезами, и тогда ласковый муж отволакивал ее в ванную и, включив ледяную воду, говорил:

— Холодный душ — первое лекарство от истерик.

В конце концов жена перестала пускать слезы в присутствии мужа, а потом родился Яков. Взглянув на конверт с тихо сопящим новорожденным, Карл впервые похвалил жену:

— Хорошо, — заявил военный, — теперь есть продолжатель династии, будет таким, как я, главное, ты не избалуй парня!

Услышав слова супруга, Зося чуть не упала в обморок. Еще один солдафон на ее несчастную голову! Через пятнадцать лет по квартире будут ходить два Карла и покрикивать на нее: «Подай, принеси, пойди вон!» От подобной перспективы несчастной стало плохо, она так хотела милую, нежную, ласковую девочку, а кто родился?

Став счастливым отцом, Карл не изменил своим привычкам, дома его по-прежнему никогда не было, Хованский дневал и ночевал на службе, а Зося воспитывала мальчика. И делала она это весьма оригинально.

До трех лет Яшеньку обряжали в платьице и кружевные фартучки.

Белокурые вьющиеся волосы мальчика она не стригла, и Яшенька был очень похож на девочку. А еще Зося не поощряла игры со сверстниками во дворе, ребята могли научить ее мальчика всяким гадостям. Яша в основном сидел дома, читал книжки, занимался музыкой, склеивал модели, потом, уже в школе, увлекся радиоделом. Одноклассники его не любили, тихий, изнеженный, плаксивый мальчик при любом намеке на обиду жаловался маменьке, Зося прилетала в школу и коршуном заклевывала того, кто посмел криво глянуть на Яшеньку. А вот учителя, наоборот, обожали мальчика, он не доставлял им никаких забот, отлично учился, примерно вел себя и на всех школьных вечерах безотказно играл на пианино. Но, как ни странно, у Яши имелись явные способности к математике и физике, и он подумывал о мехмате. Зося была против, она мечтала видеть сына у рояля, в черном фраке, вокруг море цветов и восторженные крики поклонниц, а в первом ряду сидит она, счастливая мать, всегда сопровождающая своего сыночка.

Когда Яше исполнилось тринадцать лет, Зося родила Каролину. Малышка появилась на свет болезненной, из роддома ее перевезли в детскую больницу, мать отправилась вместе с новорожденной, Карлу впервые в жизни пришлось заботиться о сыне. Ничтоже сумняшеся папаша отправил парнишку в лагерь, военизированное учреждение при своей работе. Яша, сдерживая слезы, подчинился отцу.

Только в конце августа Зося вернулась домой вместе с Каролиной. Карл ни разу не навестил супругу, не написал ей записки, не принес цветов или конфет. Жена не удивилась, она уже привыкла к полнейшему невниманию со стороны мужа. Впрочем, некоторое недоумение все же присутствовало в душе, потому что накануне выписки она позвонила домой и сообщила:

— Нас можно забрать завтра после полудня.

— Сама доберешься! — рявкнул муженек и швырнул трубку.

Согласитесь, это уже было слишком.

Не успела Зося перешагнуть порог квартиры, как к ней с рыданиями кинулся Яков. Мать обомлела, сын выглядел, словно заключенный: наголо бритый, худой, даже тощий, весь в синяках.

— Деточка, — прошептала Зося, — а где твои волосики?

Подросток заплакал еще пуще, а из спальни вылетел Карл и заорал:

— Волосики! Волосики! Что ты сделала с парнем, дура!!!

Потом суровый военный разразился матом вперемешку с угрозами. Проснулась Каролина, Зося хотела покормить новорожденную, муж вырвал ребенка из ее трясущихся рук и завизжал:

— Этого не дам.

— Она девочка, — шепнула Зося.

— Все равно!!! — вопил Карл, тыча в жену кулаком. — Разведусь, детей отберу...

В конце концов Зося, не выдержав ора и битья, свалилась без чувств. Пришла в себя она уже в больнице, на следующий день врач ввел в палату Карла и сказал:

— Объясните жене свои претензии спокойно, иначе я сообщу вам на службу о произошедшем.

Хованский сверкнул глазами, но буркнул:

— Ладно, оставьте нас вдвоем.

Доктор повернулся к Зосе:

— Вот звонок, если муж снова станет вас бить и пугать, немедленно меня вызывайте, я сразу приду.

Зося моргнула. До сих пор ей не приходило в голову, что можно кому-то пожаловаться, и хама-мужа приструнят. Карл побагровел, но снова сдержался, а потом, когда эскулап ушел, он на удивление спокойно объяснил жене причину гнева.

Оказавшись в лагере, Яша плакал, просился к маме, не желал делать зарядку, обливаться холодной водой и ходить строем. Воспитатели стали применять к мальчику карательные меры, Якова без конца заставляли дежурить на кухне, а потом другие ребята устроили ему «темную», набросили на младшего Хованского одеяло и измутузили что есть сил. Повод для подобной расправы был самый достойный, отряд, в котором числился мямля, из-за него оказался на последнем месте в соревнованиях. Яшенька не умел играть в волейбол, не хотел брать в руки мяч, боялся его. Другой мальчишка на месте Якова обозлился бы и попытался отомстить обидчикам. Любое поведение было бы понятно, даже ябедничество старшим, но то, что сделал Яша, оказалось за гранью восприятия окружающих. Утром он вышел в столовую, надев на себя невесть где раздобытый халат, повязав голову косынкой. Школьники разинули рты, а Яша спокойно сел, улыбнулся и сказал:

— Меня зовут Маша, я девочка, а нас нельзя бить и заставлять мыть котлы.

Если кто-нибудь из современных детей отмочит подобную шутку, взрослые ее просто сочтут дурным вкусом, а одногодкам она может показаться прикольной, но в годы Яшиного отрочества «острить» таким образом было еще и опасно. В Уголовном кодексе прошлых лет имелась статья, по которой гомосексуалистов упрятывали за решетку, быть иным, чем все, считалось позорно и преступно.

Яшу мгновенно уволокли в медпункт и вызвали Карла. Взбешенный отец забрал мальчишку из лагеря, по дороге в Москву велел шоферу притормозить, отволок сына в лесок и принялся избивать отчаянно кричавшего и совсем не сопротивляющегося подростка.

Когда Яша впал в бессознательное состояние, его вырвал из рук разъяренного Карла шофер.

— Убъете парня, — сказал водитель.

— Так ему и надо! Опозорил меня, — отозвался хозяин.

— Может, он просто заболел? — предположил шофер. — Умом временно помутился?

Карл, ничего не сказав, сел в машину, а по приезде домой лично побрил Якова и начал его «воспитывать».

— Понимаешь, что ты сделала с парнем, сука? — шипел сейчас муж на Зосю, наполняясь злобой. — Второго ребенка портить тебе не разрешу! Сволочь! Дура!

Потеряв голову, он набросился на Зосю, та нажала на звонок, примчался врач...

Разводы в те годы не приветствовались, поэтому не имевшая никакого образования, не владеющая ни одной профессией Зося вернулась домой, она очень боялась лишиться детей и поэтому решила жить с мужем.

Якова Карл отдал в военное училище, неожиданно мальчик стал там одним из первых, точные науки давались ему легко, преподаватели постоянно хвалили младшего Хованского, к тому же у него впервые в жизни появился друг, юноша по имени Евгений.

Зося, тщательно следившая за сыном, навела справки о его приятеле и осталась довольна. И мать, и отец парня приличные люди, Женю можно смело пускать в дом.

Карл старательно не замечал сына, впрочем, дочь Каролина тоже не интересовала папу. Девочка росла умненькой, тонко чувствующей настроение окружавших ее людей, она быстро поняла, что отцу не хотелось иметь дочь, и стала подстраиваться под вкус Карла, играла в солдатики, стреляла из рогатки, била окна. Училась Каролина отлично, но учителя стонали от ее проделок. Один раз Зося, принципиальная противница телесных наказаний, не выдержала, схватила ремень и решила отлупить егозливую девчонку.

— Не смей, — сказал вдруг Карл, — не трогай ее.

— Ага! — взвилась Зося. — Она курила на чердаке с парнями!

— Пусть, — буркнул отец.

— С ума сошел! — подскочила всегда безмолвная жена. — Что из мерзавки вырастет! Вон, глянь в дневник, он вдоль и поперек исписан: «Дралась в столовой», «Разбила окно в туалете», «Ударила одноклассника»...

Карл усмехнулся.

— Хоть она с нормальным характером, моя кровь, боевая, не то что тот... тьфу!

Каролина поняла, что папочка на ее стороне, и продолжала проказы. Как ни старалась Зося, так и не сумела переломить девочку, более того, мать начала тихо ненавидеть дочь, уж больно она походила на Карла.

Вот так они и жили: Яков — мамин, Каролина — папина. Наверное, дети должны были возненавидеть друг друга, ан нет, их связывала нежнейшая дружба. Яков был много старше, но любил нянчиться с Каролиной. Если Зося отлучалась в магазин, брат мог покормить сестричку из бутылочки, перепеленать ее, успокоить. Он и потом с удовольствием возился с малышкой, читал ей книги. У детей выработался ритуал, перед сном Яша заходил к сестре, присаживался на кровать, и наступало время душевных разговоров. Яков был для Каролины и матерью, и отцом, и бабушкой. Именно он однажды сказал сестре:

— Хватит безобразничать, возьмись за ум.

Одной этой фразы хватило, чтобы девочка перестала разбойничать.

С другой стороны, Каролина защищала Якова от всех, даже от отца. Однажды Карл привычно налетел на сына с кулаками, но не успел добрый папенька взмахнуть рукой, как маленькая дочь повисла на тяжелой длани и заорала:

— Не тронь Яшу! Только пальцем к нему прикоснись, я из окна выброшусь и записку оставлю, что ты палач!

Яков тогда едва не упал от страха, Зося в преддверии вселенского скандала юркнула под стол, а Карл вдруг протянул:

— Ну-ну! Не боишься меня?

— Нет, — отрезала Каролина, — можешь бить, я не пискну, а Яшу в обиду не дам!

— Ладно, — неожиданно заявил отец, — не стану полудурка мутузить.

Летело время, Яков окончил училище, попал на

службу в «почтовый ящик», так в те годы называли заводы, работавшие на оборону. Его считали хорошим специалистом и завидным женихом, но Яков не спешил со свадьбой, чем несказанно радовал мать.

— Мужчине незачем раньше сорока лет обзаводиться семьей, — зудела Зося, — живи спокойно, еще успеешь в телегу впрястись.

Яков кивал, но особо не гулял. Ни одной девушки рядом с ним не появлялось, а из друзей у младшего Хованского был только Евгений.

Гром грянул накануне двадцатилетия Каролины. Пользуясь хорошей погодой, Карл и Зося, прихватив с собой дочь, отправились на выходные в дом отдыха. Яков остался дома один, сослался на начинающуюся простуду.

Семья приехала в санаторий, и тут выяснилось, что для Хованских мест нет. Тетка, бронировавшая номера, что-то напутала, и им не дали комнат. Обозленный отец и Зося с дочкой отправились назад, мобильных тогда и в помине не было, поэтому Якову никто не позвонил и не предупредил об изменении планов.

Зося открыла дверь, а Карл, готовый начать скандал по любому поводу, велел:

— Тихо! Сейчас посмотрю, как этот поганец болеет! Симулянт! Мы туда-сюда катаемся, а он тут покоем наслаждается!

Продолжая бурчать себе под нос, Хованский пошел по коридору. Каролина, желавшая спасти любимого брата от расправы, рванулась вперед, распахнула дверь спальни Яши и остолбенела.

На узкой кровати переплелись два человека, настолько занятые собой, что они не слышали ни чужих шагов, ни посторонних голосов. Девушка онемела и оглохла, дальнейшие события разворачивались перед ней беззвучно, словно немой кинофильм.

Парочка распалась, на постели оказались Яша и

Женя. Побагровевший Карл хватал ртом воздух, Зося навалилась на косяк, ее лицо стало серым. Карл резко повернулся и кинулся в коридор, любовники подскочили и рванули на кухню, они бежали голыми к двери черного хода. Каролина, сама не понимая зачем, нырнула под стол, и эта предусмотрительность спасла ей жизнь, потому что в спальню ворвался отец. В руках он держал вынутый из сейфа табельный пистолет.

Первый выстрел Хованский сделал в подушку, мятым комом высившуюся на ложе утех, потом выпустил пулю в голову жены, затем постоял секунду, покачался с пятки на носок, неожиданно перекрестился и сунул дуло себе в рот.

Каролина просидела под столом, как ей показалось, вечность, потом, пошатываясь, добрела до кухни и высунулась на черную лестницу. Никого.

Сообразив, где прячутся беглецы, девушка поднялась на чердак и тихо позвала:

— Яша, Женя, папа умер!

Послышалось тихое шуршание, появился Яков, замотанный в простыню, на чердаке кто-то развесил сушить белье.

— Умер? — спросил брат.

— Да, — шепнула Каролина, — убил маму, потом сам застрелился.

Дальнейшие события девушка помнила плохо, она с парнями вернулась домой, в спальню Яши никто не заглядывал, Женя позвонил своей маме, и очень скоро в квартире появилась худощавая, спокойная, рассудительная Ирина Константиновна, которая мгновенно принялась действовать.

Глава 30

Прежде чем вызвать милицию, мать Жени велела всем выучить свои роли. Парней она выпроводила из дома со словами:

— Вас тут не было, сидели у нас, пили чай, я свидетель, потом якобы пришла Каролина и тоже села за стол, ясно?

Все закивали.

— Хорошо, — продолжала Ирина Константиновна, — после чаепития Каролина решила идти домой, а я отправилась вместе с ней... э... хотела книгу взять, про кошек. Девушка открыла дверь, пошла в спальню к брату, и увидела трупы! Надо только сейчас кровать прибрать.

— Нет, — заорали Женя и Яша, — мы не можем туда войти!

— Я сама справлюсь, — вздохнула Ирина Константиновна, — вы, мальчики, уходите черным ходом.

Можете мне не верить, но затея удалась на все сто процентов. Яков и Евгений благополучно смылись, их никто не увидел. Прибывшие милиционеры попытались допросить Каролину, но Ирина Константиновна мгновенно вызвала врача, и девушку увезли в клинику.

О свирепом нраве Карла Хованского и о том, как он бьет жену, оказывается, знали все в доме, и оперативники, обходившие соседей, слышали от людей почти одну и ту же фразу:

— Карл убил Зосю? Ну этого следовало ожидать, отмучилась страдалица.

По факту убийства гражданки Хованской было сначало возбуждено, а потом мгновенно закрыто уголовное дело. Преступник сам наказал себя, судить оказалось некого. Имена Евгения и Якова в деле даже не упоминались, Каролину не разрешил допрашивать врач, мотив убийства, можно сказать, лежал на самом виду, Карл, как всегда, наорал на жену, потом, взбесившись окончательно, пристрелил ее, опомнился и покончил жизнь самоубийством.

Каролина в похоронах родителей не участвовала,

находилась в клинике, через неделю в больницу приехала Ирина Константиновна и предложила ей:

— Пойдем погуляем в парке, погода хорошая.

Девушка согласилась и отправилась с матерью Жени, та отыскала в глубине территории самую неприметную скамейку и сказала:

— Давай поговорим.

— О чем?

— О нашей дальнейшей жизни, — протянула Ирина Константиновна, — ну-ка, скажи, что ты знаешь о сексуальных аномалиях?

Каролина покраснела.

— Ничего.

Собеседница цокнула языком.

— Ханжество общества, в котором мы живем, ужасно! Гомосексуализм не порок, а разновидность нормы. Древние это хорошо понимали, сходи в Ленинскую библиотеку и прочитай произведения римлян или греков, люди в прежние времена часто бывали бисексуальны...

Ирина Константиновна поведала ей подробности об отношениях между полами, Каролина, вспотев от смущения, вцепилась пальцами в скамейку. С ней никто еще так откровенно не разговаривал о той стороне человеческой жизни, которая в СССР считалась постыдной. Конечно, Каролина знала, что детей не находят в капусте, но знания ее оставались теоретическими, до практики пока дело не дошло.

— Вы знали, что Женя... такой? — наконец выдавила из себя девушка.

Ирина Константиновна кивнула.

— Да. Более того, я была в курсе его отношений с Яшей. Пойми, они любят друг друга и хотят быть вместе. — Каролина уставилась на мать Евгения, а та спокойно продолжала: — Живи мы в цивилизованной стране, я бы не волновалась, но коммунисты сажают в тюрьму тех, кто, по их мнению, отличается от любой нормы. Если правда о Жене и Яше выползет наружу, плохо придется всем. Мальчикам навесят большой срок и посадят.

— Ой! — вскрикнула Каролина.

— Да, да, — закивала Ирина Константиновна, — именно так, и назад они не вернутся.

— Почему? — одними губами спросила Каролина.

— Деточка, — с тоской ответила Ирина, — уголовники ненавидят таких мужчин еще больше, чем коммунисты. Женечку с Яшей замучают до смерти.

— Боже, — прошептала девушка.

— Плохо придется и нам, — продолжала Ирина, — меня уволят с работы, тебя выгонят из вуза, мы же станем ближайшими родственниками заключенных, да еще с такой статьей. Впрочем, мне все равно, я умру в тот день, когда за Женечкой придут, но ты-то молодая, у тебя вся жизнь впереди! На работу потом не устроишься, любой кадровик, увидав запись: «Брат осужден за мужеложество», мигом даст тебе от ворот поворот, возьмут только сортиры мыть.

— Мне не себя жаль, а Яшу, — прошептала Каролина.

— Ты любишь брата?

— Очень.

— Готова ему помочь?

— Конечно, но как?

Ирина Константиновна усмехнулась.

— Надо найти им жен. Холостяк в понимании наших властей существо крайне подозрительное, а мужик, вообще не имеющий около себя никакой бабы, вызывает двойное подозрение. Пока были живы Зося и Карл, на холостячество Яши особо никто не обращал внимания. Скажи, ты ведь в курсе, в какой организации служат Женя и твой брат?

Каролина кивнула.

— Да, в «закрытом» НИИ, впрочем, это все, что я

знаю о его службе. Яша никаких подробностей не рассказывал.

Ирина Константиновна заявила:

— Лично мне все равно, чем они там занимаются, важно другое, научное заведение тщательно контролируется со стороны органов, ясно?

— Понятно, — прошептала Каролина.

— Работникам предоставлены все возможности для творческого роста, — поясняла мать Жени, — они получают отличную зарплату, хорошие пайки, имеют льготы и великолепные лаборатории. И Яша, и Женя обязательно станут докторами наук, профессорами, если только... Понимаешь Якову уже задавали вопрос: «Скажите, уважаемый товарищ Хованский, почему вы не женаты?» Он вздохнул и ответил: «Живу вместе с родителями, мать категорически против любой девушки, которую я привожу в дом, а отец, увидев предполагаемую невестку, закатывает бешеный скандал. И что мне делать?» Но после смерти родителей «отмазка» более не сработает. Надо их женить, — твердила Ирина Константиновна, — давай попытаемся объяснить парням необходимость этого шага.

Каролина только кивала, да, конечно, мама Жени права.

Ирина Константиновна рьяно взялась за дело, но неожиданно и Женя, и Яша наотрез отказались подыскивать себе невест.

— Никогда, — отрезал Евгений, — мы с Яшей однолюбы, хотим прожить жизнь вместе.

— Но это невозможно! — попыталась вразумить сына мать.

— Почему?

— Вас посадят.

— Мы никому ни слова не скажем, — отмахивался Женя.

Но Ирина Константиновна в отличие от молодых

мужчин очень хорошо понимала опасность, нависшую над всеми, и принялась действовать.

— Я найду вам таких жен, — пообещала она, — которые, поняв ситуацию, согласятся на фиктивный брак!

Женечка усмехнулся:

— Ну-ну, попытайся.

— С тобой просто, — ответила мать, — Альбина уже живет с нами и о многом догадывается.

— Ты с ума сошла! — закричал сын.

— Вовсе нет, — улыбнулась Ирина Константиновна, — зачем нам чужие люди? Альбину я облагодетельствовала после смерти родителей, настал ее черед оплачивать счета, сходите в загс, поставите штамп в паспорте, и дальше будем жить как раньше, никто вас в одну спальню загонять не станет.

— Мамочка, — вздохнул Женя, — рано или поздно Альбина влюбится и захочет иметь семью, наш брак развалится.

— Дурачок, — перебила его Ирина Константиновна, — она уже влюблена в тебя до потери пульса. Не терзайся, я все устрою.

Свадьбу играли летом, на невесте был красивый розовый костюм, жених щеголял в черной пиджачной паре. После загса отправились в кафе, праздник удался на славу, Евгений позвал весь отдел, а Ирина Константиновна, утирая слезы, безостановочно твердила одно и то же:

— Господи, вот счастье! Поверьте, когда после кончины родителей Альбиночки я стала помогать девочке, и предположить не могла, что ращу себе невестку. Моей радости нет предела, хорошо, что дети полюбили друг друга, здорово, что у них есть такие преданные друзья, как Яша и Каролина, наши свидетели. Ура! Выпьем!

Водка лилась рекой, гости очень быстро набрались, пожалуй, лишь одна Каролина да новобрачные вкупе с Ириной Константиновной были трезвыми. И очень хорошо, что за столом сидели пьяные, никто не заметил некоторых странностей в поведении молодоженов. При каждом крике «горько», Евгений вздрагивал, виновато взглядывая на бледного Яшу, потом неловко обнимал Альбину и прикасался к ней щекой. Невеста вспыхивала пионом и пыталась улыбнуться. Впрочем, все это можно было объяснить смущением застенчивых людей, которых заставляют прилюдно демонстрировать чувства.

Пристроив Женю, Ирина Константиновна с яростью принялась за поиски невесты для Яши, но не преуспела в этом. Через полгода пустых хлопот она пришла к Каролине и велела:

— Собирайся.

— Куда? — удивилась Хованская.

— В психиатрическую клинику.

Девушка разинула рот.

— Зачем?

И тут Ирина Константиновна изложила возникший в ее голове план. «Женить» Яшу не представляется возможным. С одной стороны, не могли найти вторую Альбину, с другой — Женя устроил матери настоящую истерику.

— Никому не отдам Яшу, — топал он ногами, — никогда, и не надейся.

— Но это будет фиктивный брак, как у тебя, — пыталась успокоить сына Ирина Константиновна, — формальные отношения, лишь на бумаге.

— Но жить они станут в одной квартире!

— Естественно, иначе нельзя.

— Нет!!! — завопил Евгений. — Не желаю, чтобы между мною и Яшей стояла баба! Я сразу умру, и он тоже!

Ирине Константиновне оставалось лишь разводить руками, но она, как это ни странно, очень любила Яшу и была озабочена его безопасностью. Женщина поломала голову и придумала, как ей показалось, гениальный выход.

Каролина сейчас ляжет в лечебницу к знакомому доктору, а тот выдаст справку, что у нее... эпилепсия.

— Абсолютно невинное заболевание, не заразное, — трещала Ирина Константиновна, — но... с припадками, очень они страшно выглядят: пена изо рта бьет. Вот тогда Яша объяснит всем: «Не могу жениться, мы с сестрой остались одни, кто за ней ухаживать будет? И потом, редкая женщина согласится войти в семью, где имеется такая больная. Видно, доживать нам с сестрой вместе».

Каролина Карловна замолчала.

— И вы согласились! — воскликнула я.

— Да, — кивнула она.

— Какой ужас! Ведь получается, что вы обрекли себя на одиночество, выйти замуж с таким диагнозом сложно!

Собеседница улыбнулась.

— Ты при супруге?

— Нет, — ответила я.

— А почему? Вполне симпатичная, в расцвете лет...

— Я была замужем, — пояснила я, — и поняла, что брак не для меня. Потом еще мешают воспоминания детства, мой отец был исключительным мужем, я мечтала о таком и не встретила. Впрочем, сейчас у меня есть семья, и я совершенно счастлива.

— Мне тоже очень мешали воспоминания, — призналась Каролина, — только они со знаком минус. Стоит уйти в прошлое, и перед глазами стоит отец, бьющий маму. И у меня тоже была семья: я и Яша. Теперь вот в качестве сыночка Епифан. Из-за него я и тяну на этом свете, что случится с ним, коли я умру? Выгонят Епифана на помойку. У меня нет ни родственников, ни друзей. Всю жизнь я боялась за Яшу, ох, плохую услугу нам Ирина Константиновна оказала. Хотя вначале казалось... Ладно, начну по порядку.

Каролина очень любила Яшу и согласилась на предложение Ирины Константиновны. Мать Жени снова активно принялась за дело, пока Каролина лежала в клинике, она подбила Яшу на обмен квартиры.

— В нашем доме, — сказала она, — имеется семья, желающая за доплату получить большую площадь. Ну зачем вам с Каролиной жить в месте, где витают окровавленные призраки? Надо спешно действовать, такой замечательный вариант может более никогда не представиться. И потом, апартаменты этих людей находятся рядом с нашими, хоть и в разных подъездах, но фактически через стенку. Во время ремонта сделаем дверь, и вы с Женечкой сможете ходить друг к другу абсолютно келейно. Давай, Яшенька, хватит мочалку тянуть, еще, не дай бог, соседи другой вариант отыщут. Думаю, чтобы их соблазнить, следует попросить копеечную доплату.

И Яша согласился, он вообще легко шел на поводу у людей, а Ирина Константиновна, несмотря на хрупкость и малый рост, обладала проходимостью танка и характером полководца. Не согласных с нею людей дамочка просто подминала под себя и раздавливала.

Когда дело только затевалось, Каролина радовалась сверх меры: все получилось замечательно. Девушке и впрямь было тяжело находиться в родной квартире. Яша переехал из своей комнаты в спальню Зоси, дверь помещения, где разыгралась кровавая трагедия, младшие Хованские заперли, но все равно, проходя мимо нее, Каролина вздрагивала. Перед глазами мгновенно возникал отец с оружием, ей слышались выстрелы, виделись разлетающиеся в разные стороны брызги крови.

Да и справка об эпилепсии не принесла Каролине

осложнений. Яшу начали жалеть на работе, поговорили, почесали языки и успокоились. Если же какая-нибудь новенькая девушка начинала благосклонно поглядывать в сторону симпатичного холостяка, кто-нибудь обязательно говорил ей:

— Держись подальше от Якова, он, между прочим, давным-давно хочет жениться, только у него на руках больная сестра. Впрочем, если желаешь стать бесплатной сиделкой при невменяемой бабе, то флаг тебе в руки.

И как бы вы поступили, услышав подобное предостережение? При этом учтите, что Яша работал в таком месте, где большинство сотрудников являлось мужчинами, поэтому девицы моментально забывали про бедолагу с неполноценной сестрой и перекидывались на другой объект.

В новом доме об эпилепсии Каролины никто не знал, а через пару лет жильцы забыли, что она и Яков брат и сестра, молва превратила их в супружескую пару. Хованские никого не разубеждали, откровенных разговоров ни с кем не вели, и о потайной двери между двумя квартирами не распространялись.

Потом у Жени и Альбины появился Дима.

— Эй! — весьма невежливо перебила я даму. — Как это появился Дима? Брак перестал быть фиктивным?

Каролина мрачно покачала головой:

— Нет, снова все затеяла Ирина Константиновна. Тебе, деточка, не понять психологию человека, который пережил тридцатые годы. Страх быть посаженным в лагерь — звериный, многие из тех, чья юность пришлась на времена сталинских репрессий, до конца своих дней вздрагивали, услыхав ночью во дворе шум мотора. Мгновенно в мозг вонзалась мысль: «За мной пришли», арестовывали тогда ведь без всякого повода. А Ирина Константиновна тряслась за Женю и всеми силами старалась доказать: ее сын нормален, никаких педерастических наклонностей не имеет. Шло время, ужас Ирины Константиновны рос, превращался в фобию, ей стало казаться, что люди косо смотрят на семейную пару без детей.

— Вот уж глупость, — вздрогнула я, — вовсе не все имеют детей. У одних их нет из-за физиологических недостатков, другие сознательно не желают заводить отпрысков, есть на свете и нечадолюбивые люди.

— Оно так, — согласилась Каролина Карловна, — только Ирина Константиновна не могла побороть свой страх, он ее душил, так появился Дима. Мать Жени рассуждала просто: если есть сын, то в глазах окружающих семья идеальна, муж спит с женой.

— Да уж! — хмыкнула я. — И откуда взялся мальчик?

Каролина Карловна пожала плечами:

— Понятия не имею. Сначала Альбина исчезла, а Ирина Константиновна, обычно не баловавшая соседей откровенными беседами, не скрывая радости, заявила: «Невестка беременна, вот и поехала к нашей дальней родне на Волгу, там экологически чистый район, свежий воздух, разве в Москве можно выносить нормального младенца? Конечно, Женечка страдает без любимой жены, но ради здоровья ребенка можно и потерпеть!» Потом Альбина вернулась вместе с мальчиком, его назвали Димой. Евгений не проявлял к ребенку никаких чувств, в этой жизни он любил лишь двух человек: Ирину Константиновну и Яшеньку, всех остальных он просто не замечал. Но Женя был интеллигентным человеком, а решение о ребенке приняла Ирина Константиновна. С матерью Женя не спорил никогда, она была для него святей папы римского и лучезарней Вифлеемской звезды. Мама велела, значит, так и надо.

Глава 31

Потекли относительно спокойные годы. Каролина, очень тесно общавшаяся с Ириной Константиновной, вскоре поняла: между свекровью и невесткой Альбиной совсем даже не простые отношения.

Альбину в доме считали чем-то вроде табуретки, поставили в угол и забыли, а она была молодой, страстно влюбленной в мужа женщиной. Она совершенно не скрывала своих чувств и старательно прислуживала Евгению в надежде на доброе слово. Каролина только дивилась, глядя, как Альбина ухаживает за супругом. Хованской стало понятно, почему воспитанница Ирины Константиновны согласилась на фиктивный брак, она наивно понадеялась, что платонические отношения плавно перетекут в любовные, и Женя наконец-то оценит жену по достоинству. Ради любви Евгения Альбина была готова на все, даже на приемного ребенка.

Мирное течение будней было прервано через несколько лет известием: Альбина снова беременна. Каролина, понимавшая, что Ирина Константиновна опять решила отыскать где-то ребенка, не выдержала и отправилась к ней в гости.

Сначала они поболтали о каких-то мелочах, потом Каролина осторожно спросила:

— Что-то Альбину не видно?

— Она уехала к родственникам на Волгу, мы ждем пополнение, — объявила Ирина Константиновна.

Каролина не удержалась и ляпнула:

— Зачем?!

Мать Жени вздохнула, потом тихо ответила:

— Есть причина.

— Какая? — забыв о воспитании, спросила Каролина.

— Ты же не сидишь в нашем дворе...

— Нет, мне некогда, — удивилась Каролина, — я работаю, потом по дому хлопочу.

— А я с Димочкой гуляю, — пояснила дама, — на скамеечке вынуждена куковать. Недавно ко мне Варвара Михайловна пристала. Знаешь ее?

— Как же, — усмехнулась Каролина, — главная сплетница, местный атаман.

— Вот, вот, — закивала Ирина Константиновна, —

страшный человек, словом убить может. Никитские из пятой квартиры, Оля и Миша, из-за нее развелись, она распустила слух, будто к Ольге в отсутствие мужа некий полковник ходит, и готово. Миша никаких оправданий слушать не стал. Варвара Михайловна просто гипнотизер, умеет человека зомбировать, с таким лицом небылицы выкладывает, хоть ты и понимаешь, что врет, а веришь ей.

Каролина подперла щеку кулаком, слушая Ирину Константиновну, теперь ей кое-что стало понятно. Не так давно главная местная кумушка пристроилась около матери Евгения, гулявшей с Димочкой, и завела разговор:

— Внучок у вас хороший.

— Стараемся, — улыбнулась Ирина.

— Всегда здоровается, хоть маленький, да вежливый.

— Пытаемся хорошего человека воспитать.

— Ой, беда, — протянула Варвара Михайловна, — иногда такое получается! Страх сказать! Слышали новость про актера Репова?

— Нет, — ответила Ирина.

— Вы радио не включаете?

— Ну, иногда только.

— Как же так, нельзя быть не в курсе! Репова арестовали.

— За что? — изумилась Ирина Константиновна. — Такой известный человек!

— Он жену убил, тоже актрису.

— О господи!

— Из ревности!

— Кошмар!

— Да уж, — протянула Варвара Михайловна, — чего не случается. Только я всю правду знаю, которую, конечно, от людей скроют! У моей подруги есть домработница, а у той сестра, которая служит у Реповых, понимаете цепочку?

Ирина Константиновна кивнула.

— Жена ему изменила, — зашептала Варвара Михайловна, — но с кем? Угадайте?

— С лучшим другом? — предположила Ирина Константиновна.

Сплетница еще больше понизила голос:

— Вы почти правы!.. Только не с другом, а с подругой! Представляете? Баба с бабой! Слышали о таком? Во, содомский грех! Интересно, много подобных выродков на свете живет?

Ирина Константиновна похолодела, в ее голове испуганной птицей заметалась черная мысль: зачем Варвара Михайловна сейчас рассказывает о Реповых? Просто так? Или что-то подозревает?

Ужас охватил мать Евгения.

— Вот как вы разволновались, — фальшиво-сочувственно заметила Варвара, — ладно, не будем об этом. Господь Реповой судья, гореть ей в аду за свои грехи. Кстати, Женечка хорошо с женой живет?

— Да, — одними губами прошептала Ирина.

— Я уж подумала, не разводятся ли они, — кудахтала Варвара, — никогда вместе их не вижу, все поврозь ходят.

— Работают много.

— А... а...

— Некогда им гулять.

— Понятненько! — протянула Варвара.

В ее голосе слышалось явное недоверие, и Ирина Константиновна оцепенела. Боже, о чем догадывается мерзкая сплетница?

— Все-таки муж с женой хоть изредка да покажутся вместе, — не успокаивалась Варвара Михайловна, цепко ощупывая взглядом собеседницу.

И тут Ирина Константиновна, почти парализованная от осознания подступающей беды, ляпнула:

— Альбиночке сейчас не до гулянок, тошнит ее сильно.

— Никак заболела? — сочувственно закивала Варвара. — По-моему, так все наши недуги от недостатка мужкой ласки!

— Беременна она, — выпалила Ирина и мигом осеклась.

Но поздно, слово не воробей. Варвара Михайловна принялась охать и ахать, если у гадкой сплетницы и имелись в голове некие сомнения, то их выдуло оттуда в мгновение ока.

Вот почему в семье появилась еще и девочка Валечка.

Каролина Карловна отхлебнула остывший чай и тихо сказала:

— Ирина Константиновна, как это ни странно, очень полюбила детей, и Диму, и Валю. Конечно, на первом месте у нее всегда стоял Женя, но второе и третье прочно занимали неродные внуки. Кто ж знал, что такой ужас случится?

— А где Ирина Константиновна отыскала малышей? — спросила я.

Каролина Карловна пожала плечами:

— Точно не скажу, у нее вроде имелась знакомая акушерка, уж не помню, как ее звали. Если ты думаешь, что в советские времена люди жили только по совести да по закону, то глубоко ошибаешься. Разное случалось. Ну, допустим, муж укатил в длительную командировку на Северный полюс, года на два, супруга одна осталась, и вдруг она беременеет. Куда ненужного ребеночка деть, коли его по глупости родила? Вот тут на помощь Зина и приходила. Гляди-ка, имя вспомнилось. Точно, Зинаида. К ней Ирина обращалась, от Зины сначала Дима появился, потом и Валечка. Несчастные дети.

И Каролина Карловна стала рассказывать хорошо мне известную историю про трагическую смерть Ирины Константиновны.

— Я не знала, как Евгений пережил кончину матери, — качала собеседница головой, — Ирина Константиновна была для сына всем, а вот Альбина... она... ну...

— Радовалась?

— Внешне, конечно, нет, — с некоторым смущением ответила Каролина, — надела траур и постоянно находилась около Жени, твердила: «Я с тобой». Но мне казалось... ощущалось некое...

— Ликование?

— Да, — пришлось согласиться Каролине Карловне. — Некрасиво сейчас это говорить, но именно так. Понимаете, мы не были подругами, хоть все вокруг нас таковыми считали. Ирина Константиновна, царствие ей небесное, настоящий спектакль поставила, всем роли расписала. Я и Альбина подруги, Яков и Женя, соответственно, друзья, поэтому мы и общаемся. Дверью между квартирами пользовались лишь Женя и Яша, дети, естественно, были не в курсе. Уж не понимаю, как удалось сохранить тайну, но и Валечка, и Дима вскоре умерли. Девочка почти сразу после Ирины Константиновны. Впрочем, может, оно и к лучшему, что она не задержалась на этом свете, сложно было прогнозировать ее судьбу. Сумел бы Евгений простить убийцу матери? Страшная история! На похороны ребенка никого не позвали, даже нас, мы узнали о ней постфактум, пришла Альбина и бесстрастным голосом заявила: «Валентина умерла».

— Как? — воскликнула Каролина. — От чего?

— Инфекция, — туманно ответила Альбина, — она быстро угасла.

— Вот несчастье, — всплеснула руками чувствительная Хованская, — наша помощь тебе нужна? Поминки, похороны...

— Уже снесли ее на кладбище! Она в больнице умерла, мы оттуда хоронили.

— Когда?!

— Сегодня утром, — равнодушно сказала Альбина, — а поминать ее Женечка не хочет, он о маме плачет, не может дочь простить.

— Случайность вышла, — забормотал Яша, — ужасная, трагическая, но случайность, ребенок не виноват.

Альбина нахмурилась:

— Она убила Ирину Константиновну.

Хованские растерянно замолчали, потом Яша сказал:

— Понятно, конечно, несчастный Женька, надо за ним день и ночь глядеть, не дай бог, надумает чего, мать умерла, он может горе не перенести.

— Зато я осталась, — вспыхнула Альбина.

Яша покраснел, а Каролина тут же воскликнула:

— Пошли скорей к Жене! Право, не следует его надолго одного оставлять.

Потом случилось новое несчастье. Женю на месяц отправили в командировку, Альбина же, взяв Диму, поехала на дачу. Несмотря на лето, внезапно похолодало, и она растопила печь. После сытного обеда мальчика свалил сон. Альбина уложила мальчика, а сама пошла в местный магазинчик за продуктами. Там ничего достойного не оказалось, и Ожешко на автобусе поехала в райцентр, там она задержалась, увидела в универмаге ботинки на меху и захотела купить Диме. В те годы достать хорошую обувь для ребенка считалось огромной удачей. Альбина пристроилась в хвост очереди и проторчала там около трех часов. Мобильных телефонов тогда не существовало, впрочем, и самого обычного в деревне не имелось, но Ожешко не волновалась. Дима был спокойным, тихим ребенком, очень рассудительным и чрезмерно для своего возраста аккуратным. Альбина знала, что, проснувшись в одиночестве, ребенок не начнет безобразничать, а станет спокойно читать книгу. На улицу Дима не побежит, Ожешко перед уходом оставила около его подушки записку: «Димочка, я отправилась за продуктами, если задержусь, из дома не уходи. Постараюсь вернуться побыстрей и привезу тебе за хорошее поведение подарок».

Лишь поздним вечером тяжело нагруженная покупками Альбина вернулась в деревню, открыла дверь... Дальше описывать события не хочется.

Врачи быстро установили, что мальчик угорел от печки. Увы, это довольно распространенная причина смерти у сельских жителей, оставалось лишь утешаться тем, что Дима не мучился, он даже не проснулся.

Каролина, услышав страшное известие, прорыдала весь день. У Хованской детей не было, усыновить ребенка они с Яковом не могли, по законам тех лет взять сироту имели право лишь супружеские пары. Многие люди считали Хованских мужем и женой, Яша с Каролиной не разубеждали шапочных знакомых, но на самом-то деле они были кровными родственниками, и никто не дал бы им младенца. Каролине никогда не хотелось замуж, но, очевидно, в ней пропадала чадолюбивая мать, потому что она с огромной охотой возилась с Димой и Валей, часто приглашала их к себе в гости. В квартире Хованской были настольные игры, Каролина Карловна хорошо владела шахматами и старательно учила Диму этому искусству. А еще у Хованской жил кот, с которым обожал возиться мальчик. Альбина не любила домашних животных и в своей квартире их не держала.

Евгений и Альбина остались вдвоем. Когда похоронившая двух детей мать шла по двору, местные кумушки начинали вздыхать и ласково спрашивать:

— Альбиночка Фелицатовна, как самочувствие?

— Спасибо, — спокойно отвечала Ожешко, — нормально.

Не успевала дама скрыться в своем подъезде, как сплетницы принимались чесать языками:

— Каменная она!

— Нет, просто от горя обалдела.

— И не плачет совсем.

— Что ж ей, при всех выть?

Но шло время, в густонаселенном доме постоянно происходили какие-то события, и дворовое общество забыло об Ожешко. Успокоилась и Каролина, они с Альбиной, несмотря на внешне теплые отношения, никогда не были задушевными подругами и не говорили о безвременно ушедших из жизни Валечке и Диме.

Жизнь постепенно вошла в свою колею, Каролина Карловна была вполне довольна: у нее есть хорошая работа, любимый брат рядом, материальных трудностей никаких, по коридорам квартиры ходят два обожаемых кота... Ну что еще нужно женщине? Мужа? Упаси бог, связывать свою судьбу с представителем противоположного пола Каролина категорически не желала, она даже перестала думать о ребенке, детей ей заменили коты.

День, когда случилось неожиданное, Каролина запомнила очень хорошо, была «чертова пятница», тринадцатое число. Яша пришел с работы непривычно рано, Каролина же прибежала как всегда, в семь, и очень удивилась, никогда не занимавшийся домашним хозяйством Яков пожарил картошку.

— Вкусно? — спросил он у сестры.

Каролина проглотила полусырой кусок и воскликнула:

— Великолепно!

Обижать Яшу, решившего по непонятной причине приготовить ужин, сестра не могла.

— Ты ешь! — заботливо сказал Яков. — Не волнуйся.

Вилка выпала из рук Каролины.

— Что случилось?

— Лично у нас ничего! — пробормотал Яша.

— Женя! — похолодела Хованская. — Он заболел? Рак?

— Типун тебе на язык! — воскликнул Яков. — Со здоровьем у него порядок.

— А с чем беда? — разволновалась Каролина.

Не надо думать, что Хованская обожала Женю, она просто очень хорошо понимала — случись что с мужем Альбины, Яков не переживет потерю. С годами чувство Яши не потускнело, а стало еще глубже, он был привязан к Евгению как собака. Порой Каролине казалось, что Женя, всю жизнь проживший с Яшей, вовсе не так уж сильно любит ее брата. Во всяком случае, любовь Яши была ярче, или просто Хованский по натуре более эмоциональный человек, чем обожаемый им Женька.

— Беды вроде нет, — вздохнул Яша, — но Альбина снова... э... беременна.

— С ума сойти! — всплеснула руками Каролина. — Ну зачем? Мало им было Вали с Димой!

— То же самое я спросил у Жени, — кивнул брат, — знаешь, что услышал в ответ?

— Ну?

— Ему почти каждый день снится Ирина Константиновна, грозит пальцем и говорит: «Усыновите мальчика, а то плохо будет».

У Каролины Карловны не нашлось слов, чтобы прокомментировать ситуацию, а Яша продолжал:

— Женечка сказал, что не может ослушаться маму. В общем, Альбина сегодня уезжает «на Волгу, к родственникам, жить на свежем воздухе». Тебе придется, думаю, помогать Жене по хозяйству, он не хочет пускать в дом постороннюю бабу.

— Может, все же ты попытаешься отговорить его от идиотской затеи! — воскликнула Каролина.

Яша помолчал, а потом тихо ответил:

— Не получится, и давай больше не будем обсуждать эту тему. Ты ведь знаешь, кем для Жени являлась Ирина Константиновна, он не может ее ослушаться.

— Ирина умерла, — закричала Каролина, — смерть — это навсегда, или ты веришь в призраки?

— Я нет, — с колебанием ответил Яша, — а вот Женя не сомневается: мама с того света велит ему усыновить ребенка.

Спустя положенное время в семье появился крохотный Павлик.

Каролина отодвинула от себя чашку с так и не допитым чаем.

— Я не знаю, где Евгений раздобыл мальчика, — продолжала она, — но, думаю, ему помогла та же акушерка. Ирина Константиновна не имела от сына тайн, и Женя, естественно, был в курсе, откуда взялись в свое время Дима и несчастная Валечка.

Павлик оказался милым ребенком, и Каролина быстро привязалась к нему. Ей мальчик пришелся по душе, тихий, робкий, больше похожий по характеру на девочку. Павлуша любил шить платья для кукол и мечтал стать парикмахером. Наверное, господь отсыпал ему таланта полной мерой, Каролина убедилась сама в способностях Павлуши.

Как-то раз она отправилась в салон и вернулась оттуда в слезах, равнодушный мастер ухитрился сделать ей такую прическу, что Хованская стала выглядеть на десять лет старше. Каролина никогда не была кокеткой, но в тот день слезы полились у нее из глаз, и тут в дверь позвонили, прибежал Павлик с рассказом о полученной в школе пятерке. Мальчик окинул взглядом изуродованную соседку и спросил:

— Тетя Кара, можно я попробую вас перестричь?

Решив, что хуже не будет, Каролина кивнула. Каково же было ее удивление, когда через час из зеркала на нее глянула весьма симпатичная особа.

— Слишком коротко вышло, — недовольно бубнил Павлик, — но сейчас иначе не сделать, пришлось чужие огрехи исправлять.

— Замечательно, — воскликнула пораженная Каролина, — теперь меня стрижешь только ты!

Павлуша рос, и Хованская, каждый раз принося маленькому другу подарки, мысленно крестилась, думая: «Слава богу, мальчик жив и здоров, наверное, провидение решило, что он будет утешением Евгению на старости лет».

Еще один интересный момент: Женя, не обращавший особого внимания на Валю и Диму, неожиданно полюбил Павлика и старался проводить с ним свободное время. Он водил мальчика в зоопарк, на театральные спектакли, в консерваторию. Впрочем, чаще всего третьей при них была Альбина. Ну идеальная семья: папа, мама и любимый сын-отличник. Соседи завидовали Ожешко, большинство из них восклицало:

— Столько горя Альбина пережила, мальчик ей за все награда.

И только Каролина знала правду: отношения в семье не столь просты. Евгений относится к жене как к табуретке, а та терпит ребенка лишь из-за мужа.

Глава 32

Яков умер внезапно, на работе, на глазах у коллег. Встал, чтобы идти вместе со всеми в столовую, сделал шаг и упал. Перепуганные сослуживцы вызвали врачей, но спешно примчавшейся «Скорой» осталось лишь констатировать смерть. Потом выяснилось, что у Яши был мгновенный инфаркт, или, как говаривали в прежние времена, разрыв сердца.

Каролина держалась изо всех сил, а вот Евгений окончательно сдал, он рыдал на могиле Яши, пытался броситься вслед за другом в отрытую яму и нес белиберду. Слава богу, никто из окружающих не вслушивался в слова полувмняемого мужчины. Женю за правую руку держала бледная Альбина, за левую — испуганный Павлик, а Каролина вливала в приятеля лекарство. Слава богу, к моменту начала поминок Женечка заснул и за общим столом с людьми не сидел.

Через неделю после кончины Яши ночью к Каролине примчался Павлик.

— Тетя Кара, — зашептал он, — бежите скорей к нам.

— Бегите, — машинально поправила Хованская и похолодела: — Что случилось?

— Папа умер, — пролепетал подросток, — маме плохо!

Забыв надеть туфли, Каролина кинулась к потайной двери, в эту минуту она забыла о необходимости соблюдать тайну и впервые воспользовалась тайным ходом.

Очень скоро квартира Альбины наполнилась людьми, по странному стечению обстоятельств Женечка умер той же смертью, что и Яша, у него разорвалось сердце. Наверное, Евгений все же сильно любил Якова, раз не смог жить в разлуке с ним.

Альбина превратилась в тень, с Каролиной она не общалась. Когда Хованская спустя пару недель после похорон решила навестить Ожешко, Настя, нянька Павлика, смущенно сказала:

— Уж извиняйте, но хозяйка не велела никого пускать.

— Даже меня? — удивилась дама.

— Ага, — кивнула простоватая Настя, — вас в особенности. Сказала: «Она меня всю жизнь ненавидела, только потому, что Женечка дружил с Яшей, я общалась с ведьмой, а теперь не желаю ее видеть». Простите, Каролина Карловна, не хочу вас обидеть, не мои это слова-то. Я вам их передала лишь по одной причине: не суйтесь к Альбине Фелицатовне, она того, помеша-

лась совсем, еще ударит. Извините ее, сейчас она от-
плачет свое, и вы снова задружите.

Хованская ушла в самом скверном расположении
духа. Настя ошибается, Альбина решила порвать всякую связь с Каролиной. Так и вышло, Ожешко не звонила Хованской и не приходила к ней с визитами, вот
Павлик прибегал часто и засиживался подолгу. Правда, Каролина все же позвонила Альбине летом, когда
подросток и Настя были на даче, и предложила заде-
лать дверь между квартирами. Так они и поступили,
наняли работягу со стройки, и все быстро решилось.
После этого общение двух женщин и вовсе прекрати-
лось.

Однажды Павлик примчался к Хованской совсем
уж поздно, она открыла дверь и удивилась:

— Вы же с мамой на дачу уехали!

И тут всегда вежливый парнишка, забыв сказать
«здравствуйте», выпалил:

— Тетя Кара, я ведь приемный ребенок, да? Только не лгите, сейчас нельзя.

От растерянности Хованская ответила правду:

— Да, тебя взяли на воспитание.

Потом она закрыла рукой рот, но поздно. Павлуша
сел на стул в прихожей и горько сказал:

— Так я и знал! Догадывался давно! Но все же...

— Что произошло? — залепетала ощущавшая себя
предательницей Каролина.

Павлуша сгорбился и рассказал о ссоре с Альбиной, потом он всхлипнул и добавил:

— Я сообразил, что у нас в семье что-то не так.
Мама меня никогда не любила, но... знаете... мысль
дурацкая была... ну... я решил, что папа маме изменил,
а потом меня принес, и стали они вместе сына воспитывать. Отец-то меня любил!

— Любил, — эхом отозвалась Каролина, — совершенно точно. Только, как бы тебе получше объяснить...

— Говорите прямо, — шмыгнул носом Павлик, — я уже взрослый, все пойму.

— У Евгения имелся некий дефект, — нашла наконец необходимые слова Каролина, — у них с Альбиной дети не получались! Вот они и решили тебя взять.

— Еще Валя и Дима умерли, — вдруг сказал Павлик.

Каролина вздрогнула:

— Да.

— А я жив!

— Верно.

— Зачем мама, то есть Альбина Фелицатовна, меня в семью приняла, ведь она детей не любила?

— Папа попросил, ты ему роднее сына был.

— А где меня взяли?

— Не знаю, — живо отозвалась Хованская.

Но, видно, она слишком быстро ответила на вопрос, потому что Павлик вскочил на ноги.

— Неправда, вам рассказали.

Хованская замотала головой, но Павлик был настойчив, и в конце концов Каролина Карловна сказала:

— У Ирины Константиновны, мамы Жени, ты ее в живых не застал, имелась знакомая акушерка Зинаида, думаю, она устроила это дело.

Павлик, не говоря ни слова, рванулся на лестницу.

— Ты куда? — попыталась остановить его Хованская.

Юноша обернулся:

— Альбина Фелицатовна на даче, у меня есть ключи от городской квартиры, пойду в комнате у Ирины Константиновны пороюсь, отец туда никому заходить не разрешал, все вещи его мамы на месте, небось и записная книжка тоже.

— Погоди! — воскликнула Каролина, но Павлик уже несся по лестнице вниз.

Пожилая дама замерла, затем стала ласково погла-
живать Епифана.

— А дальше? — воскликнула я.

Каролина Карловна пожала плечами:

— Все. Мы больше никогда не встречались.

— Вообще?

— Да.

— Вы не пытались найти юношу?

— Где?

— Ну... не знаю.

— Вот и я не знала, — отрезала Каролина. — Альбина со мной не общалась, Настю она выгнала вон.
Если мы сталкивались с Ожешко во дворе, то та старалась быстрей шмыгнуть мимо, опустит глаза и рысью в
подъезд. Иногда, впрочем, мы беседовали, ну типа:
«Добрый день, хорошая погода, до свидания». Ни ей,
ни мне не хотелось никаких отношений. Потом я заболела, долго по клиникам моталась, спасибо Яше, в
свое время он начал фарфор собирать, статуэтки, антиквариат. Я их продала, квартиру на домик выменяла,
но это уже неинтересно, важен итог: живу в Изобильном вместе с любимым Епифаном, никого мне, кроме
него, не надо, ухаживает за нами соседка, Мария Николаевна, я плачу ей за услуги. Она, конечно, надеется
после моей смерти домик получить, только зря. Ничего ей не оставлю, она животных не любит, случись со
мной беда, мигом Епифана выгонит. Если откровенно,
лишь кот меня на земле и держит, иногда лежу ночью
в кровати и думаю: почему еще к Яше не ушла? А потом как стукнет в сердце: Епифану-то всего пять лет,
куда ему без хозяйки? На помойку? Ой, беда!

— Павлик не объявлялся, и, где он, вы не знаете? — безнадежно спросила я.

— Именно так, — отрезала Каролина Карловна, —
я очень хорошо к нему относилась, но, видно, Павел
решил отрезать прошлое целиком. И не надо на меня
смотреть такими глазами! Как, по-вашему, мне его

было отыскать? Ходить по улицам и кричать: Павел Закревский, ты где?

Фамилия показалась знакомой. Закревский, Закревский...

— Он же Ожешко, — удивилась я, — Павел Ожешко.

Хованская хмыкнула:

— Нет, конечно! Ожешко была Альбина Фелицатовна, она, выйдя, так сказать, замуж, оставила свою девичью фамилию, а Павлик, естественно, стал, как и Евгений, Закревским!

Внезапно мне стало жарко, так, как будто я по глупости влезла в шубе на банную полку. Павел Закревский, молодой мужчина-стилист, любовник Тины Бурской, а заодно и воздыхатель Жанны. Все вокруг считают, что неудачливая актрисулька отравила свою подругу из ревности, хотела иметь Павлика в единоличном владении. Так вот кто...

— Что-то не так? — насторожилась Каролина. — Отчего ты сидишь с вытаращенными глазами.

Я тряхнула головой:

— Нет, просто мне пора бежать, огромное спасибо за помощь.

— Счастливого пути, — вежливо ответила Каролина Карловна, — найдешь время, заходи, мы с Епифаном будем тебе рады.

Ноги понесли меня к выходу.

— Сделай милость, просто прикрой калитку, — велела Хованская, — не дергай замок.

Я обернулась, хотела сказать «конечно», но неожиданно вымолвила совсем другое.

— Дайте мне листок бумаги.

— Зачем? — удивилась хозяйка.

Но мои глаза уже приметили на маленьком столике у торшера блокнот с ручкой.

— Оставлю вам свои телефоны и адрес.

— Но зачем? — повторила Каролина. — Я не выхожу из дома.

— Если вам потребуется моя помощь — звякните, сразу примчусь.

Хованская вздернула голову:

— Спасибо, конечно, только я не привыкла людей утруждать, и потом, есть Мария Николаевна, я плачу ей, прискачет в случае необходимости.

Наверное, тяжело жить с таким гонором, понятно теперь, отчего Каролина Карловна так и не завела подруг.

— Но ваша соседка терпеть не может кошек! — напомнила я.

— И что? — наклонила голову набок хозяйка.

Я набрала полную грудь воздуха и решительно произнесла:

— Если с вами случится беда, я заберу Епифана. Надеюсь, что вы проживете еще много-много лет, просто хочу сейчас снять с вашей души груз. Скажите этой Марии Николаевне: «Вот координаты тетки, которой следует отдать кота» — или сами позвоните, если, к примеру, в больницу вас повезут. Я не задержусь, прилечу сразу, хотя, повторяю, я уверена, что вы проживете много-много лет.

Каролина с трудом встала, медленно дошла до меня и погладила по голове.

— Спасибо, деточка. Отчего-то мне кажется, что ты не обманешь.

— Никогда, — тихо ответила я, — за судьбу Епифана можете не волноваться, он никогда не останется голодным и одиноким.

Сев в машину, я включила мотор и, ожидая, когда двигатель прогреется, оперлась на руль. Вот оно что! Павлик нашел Тину, уж как ему это удалось, мне, ей-богу, неинтересно. Юноша отправился к Бурской не сразу, долгое время он жил один, пытался самостоятельно пробиться, но потом все же решил найти родную мать. Интересно, что сказал Семен, когда узнал, что у его жены имеется ребенок? А он точно знал правду о Павлике, потому и молчал и не делал жене замечаний. Семен не был рогоносцем, Тина не изменяла мужу, она решила искупить вину перед некогда брошенным ребенком, помочь ему.

Мигом припомнился и рассказ Щепкиной о том, как в ее гримерку забрели Жанна с Павликом. Жанночка, похоже, тоже была в курсе дела, вот почему она бросала упреки в адрес Тины и требовала, чтобы Павлик перестал ее слушаться. Жанна воспринимала Бурскую как будущую свекровь. Теперь все мигом встало на свои места. Тина вовсе не являлась участником шведской семьи, она поддерживала Жанну лишь по одной причине — знала, что девицу полюбил Павлик. И ведь такое положение вещей длилось довольно долго, Тина не хотела раскрывать своей тайны, она стыдилась воспоминаний о беременности, а может, акушерка Зинаида права? Бурская часто выступала по телевизору, гневно обличая матерей-кукушек и малолетних дурочек, родивших детей в восьмом классе, и каково актрисе было признаться в собственной ошибке? Тина, очевидно, боялась потерять любовь зрителей! Наверное, она сказала Павлику:

— Очень прошу, молчи. Помогу тебе, искуплю свою вину, дам денег, и ты обязательно женишься на Жанне, но позднее. А пока держи язык за зубами, у нас с Семеном нет детей, все тебе оставим.

Только парень не хотел завтрашнего счастья, он попросту убил Тину, чтобы получить наследство.

Я схватилась за руль. А может, еще и Семена в придачу? Подсыпал и ему яд в воду. И как ловко обстряпал дело, сделал виноватой Жанну, небось актрисулька ему обрыдла с вечными скандалами и нытьем: «Женись на мне прямо сегодня».

Я нажала на педаль. Лампа, ты нашла убийцу, головоломка сложилась, кусочки идеально подошли друг к другу. Единственное, чего я не понимаю: при чем тут красный плюшевый заяц и сериал «Загробные тайны», но к убийству Тины ситуация с игрушкой отношения не имеет. Эх, жаль, сейчас уже поздно, актеры театра «Лео» небось разбежались по домам, впрочем, можно попытаться проверить последнее предположение.

Дрожащими от нетерпения руками я вытащила мобильный.

— Театр слушает, — пробубнила вахтерша.

— Баба Лена?

— Ну.

— Это Лампа.

— Хто?

— Евлампия Романова, ваш новый гример.

— А-а-а, — протянула старуха, — чего ж носа не кажешь? Батурин сегодня орал! Страх слушать! «Где эта...» Ну дальше слова проглочу, в общем, где гримерша, небось водку жрет! Ты че, алкоголичка?

— Нет, конечно, — возмутилась я, — ногу подвернула, завтра приду. Отчего Батурину мысль про алкоголь в голову взбрела?

— А до тебя тут одни выпивохи появлялись.

— Что же он хотел за такую зарплату?

— Избалованные все, — протянула баба Лена, — миллионы хотите!

— Завтра прибегу.

— К полудню, первый спектакль в час, — заботливо сообщила вахтерша.

— Хорошо, скажите, Софья Сергеевна в «Лео»?

— Щепкина? Спохватилась! Давно все усвистали, одна я кукую, ночного дежурного жду, никак не явится, обормотина еловая! Ваще жизня...

Не слушая бабкины причитания, я отсоединилась и свернула вправо. Ладно, поеду домой, завтра Софья Сергеевна расскажет мне про Павла Закревского все, сделаю стареющей диве парочку льстивых комплиментов, задам несколько вопросов и получу нужные ответы.

Бросив «Жигули» на стоянке, я ринулась к родному подъезду и вдруг притормозила. Однако странно, на дворе поздний вечер, а ни в одном окне блочной башни не горит свет. Может, нам выключили электричество? Случается в Москве порой такой казус, правда, очень и очень редко.

Сообразив, что при отсутствии тока лифты не работают, я приуныла окончательно. Топать наверх по ступенькам на своих двоих показалось мне очень стремно, хотя, с другой стороны, надо воспринимать любую ситуацию оптимистично. Многие люди платят бешеные деньги за занятия фитнесом, ходят по тренажеру, имитирующему лестницу, а я сейчас пошлифую фигуру совершенно бесплатно. Нет, если призадуматься, то в любой бочке дегтя можно найти половничек меда, а потом очень осторожненько выковырнуть сладкий кусочек и съесть его, щурясь от удовольствия.

В самом бодром расположении духа я дочапала до дверей подъезда и уперлась в объявление: «Граждане жильцы корпуса! В нашем доме эпидемия чумы, имеется жертва, в здании объявлен карантин. Местные власти не желают признать факт зачумленности, им плевать на здоровье жильцов и их детей. Комитет, избранный жертвами чумы, самостоятельно принял решение о консервации дома. Все на митинг в «Шишку». Слободкина Рената».

Я отшатнулась в сторону. Чума! Это же страшная инфекция, насколько я знаю, она бывает в легочной или бубонной форме, но какую бы разновидность заразы вы ни подцепили, надеяться особенно не на что.

Мама рассказывала мне, как в начале 60-х годов двадцатого века один из москвичей привез в столицу СССР из Индии не что-нибудь, а черную оспу, подробностей страшной истории я не помню, вроде мужчина был художником и отправился на Восток, как тогда говорили, в творческую командировку. То ли он не сделал полагающиеся прививки, то ли на несчастного не подействовала вакцина, но по возвращении домой бедняга заболел. К счастью, врачи отреагировали мгновенно, они сразу поняли, что это оспа, в Москве был объявлен карантин, жителям в массовом порядке провели вакцинацию, эпидемия не распространилась. Но тогда, в 60-х, за границу ездили единицы, и легко было понять, что случилось с командированным в Индию индивидуумом, сейчас же люди тысячами перемещаются по свету, есть среди туристов и пофигисты, не соблюдающие никаких мер безопасности. Такие способны притащить на родину что угодно. Кстати, в нашем доме обитают вполне состоятельные граждане, не олигархи, конечно, простые москвичи, так называемый средний класс. На Новый год и майские праздники в здании воцаряется тишина, соседи отбывают кто в Турцию, кто в Эмираты, кто в Тунис, едут, где потеплей, погреться, покупаться!

Я развернулась и полетела в «Шишку», бывший кинотеатр, а теперь развлекательный центр, расположенный в ста метрах от нашего дома. Не спрашивайте, отчего заведение назвали «Шишкой», мне сие неведомо.

Большой холл напоминал массовку к фильму «Беженцы». Люди сидели на стульях, банкетках, креслах, кое-кто устроился прямо на полу. На возвышении у окна стояла председательница домового комитета Рената Слободкина, из ее мощной груди, туго обтянутой ярко-оранжевым свитером, рвались гневные слова:

— Власти не желают помогать людям.

— У-у, — отозвались слева.

— Им плевать на нас!

— Да-а-а, — донеслось справа.

— Требуем переселения на бесчумную площадь! Сейчас сюда явятся представители...

Я растерянно шарила глазами по залу: где мои?

— Лампудель, — крикнул Кирюшка, — мы тут!

Спотыкаясь об узлы и чемоданы, я добежала до своих. Семье Романовых не хватило места на диванах, наши устроились на паласе, подстелив под себя какие-то тряпки.

— Все живы? — воскликнула я.

Лиза, прижимавшая к себе Мулю и Феню, кивнула, Ада подняла голову и тихо тявкнула. Рейчел, притулившаяся возле Юлечки, засопела, Рамик принялся вертеть хвостом, Капа шумно вздохнула, а Ириска начала бойко чесаться.

— Жабу забыли, — заволновалась я.

Кирюша поднял банку.

— Во! Куда мы без нее.

— Что случилось? — не успокаивалась я.

Юля тяжело вздохнула:

— Офигеть не встать!

— Дай расскажу, — оживился Кирюша.

— Нет, я, — перебила его Лизавета.

— Вечно ты!

— А-а! Сам дурак.

— Лучше я начну! — нервно воскликнула Юля.

Я опустилась на пол, обняла Капу и велела:

— Вещайте хором, на два голоса, только не деритесь при всех, хватит с нас чумы.

Глава 33

Основные события в доме начали разворачиваться примерно через час после моего отъезда. Ничто не предвещало неприятностей. Юлечка спокойно пошла в ванную, Лизавета и Кирюшка устроились у компьютеров. Дети, неожиданно получившие лишние каникулы, решили засесть в чатах, Костин и Сережка умчались на работу.

Юлечка полежала в пене, обдумывая поистине

глобальный вопрос: стричь волосы или продолжать их отращивать? С одной стороны, с приближением весны хотелось неких изменений во внешнем облике, с другой стороны, пышные локоны украшают женщину...

Не успела Юлечка представить себя коротко стриженной, как дверь в ванную с треском распахнулась, и в клубах пара возник Кирюшка.

— С ума сошел! — взвизгнула Юля, нагребая на себя пену.

Юлечка ожидала, что мальчик либо начнет извиняться, либо просто выскочит в коридор, но Кирюшка заорал:

— Скорей, уходим!

— Куда? — вытаращила глаза Юля. — Мне на работу после обеда. И вообще, я хотела одежду купить!

Кирюша открыл было рот, но тут в ванную влетела Лиза и тоже заверещала:

— Давай вылезай!

Юлечка не успела обозлиться, потому что рядом с Лизой невесть откуда появилась председательница домового комитета Рената и завопила:

— В доме чума!

Ошарашенная Юлечка чуть не утонула при этом известии, а активная Рената, выдернув из ванны пробку, швырнула девушке полотенце и, пока та спешно вытиралась, ввела Юлю в курс событий.

Некоторое время тому назад Ренате позвонила жиличка Аня Григорьева и, рыдая от ужаса, сообщила, что ее сейчас везут в больницу с диагнозом: чума.

— Я, конечно, умру, — в голос плакала Аня, — до свидания, Рената, прощаю тебе все, даже то, что ты хотела моего мужа себе заграбастать. Уж какие счеты на краю могилы, но я ответственный человек и хочу спасти остальных, немедленно уходите из дома, убегайте вон, чума уже ползет по этажам!

Сначала Рената решила, что Анька сошла с ума. Быстро накинув на плечи пальто, Слободкина побежала к Григорьевым. Она успела как раз вовремя, двое санитаров впихивали в лифт носилки. На вопрос Ренаты: «Что случилось?» — ответа не последовало, подъемник ухнул вниз, увозя врачей и Аню.

Слободкина бросилась звонить в квартиру, дверь открыл муж Ани, Мишка, одетый самым диким образом. На руках у парня были резиновые перчатки, на лице хирургическая маска из бумаги, на голову нахлобучен полиэтиленовый пакет, похоже, сумасшествие поразило всех членов семьи.

— Куда повезли Аню? — налетела на Мишку Рената. — Какая чума? Что за чушь она несла?

Мишка отступил в глубь квартиры.

— Не чушь, а все умрем, точно. Пришел я домой с работы, гляжу, Анька корчится, чешется безостановочно, в кровь шею ногтями разодрала и кричит: «Чума пришла». Еле-еле из нее правду выбил — она же на аэродроме служит...

— Да знаю, — перебила зануду-Мишу Рената, — в багажном отделении, дальше что?

— Сам плохо понял, — развел руками Миша, — она очень путано объяснила. Вроде в одной из перевозок сидело животное, больное чумой, кажется, собака, вся чесалась, дергалась, а Аньке следовало оформить прибытие этой твари. Ну она ее коснулась и мигом заболела, тоже принялась скрестись. Я, как услышал, сразу врачей вызвал, они прикатили, стали расспрашивать, что к чему, ну я и рассказал им про аэродром и чуму. Мужики переглянулись, Аньку увезли, а мне велели дома сидеть, сказали: «Ждите, за вами приедут». Вот я решил меры безопасности принять: перчатки, маска...

Любой нормальный человек на месте Ренаты стал бы задавать вопросы. А почему Аня решила, что у собаки чума? Болеют ли шавки этой заразой, может, речь идет о чумке, инфекции неопасной для человека? С какой стати Григорьева сама себе поставила диагноз? Отчего врачи были без специальных защитных костюмов? Да много чего мог спросить разумно мыслящий индивидуум. Но надо знать Ренату! Слободкина вообще не способна ни к какой умственной деятельности, а еще у нее есть дети, которые ходят в одну школу с Кирюшей и Лизой. В голове Ренаты мигом сложилась цепочка: в школе объявлен карантин, следовательно, дочь Ани принесла туда чуму, подцепила ее от матери.

Мысль о том, что занятия прекратились вчера из-за тифа, а Анька лишь сегодня заговорила о собаке с чумой, не пришла Слободкиной в голову. Активности ей было не занимать, поэтому Рената подняла на ноги весь дом. Организаторским способностям дамы можно лишь позавидовать, в мгновение ока она договорилась с администрацией «Шишки», и в развлекательный центр начали стекаться испуганные жильцы. Напомню вам, что основные события в доме разворачивались днем, в квартирах в основном находились пенсионеры, дети и домашние хозяйки, то есть наиболее подверженная чужому влиянию аудитория. И потом, представьте себя на их месте! Мирно готовите обед, убираете квартиру или принимаете душ, а тут врывается обезумевшая Рената, которую, кстати, все считают начальницей, и орет:

— У нас страшная инфекция! Григорьева из аэропорта принесла! Эвакуация!

Неужели вы потребуете объяснений и сохраните способность логически мыслить? Лично я бы, схватив в охапку детей и животных, ринулась в «Шишку», а уже разобраться, что к чему, можно и потом. Так и поступило большинство жильцов. Слободкина заперла подъезд, повесила на дверь объявление, и сейчас в «Шишке» уже давно идет митинг.

Я потрясла головой и хотела спросить: «Звонил ли

кто-нибудь в больницу, куда увезли Аню? Пусть медики сообщат точный диагноз», но не успела. На сцене около Ренаты появилось несколько человек, один из них, мужчина в темном костюме, оттеснил Слободкину в сторону, бесцеремонно выхватил у нее микрофон и гаркнул:

— Всем молчать. Я — Никифоров Сергей Александрович, представитель мэрии. Никакой чумы нет, спокойно расходитесь.

— Он врет, — истерически завизжала Рената, — они специально хотят нас без медицинской помощи оставить и уморить!

— Точно, — полетело из зала, — дом небось под офисы переделать решили.

— Мошенники.

— Взяточники.

— Воры.

— Мы помрем, а они наши квартиры продадут.

— Пошли на Кремль!

— Ура, ветераны, вперед!

— Не отдадим свою жилплощадь!

Сергей Александрович растерянно оглянулся, ему на выручку пришла дама в темно-зеленом платье:

— Граждане, я из санэпидемстанции, никакой чумы и в помине нет.

— Врешь!

— Тебя тоже купили!

— В школе чума, там карантин!

Тетка оказалась покрепче Сергея Александровича, она не растерялась, услышав гневные выкрики, а, добавив децибел в голос, заорала:

— В школе ничего нет, ерунда какая-то! Шум зря подняли, впрочем, здание на всякий случай полностью продезинфицировали, дети послезавтра приступят к занятиям.

— Нет, — заорали Кирюша с Лизаветой, — карантин неделя! Хотим чуму с тифом!

Голос наших детей потонул в криках взрослых:

— Брехня!

— И про Чернобыль тоже сначала врали!

— Нет чумы! — надрывалась баба.

— Граждане, — взвыл Сергей Александрович, — ну подумайте головой, пришли бы мы к вам, если б тут зараза гуляла?

В зале повисла тишина.

— Оно верно, — прозвучало из толпы, — уже б в Америку летели, бросили бы народ — и деру.

— Никакой эпидемии нет, — воспользовалась моментом баба, — вот ваша Григорьева, жива и здорова, глядите.

На сцену медленно влезла Аня.

— Здрассти, — прошептала она.

В то же мгновение в помещении стало еще тише, потом под потолком прозвенел тоненький голосок бабушки Раисы из сто первой квартиры:

— Этта чего получается? Ну-ка, Рената, объясни, чего всех сюда приволокла?

— Аня виновата, — живо откликнулась Слободкина и спряталась за могучей спиной представительницы санэпидемстанции.

— Ты почему про чуму понесла? — возмущенно продолжала баба Рая. — Всех перебаламутила.

Толпа разгневанных жильцов начала медленно подступать к сцене.

— Тихо, граждане, тихо, — залепетал Сергей Александрович, — вышло недоразумение, возникло недопонимание, но теперь...

— Нет, пусть объясняет! — заорали из толпы.

Аня, став ниже ростом, забормотала:

— Граждане дорогие, я ни при чем тут! Пришла к Романовым взять рецептик пирога, а Лампа и говорит...

Я похолодела, мигом вспомнив, как на вопрос Аньки: заразна ли Ириска, ответила: «Чума, дикая инфекция, сейчас все вымрем, сначала один дом, потом Москва, следом вся Европа, как в Средние века».

Я-то пошутила, пусть не очень удачно, честно говоря, даже глупо, но кто мог представить последствия этого опрометчивого высказывания? Боже мой, как быстро распространилась весть, и как в ней тесно все переплелось: работа Ани на аэродроме, глупость ее и Миши, тупость и активность Ренаты, наивность детей, старух и домашних хозяек...

Жильцы, перешептываясь, повернулись к нам, десятки глаз воткнулись в меня. Желая оправдаться, я схватила отчаянно чешущуюся Ириску, подняла ее над головой и завела:

— Сейчас все объясню. Это очень маленький йоркширтерьер, крохотный и ни в чем не виноватый. У нее чес...

В ту же секунду Юлечка сильно стукнула меня по заднему месту и закричала:

— Честное слово, ничего нет! Ириска переболела чумкой, о чем Лампа и сказала Ане, уж не знаю, почему та потом в истерику впала.

— Она твердила про смертельную опасность, — не сдалась Григорьева.

— Правильно, — мигом выкрутилась Юлечка, — у тебя же кошка, вот Лампа и позаботилась, предупредила о чумке, очень тяжелой для животных, но совершенно не опасной для людей инфекции!

— Граждане, — заорал Сергей Александрович, — теперь все ясно! Вот бабы! Одна ляпнула, другая не так поняла, третья панику подняла... Ступайте по домам!

Народ послушался и цепочкой потянулся к выходу. Юля подхватила Мулю и Аду, Лиза — Феню и Капу, Кирюша прижал к себе левой рукой банку с жабой, а на запястье правой намотал поводок Рейчел, Рамик пошел сам по себе, никто из членов семьи не смотрел в мою сторону. Ощущая себя прокаженной, я, сунув под мышку безостановочно чешущуюся Ириску, постаралась стать совершенно незаметной.

— Вижу, ваша собачка тоже мучается, — раздалось над ухом, — вся издергалась, бедолажка!

Я вздрогнула и быстро выпалила:

— У нас нет чесотки!

Моя рука моментально потянулась к шее.

— Да вы не переживайте, — продолжил мелодичный голосок.

Я повернула голову и увидела незнакомую молодую женщину.

— Меня Вера зовут, — улыбнулась она, — мы недавно в ваш дом переехали, Мальвина тоже чесалась.

Тут только я заметила на руках у Веры крохотного йоркшира.

— Мы забеспокоились, — продолжала женщина, — сбегали к врачу и стали клеща выводить. Представляете, прямо извелись! Чем больше лекарства льем, тем сильней она чешется. Знаете, мы все сами исчесались!

И Вера весело захихикала.

— Мы тоже, — призналась я, — невозможно удержаться.

Соседка стала скрести плечо.

— Вот, на вашу глянула, и снова началось.

Я попятилась.

— Не волнуйтесь, — продолжала смеяться Вера, — это психическое. На самом деле клещ погибает сразу, нам один хороший специалист все объяснил. Во-первых, собачья чесотка на людей очень редко переходит, во-вторых, зараза исчезает сразу, два пшика — и смерть ей.

— Но Ириска мучается, хоть я вылила на нее уже литры лекарства.

— Вот поэтому и дергается, — кивнула Вера, — ту же ошибку я совершила. Клещ погиб, а я еще для надежности Мальвину опшикала, ну у нее аллергия и началась. Нет бы мне снова к врачу сбегать, но я же упорная, решила, что зараза ширится, и давай поливать бедняжку, а той все хуже и хуже. Спасибо, спохватилась и опять к доктору сбегала. Думаю, у вас та же проблема. Купите в аптеке обычное репейное масло и обмажьте собачку, заверните потом в пеленку и походите с ней по дому, затем вымойте ее осторожно и забудете про неприятность.

— Так просто? — ахнула я.

— Ну да, — кивнула Вера, — ерунда.

Я покрепче прижала к себе Ириску.

— А что тут про собачью чумку говорили? — продолжила Вера. — Я пришла под самый конец и ничего не поняла.

— Да так, — отрезала я, — чепуха вышла, не беспокойся.

Решив как можно дольше оттянуть момент возвращения домой, я сначала съездила в дежурную аптеку, получила из рук сонной провизорши бутылочку с репейным маслом и лишь после этого вползла в квартиру.

В коридоре стояла сонная тишина, дети, Юля и собаки, утомленные тяжелым днем, рухнули спать. Радуясь столь замечательному повороту событий, я старательно обмазала Ириску репейным маслом, завернула собачку в старый байковый халат и положила ее около себя со словами:

— Через часок искупаемся.

Йоркшириха не сопротивлялась, наверное, она тоже устала от толпы, сейчас, высунув из халата голову, Ириска положила ее мне на руку и засопела. Мои глаза закрылись... потом распахнулись, наткнулись на будильник — девять утра.

Меня подбросило над кроватью, около подушки лежал халат.

— Ириска, — зашептала я, — ты где? Ириска.

Йоркшириха не отзывалась. Очень осторожно, на цыпочках, я начала обход квартиры. Но ни на кухне, ни в гостиной, ни в детских Ириски не было, к моему ужасу, она обнаружилась в супружеской постели молодых. Щедро смазанное маслом тельце лежало прямо на голове у Юлечки.

Я попятилась в коридор, затем, забыв умыться и не попив кофе, рванула к себе. Надо как можно скорей удирать прочь. Юля, наверное, еще не простила мне историю с чумой, а тут новая фишка, представляю, какие звуки станет издавать жена Сережки, когда, проснувшись, поймет, что ее волосы испачканы репейным маслом, а постельные принадлежности безнадежно испорчены!

Глава 34

У одних людей несчастливыми бывают понедельники, другие не любят пятницы, третьи опасаются тринадцатого числа, но лично меня неудачи настигают в любое время.

Вот и сегодня с утра все пошло наперекосяк. Для начала «Жигули» не пожелали завестись. Я покрутила ключом в зажигании, потом открыла капот, бесцельно осмотрела кучу непонятных частей, опустила его, попинала ногой колеса, снова села за руль и, поняв, что сделала все возможное для реанимации коняшки, взяла сумочку и потопала к метро.

Не успели ноги ступить на платформу, как мне стало понятно: что-то тут не так. Конечно, около десяти часов утра в подземке не бывает пусто, но столько людей лично я видела впервые. Плотная толпища мерно колыхалась и гудела, я глянула на табло и удивилась еще больше — поезда не было двенадцать минут.

— Граждане пассажиры, — закричали из динамиков, — по техническим причинам поезда следуют с большими интервалами, пользуйтесь услугами наземного транспорта!

И тут подкатил состав, люди с воплем начали ломиться в вагоны, я, испугавшись давки, плюхнулась на одну из лавочек на платформе и решила подождать другой поезд. Сидеть на платформе пришлось больше часа, но потом голубые вагоны стали мелькать с нормальной скоростью, и мне в конце концов удалось стартовать в «Лео».

Бабы Лены на месте не оказалось, на столе лежал глянцевый журнал, а сверху громоздились очки. Обрадовавшись, что мне не придется тратить время на пустые разговоры, я быстро дошла до гримерки Щепкиной и постучала в дверь.

— Войдите, — донеслось изнутри.

Я сунула голову внутрь, увидела стареющую кокетку и воскликнула:

— Ой, а где Софья Сергеевна!

— Ты меня не узнала? — скривилась Щепкина.

— Ой, как вы помолодели, — заявила я, — просто девочкой стали, не...

Продолжение фразы застряло в горле. Молчи, Лампа, молчи, похоже, ты, дорогая, в последнее время говоришь и делаешь сплошные глупости. Сейчас Щепкина в возмущении закричит:

— Что значит «просто девочкой стали»? По-твоему, я гляделась раньше старухой?!

Но Софья Сергеевна довольно усмехнулась:

— Да уж! Восхитительный эффект! Не зря столько денег за массаж отдала! Ты, душенька, кажется, новая гримерша?

— Да, да, — обрадованно закивала я, — именно так. Хотя не понимаю, зачем вас гримировать, вроде сегодня вы Джульетту играете, так к чему макияж? Юное лицо не следует портить.

Софья Сергеевна расплылась в улыбке.

— Ты путаешь, мы даем «Макбет».

— Тогда конечно, — закивала я, — хоть и неохота вашу красоту замазывать. И вообще, ну куда смотрел режиссер? Разве можно молодой женщине роль пожилой героини давать?

Щепкина вытащила сигареты.

— Садись и отдохни. Кстати, знаешь...

Так славно начавшуюся беседу прервал стук.

— Ну кто там? — недовольно крикнула Щепкина.

Дверь распахнулась, впустив Батурина, за ним маячила еще одна высокая мужская фигура, но я не успела разглядеть лица второго человека. Дым от сигареты Щепкиной попал мне в глаза, и я стала тереть их кулаком.

— Сонечка, ангел мой, познакомься, — зачирикал Юлий.

— Это кто? — вдруг перебил его страшно знакомый голос.

— Где?

— Рядом со Щепкиной!

Я отвела руки от лица и замерла, лишившись дара речи.

— Новая гримерша, — недовольно сказал Юлий, — прогульщица! Явилась, голуба! Ну-ка, иди в мой кабинет, пьяница.

— Не знал, что она еще и пьет, — протянул спутник Батурина, — думал, что только глупостями занимается.

— Я сам не в курсе был, — начал было Юлий, — постойте, вы знакомы, откуда?

— Сразу и не объяснить, — процедил Костин, — двух слов не хватит, чтобы описать ситуацию. Лампа, ты что здесь делаешь?

— Г-г-гримершей нанялась. — Я попыталась вытащить хвост из мышеловки. — Работу на радио потеряла, и...

Вовка кивнул и повернулся к Батурину:

— Сделайте мне одолжение, пусть госпожу Романову посадят в вашем кабинете, он на каком этаже?

— На первом.

— Плохо. Решетка на окне есть?

— Да, — ответил ничего не понимающий Юлий.

— Отлично. Немедленно ее туда, да заприте хорошенько, ключ унесите с собой. Лампа, шагай.

Понимая, что сопротивление бесполезно, я поплелась за директором.

Хорошо еще, что служебное помещение Юлия было оборудовано со всеми удобствами, кроме письменного стола и трех кресел тут имелся еще и большой диван, абсолютно не подходящий к строгому интерьеру комнаты, широкий, мягкий, заваленный подушечками, просто ложе куртизанки, а не предмет мебели кабинета администратора. На журнальном столике стояла бутылка воды, на подоконнике электрочайник и банка растворимого кофе, рядом высилась вазочка с конфетами. Смерть от голода и жажды мне явно не грозила.

Я сначала хотела было побаловать себя кофейком, но потом легла на диван, подсунула под голову пару подушечек и неожиданно заснула, да так крепко, словно приняла большую порцию снотворного.

Если кто-то из вас делит кровать со своей собакой, то он хорошо знает: домашние животные имеют обыкновение ночью превращаться в камень. Даже крохотный котенок непонятным образом начинает весить центнер, а еще наши любимцы во время отдыха не желают шевелится. Лично я никогда не могу вытянуть спокойно ноги, моментально натыкаюсь конечностями на Мульяну, спихнуть мопсиху дело совершенно невозможно, даже если подбросить ее вверх, она шлепнется на то же место. Поэтому я приобрела привычку спать в позе буквы Z, изогнувшись в разные стороны, что, поверьте, очень некомфортно. Счастье наступает в тот момент, когда Муля уходит на кухню попить водички. Вот тут я могу спокойно перевернуться и расправить затекшие части тела.

Сейчас и наступил сей сладостный момент, я легла на спину, вздохнула... и услышала голос Вовки:

— Ты, оказывается, храпишь!

Совершенно не понимая, что делает в моей спальне майор, я открыла глаза, увидела письменный стол, кресла и сразу вспомнила: я лежу на диване в кабинете Юлия Батурина.

— Ты ищешь убийцу Тины Бурской? — резко спросил Костин.

— Нет, — во мне проснулось умение лгать.

— Не ври.

— Я нанялась гримершей!

— Право, смешно!

— Хотела попробовать себя в новой профессии. Вовка сел в кресло.

— А то я не знаю, тебя хлебом не корми, дай только нос в расследование сунуть.

— Нет, я ничего не слышала о Бурской.

— Совсем?!

— Да!

— Лампа!

— А?

— У тебя совесть есть?

— Конечно.

— Тогда пни ее, пусть проснется, — велел Костин, — и устыдит тебя.

— Не смей меня ругать, — зашмыгала я носом.

Очень хорошо знаю, что Вовка не переносит вида слез, и сейчас настала пора применить сильнодействующее средство. Но майор неожиданно рассмеялся:

— Лампудель, был такой Станиславский, он говорил порой актерам на репетиции: «Не верю».

— Я не лгу.

— А я вовсе не собирался тебя ругать.

— Да? Зачем тогда велел запереть?

— Мне нужна твоя помощь, — проигнорировав вопрос, заявил Вовка, — делом Тины Бурской занимается наш отдел. Зная твою активность, быстроногость и вездесущесть, полагаю, что ты весьма преуспела, обогнала меня на лыжне. Ну-ка расскажи...

— Что? — Я старательно прикидывалась дурочкой. — Ей-богу, нечего.

Вовка вдруг сгорбился.

— Я повышения звания жду, сколько можно в майорах ходить, но, видно, не видать мне новых погон, торможу с делом Бурской, думал, ты поможешь...

— Конечно, — с жаром воскликнула я, — всегда готова оказать услугу, если тебе надо, то слушай! Могу сообщить имя убийцы.

— Так!

— Павел Закревский.

— Это кто?

Я удовлетворенно хихикнула:

— Ты был прав, я обошла всех на повороте. Сын Бурской.

— Валентины и Семена?

— Павел — ребенок Тины, впрочем, давай все по порядку! — воскликнула я. — Знаешь, как я впуталась в эту историю?

— Даже предположить не могу, — покачал головой Вовка.

— Жанна попросила помочь.

— Жанна?

— Да, именно она. Ты ведь знаешь, что я считаю своим долгом прийти любому человеку на помощь.

— Ага, — кивнул Вовка, — об этом жизненном принципе, о девизе: «Чужой беды не бывает», я не раз слышал от госпожи Романовой, но где ты столкнулась с Жанной?

— Сделай-ка нам кофеек, — улыбнулась я, — правда, я терпеть не могу растворимые напитки, но, на худой конец, выпью и его.

Вовка пошел к чайнику, а я села в кресло, попыталась пятерней причесать волосы, затем плюнула на дурацкое занятие и завела рассказ.

Целую неделю после разговора с Вовкой в кабинете Батурина я просидела дома под арестом. Костин поступил со мной жестоко, и, честно говоря, я обиделась на майора.

Я-то решила ему помочь, выплеснула все известные сведения, отдала диктофон с записями, вручила адреса, телефоны, имена опрошенных мною людей, не утаила своих логических умозаключений, назвала, в конце концов, имя убийцы, и что?

Меня заперли дома в прямом смысле этого слова, отобрали ключи от квартиры и машины, а верхнюю одежду вкупе с сапогами и ботинками Вовка отволок к себе, приговаривая: «Так надежней будет».

Юлечка окрысилась на меня за репейное масло, которое с огромным трудом отмылось с ее волос и с тела Ириски. Впрочем, совет, данный соседкой Верой, оказался дельным, йоркшириха перестала чесаться.

Семь томительных дней я шлялась по квартире, от скуки занимаясь хозяйством, но к вечеру пятницы, этак часам к восьми, на меня напало отчаянье. Чем заняться, а? Комнаты вылизаны до блеска, обед из пяти блюд в холодильнике, все вещи перестираны и переглажены, собаки вымыты, а кое-кто даже расчесан. Что делать? Смотреть телик? Больше не могу пялиться в экран, а книги все перечитала, и потом, разве можно по второму разу увлечься детективом? Имя убийцы уже известно. Да, теперь становится понятно, что, если мне предложат выбор: сидеть в замке без дела или служить рабом на галере, я, не колеблясь, выберу рабство и начну ворочать веслами, потому что без работы можно сдохнуть от тоски.

В полном отчаянии я решила еще раз расчесать

Рамика, взяла гребень, и тут из прихожей донеслись голоса, мигом забыв про пса, я кинулась на звук.

Около вешалки стоял незнакомый светловолосый мужчина лет сорока.

— Здрассти, — вежливо сказал он.

— Знакомься, Лампудель, — весело воскликнул Вовка, — это Лисица!

Я, не очень-то настроенная разговаривать с майором, мигом заинтересовалась:

— Где лиса?

Блондин улыбнулся:

— Я. Это фамилия такая, Лисица. Разрешите представиться, Юрий Лисица.

— Лампа Романова, — кивнула я, — это имя такое, Лампа.

— Очень мило, — кивнул Юрий.

— Польщена вашим комплиментом, — непонятно почему стала злиться я.

— Тихо, тихо, — захихикал Костин, — если одному от родителей досталась фамилия Лисица, а другая обзавелась имечком Лампа, то кто же тут виноват? Лампудель, сгоноши нам чайку, живенько, с бутербродами!

Я поджала губы, а потом, сказав: «Сам великолепно справишься с этим», ушла к себе, легла на кровать и отвернулась к стене.

— Эй, Лампудель, — крикнул Вовка, входя в комнату, — хватит злиться, я с подарками пришел!

— Спасибо, положи на тумбочку, потом посмотрю.

— Заканчивай дуться!

Я села.

— Ты меня обманул!

— В чем? — изумился Костин.

— Воспользовался тем, что я всегда готова помочь человеку, заставил рассказать кучу подробностей о деле Бурской, а сам! Очень гадко поступил, посадил меня под домашний арест.

Вовка ухмыльнулся:

— Пошли на кухню.

— Ни за что.

— Там подарки! Замечательные, ты о таких мечтала!

Мне стало интересно.

— О чем это я мечтала?

— Давай пошли, — велел Костин.

Я, сгорая от любопытства, послушалась.

На кухне за столом сидел Юрий, перед ним на тарелке лежал кусок хлеба с маслом.

— Отчего вы не взяли ни колбасу, ни сыр? — спросила я.

— Да? — вытаращил глаза Вовка. — И где такое есть?

Следовало ответить: «Конечно же, в тумбочке под телевизором», но после случая с чумой я побаиваюсь шутить, поэтому просто сказала:

— В холодильнике.

— Я нашел там только масло, — забормотал Костин, — сделай нам сандвичи сама.

— Это то, о чем я мечтала?

Костин заулыбался:

— Нет! Это он!

Я уставилась на смущенно потупившегося Лисицу.

— Он? В каком смысле?

— Ты всегда хотела такого, — заявил Вовка.

— Я вовсе не собираюсь выходить замуж, — взвизгнула я, — пусть уходит!

— Я женат! — воскликнул Юрий.

— Тем более!!!

— Лампудель, — засуетился Вовка, — отчего тебе в голову сразу лезут кретинские мысли? Ну кто говорил про свадьбу?

— Спасибо тебе, — окончательно обозлилась я, — ты привел сюда этого медведя с какой целью? Предложить мне его в любовники?

Вовка захлопал глазами, а Юрий быстро сказал:

— Ни в коем случае! И потом, я не Медведь, а Лисица!

— Хоть бы заяц, — рявкнула я, — красный, плюшевый! Шансов нет.

— Она дура? — совершенно спокойно спросил гость у Вовки.

— Нет, — ответил майор, — вернее, не во всех обстоятельствах, просто, как обычно, уперлась рогом в одну версию, остальных не видит, но я знаю, как с ней управляться, сейчас она станет ласковой и нежной.

У меня потемнело в глазах. Схватить сковородку и дать Вовке по башке? Или лучше воспользоваться половником, он железный и дешевый, а сковородочка с антипригарным покрытием стоила бешеных денег, еще испортится тефлон от удара!

И тут Костин торжественно заявил:

— Ты была права во всем, кроме одного: Тину убил не Павел Закревский.

Я рухнула на диванчик.

— А кто?

— Могу рассказать.

— Говори.

— Бутерброды сделаешь?

Не теряя времени, я ринулась к холодильнику, вытащила батон колбасы и принялась резать его со скоростью автомата.

Вовка удовлетворенно хмыкнул и начал:

— Если хочешь узнать, кто убийца, сначала спроси себя: кому выгодно убрать человека, верно?

— В принципе, да, — кивнула я.

— У Тины Бурской на самом деле был сын, она родила его очень рано. Ну да всю эту историю ты знаешь, я начну сразу с того места, как Павел ушел из дома.

Пообщавшись с Каролиной Карловной, юноша отправился домой, прошел в комнату Ирины Константиновны и принялся рыться в ее вещах. Евгений, почитавший мать, как бога, не выбросил ничего: ни платья, ни книги, ни безделушки, просто закрыл спальню, сказав Альбине: «Туда не ходи». Жена, до потери пульса обожавшая мужа, не решилась его ослушаться. А Евгений сделал одну большую ошибку, комнату матери он законсервировал, не разбирая вещей, наверное, посчитал неприличным совать нос в шкафы покойной, впрочем, может, имелась у него какая-то другая причина, но нам важен факт — в спальне Ирины Константиновны долгие годы интерьер оставался таким, как при ее жизни. А в тумбочке у кровати лежал дневник, который пожилая дама вела всю свою жизнь, каждый вечер Ирина записывала события уходящего дня, не пропустила ни одно число. Смерть настигла даму внезапно, она не успела уничтожить документ, а Евгений не знал о дневнике матери, который был чем-то вроде интимного друга Ирине, она, похоже, никому о нем не рассказывала.

Желая найти телефонную книжку покойной, Павлик открыл тумбочку и наткнулся на стопку тетрадей. Очень скоро, прочитав мемуары, он узнал всю правду о браке Альбины и Евгения, о приемных детях Диме и Вале, имелось в записях и упоминание об акушерке Зинаиде, были там и ее адрес, телефон...

Ошеломленный всеми открытиями, юноша ушел из дома, покидая квартиру, он совершил два поступка. Один вполне объяснимый — записал координаты Зинаиды, второй нехороший. Павел взял из коробки, в которой Ирина Константиновна хранила свои драгоценности, пару дорогих колец. Он продал украшения, снял квартиру поступил в парикмахерское училище и попытался начать карьеру стилиста, несколько лет Павел барахтался в нищете, потом слегка поднял голову. Он работал в разных парикмахерских, имел клиентуру, но все это было службой на чужого дядю, ни славы, ни денег ремесло не приносило. Свою родную мать Павел не искал, Зинаиде не звонил, после прочтения дневника Ирины Константиновны Закревский испытывал страх перед родственниками, он твердо решил жить один. История Евгения, Альбины, Каролины и Якова поразила парня в самое сердце, если из-за любви к сыну Ирина Константиновна способна была сделать несчастными кучу людей: Альбину, Каролину, детей, то не нужна Павлику любовь вообще. А его мать, скорей всего, беспутная баба, не очень-то она обрадуется, увидев повзрослевшего сына. В общем, жизнь Павла была беспросветна: материальное неблагополучие, неудачная карьера и одиночество. Закревский, внешне веселый, приятный, не желал заводить ни друзей, ни любовниц. Нет, он не жил аскетом, но, как только понимал, что очередная девушка начинает вползать к нему в сердце, мигом обрывал отношения, перед глазами Павла вставала страница из дневника Ирины Константиновны и фраза: «Пусть весь мир зальется слезами, но мой сын должен быть счастлив». Такой любви Павел не хотел.

Удача к нему пришла, как к большинству людей, внезапно. Как-то раз одна из клиенток спросила:

— Ты ездишь на дом?

— Отчего нет, — ответил Павел, — за двойную оплату куда угодно.

— Замечательно, — обрадовалась дама, — слышал когда-нибудь об актрисе Тине Бурской?

Закревский напряг память.

— Сериал «Лента»? Она там главную роль играла.

— Верно, — кивнула клиентка. — Тина моя хорошая знакомая, ее парикмахер сломал ногу, можешь ее сегодня причесать?

— После трех без проблем, — кивнул Павлик.

Вот так он оказался у Бурской. Первое, что ему сказала Тина, было:

— У меня аллергия на все краски для волос, кроме хны, басмы и всяких народных средств.

Павел улыбнулся:

— Надо же! У меня тоже, я всегда страдаю, когда крашу клиентку. Впрочем, сейчас есть много альтернативных средств. Как укладывать будем?

Тина улыбнулась:

— Красиво и осторожно. У меня на затылке, под волосами есть большая родинка, на ножке, смотрите не заденьте, вот тут...

Павлик чуть не уронил расческу, у него тоже имелась такая, причем именно в том же месте, что и у Тины. Осторожно зачесав волосы новой клиентки назад, парикмахер глянул в зеркало и ахнул: на него смотрели два совершенно одинаковых лица, высокие скулы, широкий лоб, тонкий нос с нервными ноздрями, маленький подбородок с ямочкой, большие небесно-голубые глаза и, что окончательно добило Павла, слегка искривленная раковина правого уха.

Сложив вместе увиденное, прибавив родинку на ножке и аллергию на краску, Павел принялся действовать. Конечно, все это могло быть просто дикой случайностью, и еще его настораживал возраст Тины, получалось, что та произвела ребенка на свет (если конечно, она его вообще рожала) школьницей. Отчего Павел сразу решил, что Тина его мать? Может, что-то почувствовал, он сам сейчас не может объяснить, почему бросился к Зинаиде.

Глава 35

И тут судьба решила наградить молодого мужчину за все лишения и тяготы. Зинаида оказалась жива, более того, она находилась в полном разуме и поддалась на уговоры Павла.

— Да, — сказала она, — Тина Бурская твоя мать, это просто мистическая история!

— Какая? — напрягся Павел.

Зинаида вздохнула:

— Я помогала сначала Ирине Константиновне, не спрашивай, что нас связывало, не расскажу. Но именно я сначала нашла Диму, затем Валю и помогла с документами на детей. У меня всегда имелись большие связи. Я же после смерти Ирины Константиновны очень хорошо понимала, что Евгений, который обратился ко мне за помощью, не сумеет жить около невольной убийцы матери, и нашла семью Бурских. Я раздобыла и фальшивые бумаги — свидетельство о рождении на имя Эвелины Бурской и бумагу о смерти Валентины Закревской.

— Ничего не понимаю! — оторопел Павел.

И тогда Зинаида рассказала ему про кончину Ирины Константиновны.

— Вот какие фортели выделывает судьба, — вздыхала акушерка. — Через много лет после этого ко мне снова приехал Евгений и снова попросил найти ему ребенка, не успел он уехать, как прибежала Тоня Бурская и стала, рыдая, рассказывать, что Тина беременна, аборт уже нельзя сделать. Я немедленно сказала: пристрою малыша. Вот как случается! Сначала за большие деньги Тоня и Григорий взялись воспитывать Валю, названную ими Эвелиной. Бурским очень хотелось новую квартиру, и они ее получили благодаря мне, а потом сын Тины поехал к Евгению. Жизнь такие коленца выкидывает. Впрочем, имени настоящей матери мальчика Евгений не знал, отдала ему тебя уже с готовым свидетельством: Павел Закревский. Мать — Альбина, отец Евгений. Да и Тоне Бурской не сообщила, куда внук подевался, ее это, кстати, не интересовало, исчез — и хорошо.

От Зины Павел поехал к Бурской и сказал:

— Я ваш сын.

Валентина сначала испугалась, потом не поверила и бросилась к мужу. В свое время она, идя в загс, не утаила от жениха правды о родах. Семен почесал в затылке и велел жене вместе с Павлом идти на генную экспертизу.

— Не возражай, — сказал он супруге, — если парень мошенник, то он откажется, а если искренне верит в эту сказочную историю, то лучше нам иметь на руках документ, где черным по белому будет указано, что вы не родственники.

Павел моментально согласился на анализ, так Тина узнала: она на самом деле его мать.

Семен, ошеломленный правдой, велел всем молчать. Павлика Бурская начала выводить в свет, она старалась помочь обретенному сыну стать востребованным в среде театра и шоу-бизнеса стилистом. Мигом поползли слухи, но Семен сказал:

— Пусть лучше считают тебя неверной женой, чем матерью, бросившей младенца. В первом случае почешут языками и забудут, а во втором твоему имиджу будет нанесен сокрушительный удар, не сумеешь более выступать в привычном амплуа.

Через некоторое время Павел встретил Жанну. Закревский впервые в жизни влюбился, незадачливая актриска ответила ему взаимностью, Тина, для которой желание искупить вину перед сыном превратилось в манию, взялась составить протекцию девушке, языки замололи с новой силой. Неизвестно, как бы разрешилась ситуация, но тут Тина погибла, следом умер Семен.

— Его кончина была естественной? — перебила я.

— Да, — кивнул Костин, — сомнений нет, обширный инфаркт, у Семена давно болело сердце, оно просто не выдержало, никакого криминала тут нет.

Кстати, в сейфе найдено завещание, в нем называется наследник имущества, а к бумаге прилагается результат генной экспертизы и большое письмо, сообщающее, что Закревский сын Бурской.

— Вот! — радостно закричала я. — Он убийца! Чьи деньги? Чей дом? Как ты говорил: «Найди того, кому выгодна смерть Бурской».

— Нет, — ответил Володя, — Павел искренне полюбил Тину и Семена, он сейчас даже попал в больницу.

— Врет!

— У него алиби.

— Какое?

— Тина умерла, выпив воды?

— Да... Павел подсунул бутылку, убрал приготовленный реквизитором Алисой «Дуар» и...

— Поставил «Речную»? — хмыкнул Вовка. — Лампа, Павел тесно общался с Тиной и знал, что она пьет только «Дуар», бутылку подменил другой человек, он был не в курсе привычек актрисы.

— Павел был уверен, что Бурская на сцене выпьет любую воду, — настаивала я, — а скандал потом не устроит, потому что умрет!

— Минералку подменили за пару минут до твоего выхода, а в тот момент, когда Тина глотала воду, Павел находился совсем в другом месте!

— Где?!!

— В загсе.

— Где?!!

Вовка вздохнул.

— Павел очень любит Жанну, он решил, не посвящая мать, сделать предложение девушке, договорился в загсе, заплатил сотрудницам, и те пошли на нарушение, остались после работы, чтобы тихо, келейно расписать пару. Павел хотел сделать Жанне сюрприз. Устроил дело и позвонил ей на мобильный, та как раз сидела у вас дома.

Жанна взяла трубку и услышала:

— Милая, немедленно приезжай, я жду тебя возле загса с цветами, приглашаю на нашу свадьбу! Держу в руках коробочку с кольцами.

— Вот почему она оставила Ириску! — воскликнула я.

— Ну да, — кивнул Вовка, — бросилась опрометью к любимому с температурой, забыла о болезни, хлопнула дверью... О собачке и не вспомнила! Вот зайца схватила, в связи со всеми событиями Жанна твердо уверилась: красный длинноухий — ее талисман, она с ним никогда не расстанется. Сначала он ее от смерти спас, а потом Павлик предложение ей сделал, в тот же день. Нет, зайчика она никак забыть не могла. Он явно приносил ей удачу, а вот Ириску из памяти выдуло. В тот момент, когда начался спектакль, Павлик надевал на палец Жанны кольцо. Конечно, Закревский поступил не очень красиво, не предупредив мать о задуманном, но он просто хотел заполучить любимую и полагал, что Бурская его простит.

— Вот почему Жанна, звоня Алисе, сказала: «Я в раю!»

— Ага, она ничего не знала про смерть Тины, они с Павликом проводили время в гостинице. Но, услыхав о произошедшем, Жанна перепугалась, Павлик бросился в театр, оставив молодую жену в отеле. Но по дороге ему стало плохо прямо на улице, и его отправили в больницу, Жанна стала звонить мужу, трубку взял врач «Скорой помощи» и рявкнул:

— Вся болтовня потом!

А затем сотовый и вовсе отключился.

Жанна испугалась до потери пульса, она решила, что Павла арестовали, а она следующая...

— Бред! — подскочила я.

— Я не оцениваю ее поведение, а рассказываю о совершенных Жанной поступках, — нахмурился Костин, — она позвонила тебе, ну и дальнейшее известно.

— Откуда взялся красный заяц? — завопила я.

Костин ухмыльнулся:

— Тина Бурская, употребив все свое влияние, добилась для Жанны главной роли в спектакле «Апельсин». Премьера должна была состояться через две недели. Но на исполнение этой же героини претендовала и Софья Сергеевна Щепкина. Дама устроила дикий скандал режиссеру, директору и тоже стала репетировать роль. Тина, видя, что Софья не желает уступать, отправилась к Батурину и заявила:

— Или на премьере выходит Жанна, или Семен более никогда не дает денег театру.

Юлий испугался, вызвал к себе Щепкину и прямым текстом сказал:

— В «Апельсине» первым составом играет Жанна! Ты на подмене.

Софья Сергеевна затаила злобу и решила извести соперницу. Она купила штук двадцать здоровенных зайцев и позвонила Жанне от лица директора сериала «Загробные тайны». Естественно, актриса клюнула и в девять утра вынеслась из дома. Щепкина же была и той женщиной-экстрасенсом, которая предупреждала ее о зайце. В нужный час Софья Сергеевна притаилась на остановке, посадила на скамейку длинноухого и стала ждать. По ее расчету, Жанна должна была испугаться, увидев зайчика.

Дальнейшее виделось ей так: девушка приезжает на студию, узнает, что сериала нет, недоумевая, отправляется в театр, а в гримерке сидит еще один заяц, такой же! Жанна начнет нервничать, ей непонятно, что происходит. И опять звонок от таинственной дамы: «Не играй в «Апельсине»!» Жанна отправляется домой, а у дверей зайчик! Наутро — другой! И так больше десяти дней подряд. Кульминация должна была наступить на премьере. Щепкина договорилась с одной из своих фанаток, купила той билет в первый ряд, баба должна была в середине первого акта, когда Жанна произносит трагический монолог, встать и посадить на авансцену очередного красного зайца.

Софья Сергеевна рассчитывала на то, что актриса, напуганная идиотскими звонками и постоянными встречами с красными зайцами, забудет текст и провалит премьеру. Наверное, ее план мог удаться, но Жанна, увидав на остановке игрушку, сразу жутко перепугалась и не сумела тронуть машину с места, что спасло ей жизнь. Щепкина стала свидетельницей аварии...

— Это она стояла на остановке! Я видела женщину, только та была бедно одета, походила на нищую, внешне ничего общего не имела с молодящейся Софьей Сергеевной.

— Лампа, — укоризненно воскликнул Костин, — Щепкина же актриса! Кстати, увидев аварию, она перепугалась не меньше Жанны и убежала прочь. Вот и все про красного зайца, никакой мистики. Мне тут понарассказали историй о том, как актеры убирают соперников! Поверь, придумка Софьи Сергеевны еще не самая жестокая. Кто же знал, что на перекресток выскочит грузовик с пьяным водителем за рулем! Жанна должна Щепкиной подарок купить, Софья хотела сделать ей гадость, а спасла жизнь.

— Так кто же убил Тину?

Вовка почесал нос.

— Сначала расскажу неизвестные тебе факты. Понимаешь, мода — дело тонкое. Никто на самом деле не понимает, отчего один актер взлетает на гребень славы, а другой, такой же талантливый, никому не нужен. Но и тот, кто получил признание, может легко свалиться вниз, достаточно пары неудачных ролей, и зритель отвернется от бывшего кумира, а режиссеры перестанут приглашать его в проекты.

Тина Бурская стала постепенно терять популярность. Первый звонок прозвенел пару лет назад, когда она снялась в абсолютно провальном сериале. Семен предупреждал жену:

— Не берись за эту работу.

Но Бурская отмахнулась и горько пожалела об этом. Потом она услышала о начале съемок по роману известного писателя и сама позвонила режиссеру со словами:

— Я готова на главную роль.

Но неожиданно услышала в ответ:

— Ах, Валентина Григорьевна, ваше предложение — огромная честь для нас, но, увы, исполнительница уже подобрана, с ней подписан контракт.

Это был удар! Тина приуныла, на помощь жене пришел муж.

— Скажи-ка, — спросил он, — ты знаешь, отчего актриса Кондратьева сейчас снова на плаву?

— Сама удивляюсь, — кисло ответила Тина, — вроде она сошла совсем, ан нет! Опять блистает!

Семен хмыкнул:

— Кондратьева издала книгу «Моя жизнь в большом сексе», разоткровенничалась дальше некуда, назвала кучу фамилий, перемешала правду с ложью. Народ любит «желтые» мемуары, книжонка улетела с прилавков со свистом, Кондратьева стала давать интервью в газетах, по радио, на телике... Ясно? Отсюда и новые роли. Расчет прост: о дуре без конца говорят, следовательно, и на фильмы с ее участием побегут. Тебе надо поступить так же!

Тина разинула рот.

— С ума сошел! У меня-то не было любовников.

Семен кивнул:

— Верно. Зато есть удивительная семейная история про неродную сестру... Тебе же мама рассказала правду! Надо сделать книгу под названием... э... «Семейные тайны великой». И в ней рассказать о Павле, покаяться. Представляешь резонанс? Да газеты с ума сойдут, народ косяком в «Лео» попрет!

— Ни за что, — отрезала Тина.

— Правда может вылезти наружу и без твоего желания, — заметил Семен. — Акушерка Зинаида много лет молчит, но вдруг она решит продать сведения журналюгам?

— Она сама по уши в пуху, — рявкнула Тина, — такие дела незаконно проворачивала! Будет тихо сидеть!

— Павлу же она рассказала правду! — напомнил Семен.

Бурская призадумалась.

— Она ко мне когда-то подходила с букетом, просила билет на юбилейный спектакль.

— А ты?

— Послала ее.

— Плохо! Теперь баба затаила обиду, — сказал Семен, — лучше самой выложить нелицеприятную правду, чем потом оправдываться.

— Я пока не готова!

— А сейчас и не надо, — кивнул муж, — дело непростое, сначала следует собрать сведения. Значит, живем по-прежнему, а книга пишется. Никаких намеков на родственную связь с Павлом, все молчат, издание должно произвести эффект разорвавшейся бомбы.

Павел, при котором происходила беседа, кивнул, а Тина после некоторого колебания ответила: «Ладно».

Семен обратился в издательство «Марко», там заинтересовались проектом и выделили для его осуществления девушку Владу, большую мастерицу по написанию подобных историй. Влада талантлива, но она обладает не только легким пером, а еще и умеет собирать факты, раскрывать чужие секреты, раскапывать тщательно похороненные тайны.

— Она приходила к Варваре Михайловне и украла снимки! — воскликнула я.

— Верно, — подхватил Вовка, — но еще девица побывала у Альбины, напугала ее. Ожешко поняла, что Влада знает слишком много, более того, девица, чтобы выудить у пожилой дамы информацию, соврала. Она сообщила ей, что рукопись *уже* написана, но издательство не хочет публиковать ее, не проверив поистине шокирующие факты! И еще девушка, естественно, сказала, что книгу написала сама Бурская, а она, Влада, лишь проверяет факты. Альбина выгнала Владу вон, заявив той: «Ступайте прочь, все ложь». Девица ушла, а Ожешко впала в панику, ее тайны вылезут наружу, надо срочно уничтожить рукопись. Она хоть и хитра, но после смерти мужа крыша у нее поехала, она не думала о том, что свидетелей тех событий нет.

— Постой, — забубнила я, — Альбина умерла страшной смертью! Лежала непогребенной в квартире.

— Нет! — воскликнул Костин. — Дело было не так. В доме, где большую часть жизни провела Ожешко, работала лифтерша по фамилии Старкина. После того как Альбина выгнала Настю и Павлика, она наняла ее в прислуги. Как раз в этот момент дом начал приходить в запустение, консьержек уволили, а Старкина раз в две недели заходила к Ожешко: убирала, стирала, в общем, помогала.

Испуганная визитом Влады, Альбина предложила Старкиной:

— Давайте вы станете жить тут под моим именем, а я перееду в вашу квартиру, мы просто поменяемся паспортами, внешне мы похожи, седые букли, овал лица, я с соседями не общаюсь, вы тоже.

Предложение было странным, но нищая и совершенно одинокая Старкина согласилась, не задумываясь. Во-первых, Альбина Фелицатовна дала ей внушительную сумму денег, во-вторых, жить ей предстояло в хорошей квартире, набитой красивыми вещами, да еще Старкина к старости впала в детство. Она усмотрела в предложении Ожешко для себя одни лишь плюсы и согласилась.

— А откуда у Альбины деньги? Она давно живет на одну пенсию.

— Альбина нашла драгоценности свекрови и продала картины, заменив их репродукциями. Получилась солидная сумма.

Ожешко не боялась разоблачения, сама она давно ни с кем не общалась, Старкина тоже не имела ни родни, ни приятелей, кроме того, она знала, что та тяжело больна и долго не протянет. Умрет под ее фамилией — и концы в воду.

— Варвара Михайловна как-то встретила Ожешко на улице и была поражена произошедшей с ней метаморфозой, — шепнула я.

— Ага, — согласился Вовка, — то была Старкина. Но сплетница ничего не заподозрила, решила, что давно не виденную знакомую изменили до неузнаваемости старость и маразм. Это тело Старкиной нашли в квартире, а еще до ее смерти Альбина нанялась в театр «Лео», ей надо было втереться в доверие к Тине, оказаться у нее дома и выкрасть рукопись!

— Да чего она боялась, ведь после смерти Старкиной, которую все считали Ожешко, публикация книги не должна была пугать? — спросила я.

— Не забывай, что она не во всем была адекватна, она внушала себе, что вся правда о ней выплывет наружу после издания рукописи, — ответил Костин, — кроме того, Старкина еще была жива.

— Да какая правда? О наклонностях ее мужа и приемных детях, что в этом страшного? — не отставала я.

— Вот привязалась, — с досадой сказал Вовка, — не лезь поперед батьки в пекло! Скоро узнаешь, чего именно она боялась до потери пульса, так, что не соображала: свидетелей ее преступлений нет.

— Каких преступлений?! — заорала я.

— Лампа, слушай, не перебивая, а то я вообще замолчу! — рявкнул Костин.

Я притихла... на время. Ну, майор, погоди!

А Вовка продолжал:

— Альбина старалась сблизиться с Тиной, но уже вскоре ей стало понятно: звезда ведет очень замкнутый образ жизни, у нее узкий круг друзей, никто из театра в доме у Бурской не бывает, и у Ожешко нет шансов попасть в особняк. Альбина призадумалась, и неизвестно, как бы она повела себя дальше, но в один далеко не прекрасный день за Тиной приехал муж. Семен не стал входить в театр, ждал жену в машине, Ожешко увидела, как он вышел из иномарки, закурил, а потом из задней двери машины выбралась Влада с сигаретой. Альбину словно ударили по голове, сотрудница издательства здесь, значит, работа идет, надо срочно уничтожить рукопись. Но как попасть в дом? И тут в голову интеллигентной старушки пришла замечательная мысль: если Тину убить, то будут поминки. Их обычно проводят дома, и никому в такой момент в рюмке не отказывают. Ясное дело, актеры «Лео» пойдут помянуть коллегу, Альбина поедет со всеми и, когда основная масса народа напьется, спокойно пошарит по дому, найдет рукопись... И потом, нет Тины, нет и всех ее тайн!

— С какой стати она решила, что книга написана от руки, — хмыкнула я, — скорей всего, ее набирали на компьютере.

Вовка кивнул:

— Это ошибка Ожешко, не забудь, сколько ей лет, дама как-то упустила из виду такую вещь, как компьютер, в ее понимании рукопись — это исписанные от руки листы. Но давай все по порядку.

Первая часть плана Альбине удается великолепно. Она знает, как поступить, у нее есть опыт.

— Опыт чего? — насторожилась я. — Убийства?

— Дай договорить, — обозлился Вовка, — сейчас все узнаешь. Альбина в курсе, что в кулисах для реквизита стоит специальный стол, она знает, что вещи с него брать нельзя, и прячет бутылку с водой. Спрятавшись в кулисе, старуха видит, как «Жанна», а на самом деле ты подходишь к подносу, слышит возглас Алисы: «Ой, вода», и удостоверяется, что все идет по плану. Алиса уносится за реквизитом, «Жанна», отвернувшись, смотрит на зал. Хоп, и на подносе уже стоит бутылка «Речной». Альбина не в курсе привычек Тины, Ожешко самой безразлична марка минералки. Очень хорошо понимая, что «Жанна» сейчас нальет воду в чашку и пойдет на сцену, Альбина уходит, ей надо под любым предлогом задержать Алису, чтобы та не успела притащить воду.

— Но зачем такой спектакль? Не проще ли было отравить Тину в гримерке?

— По разумению старухи, нет. В бутылке большая доза сильнодействующего сердечного лекарства. Знаешь один из основных постулатов фармацевтов? В капле лекарство — в чашке яд. Альбина хорошо знает, что препарат убьет Тину почти мгновенно. Если это случится за кулисами, под подозрением окажутся все, проверять станут и ее, глядишь, и докопаются до истины. А так есть готовая убийца — Жанна, она налила воду, правда, на бутылке нет отпечатков пальцев, на актрисе перчатки, и Альбина несла ее в перчатках, она тщательно вытерла пластик перед тем, как поставить на тумбу. Весь театр сплетничает о странном треугольнике Тина — Павел — Жанна, вот и замечательный мотив — ревность!

— Но Ожешко поступила глупо! — воскликнула я. — Из этой истории повсюду торчат уши!

Вовка вздохнул:

— Лампа, мы сейчас не обсуждаем идеальное преступление, я говорю о том, что думала Альбина. Ей казалось, будто убийство задумано и выполнено блестяще. Тина умерла, с ней погибли все тайны. Альбина очень боялась Валентину Бурскую, очень!

Глава 36

Отравив актрису, старуха расправляет крылья. Все идет просто великолепно, Жанна скрывается, ее ищут, и весь театр уверен — актриса уничтожила благодетельницу, чтобы заполучить Павлика.

После похорон вместе со всеми Альбина едет в особняк Бурской. Смерть Семена у гроба жены — неожиданный подарок старухе, все деморализованы, близких родственников у скончавшихся нет, поминки проводить некому, хозяева дома погибли, кто помешает ей шарить по комнатам?

И снова удача вначале благосклонна к Ожешко. Альбина спокойно проникает на половину хозяев и начинает рыться в шкафах. В самый разгар поисков она слышит гневный голос:

— Эй, ты что тут делаешь?

Альбина в ужасе поворачивается, перед ней стоит Эвелина.

— Воровать надумала? — хмурится уголовница.

Но Ожешко уже пришла в себя.

— Сама зачем сюда явилась? — отбивает она мяч.

— Я хозяйка, — гордо отвечает Эва, — владелица особняка.

— Все умерли, — пятится Альбина.

— Я жива!

Ожешко усмехается:

— И с какого боку ты хозяйка?

Тут Эвелина достает паспорт и сует Альбине под нос.

— Смотри! Я — Эвелина Григорьевна Бурская, младшая сестра Валентины. Теперь все мое! Да уж, не ожидала она, всю жизнь меня, приемыша, ненавидела, а вот что вышло...

Эвелина начинает рассказывать о несчастном детстве. Младшей Бурской кружит голову осознание того, что она стала богатой...

Ожешко чуть не теряет сознание, ей делается страшно...

— Почему?! — не вынесла я.

Костин вздохнул:

— Лампудель, ты не поняла главного! Альбина не первый раз убивает человека. Да, она очень любила

Евгения и не хотела, чтобы нелицеприятная правда о его сексуальных наклонностях вылезла наружу. Но в рукописи Тины могли быть и факты, разоблачающие Ожешко. Так она, по крайней мере, думала.

— Какие?

— Отчего умерла Ирина Константиновна?

— Мать Евгения? Да сто раз об этом говорили! Ее случайно отравила маленькая Валечка.

— Нет!

Я разинула рот.

— Не так дело было, — мрачно сказал Вовка, — Альбина ненавидела Ирину Константиновну, Ожешко обожала Евгения и лишь поэтому согласилась на фиктивный брак. Она надеялась, что муж в конце концов забудет Якова, и делала все возможное, чтобы привлечь супруга. Только Ирина Константиновна постоянно мешала невестке. Сначала перетащила Хованских в свой дом и пробила дверь для удобства общения мужчин, затем повесила на Альбину мальчика Диму. Ожешко, скрипя зубами, изображала счастливую семейную даму. Евгений любил мать, просто обожествлял ее, и Альбина понимала: одно слово критики с ее стороны, и любимый Женечка отвернется от супруги навсегда. А Ирина Константиновна безраздельно властвовала в квартире, постоянно намекая Альбине: ты никто, и звать тебя никак. Она воспитывала девочку из милости, а сейчас держит как прикрытие: сиди и молчи, твое место у плиты. Появление Валечки окончательно обозлило Альбину, и она решила разом избавиться от всех: убить свекровь и свалить ответственность за случившееся на крошку. Это Альбина налила в стакан лекарство, пока Ирина Константиновна ходила на лоджию за холодной водой, опустошила пузырек, держа его салфеткой, а потом протянула Валечке со словами:

— Теперь ты поиграй!

Девочка радостно схватила флакончик, оставив на

нем отпечатки пальчиков, и стала с ним играть, а Альбина быстро ушла и легла в кровать. Все вышло, как задумала Ожешко. Дима на экскурсии, Евгений на работе, няньки Насти нету дома, ее отправили купить колготки, в те времена справиться с задачей за час было невозможно, Анастасия вернулась, когда дом уже был полон милиции. Свидетелей преступления не было, произошедшее сочли несчастным случаем. Валечка, правда, лепетала: «Мы с мамой играли», но следователь не придал этому значения.

Валентину отдали Бурским. То, что Антонина поменяла ей имя на Эвелину, Альбина не знала, предполагала, что ребенка по-прежнему зовут Валя. Вот почему Ожешко так испугалась, услыхав про книгу воспоминаний Тины Бурской, вот отчего окаменела, услышав от Влады вопрос:

— Говорят, ваша свекровь скончалась при очень странных обстоятельствах!

Альбина, как все убийцы, боится разоблачения. Конечно, Валечка была очень мала, но вдруг она что-то вспомнила и теперь может обвинить Ожешко?

— Бред какой-то, — прошептала я.

— Это тебе так кажется, — сказал Вовка, — ты не живешь всю жизнь с двумя убийствами в анамнезе, поэтому можешь рассуждать спокойно. А Альбина на этой почве почти помешалась.

— Двумя?!

— А Дима? Про него забыла? Альбина удачно избавилась от Вали, но дома остался Дима.

— А он ей чем помешал?

— Ну, во-первых, мальчик Альбине не нужен, она хочет жить с мужем вдвоем, а во-вторых, спустя некоторое время Димочка, увидев, как Евгений выносит кувшин с горячей водой на лоджию, кричит: «Ой, не делай так, бабушка умерла, потому что ушла за водой».

Альбина вздрагивает, в ее мозгу вспыхивает мысль: мальчик, хоть его и не было дома во время убийства, что-то знает! На самом деле Дима абсолютно не в курсе произошедшего, он просто напуган смертью Ирины Константиновны, и все, но у Ожешко, как у всех убийц, мысли направлены лишь на то, чтобы уничтожить улики. Она моментально решает избавиться на всякий случай и от Димы. Дело вновь обставляется как несчастный случай. Летом на даче, когда мальчик ложится спать, Альбина закрывает заслонку и уезжает в райцентр, там ей, как всегда, везет, в магазинчике «выбрасывают» в продажу детскую обувь, Ожешко пристраивается в хвост очереди и, купив ботиночки для уже покойного мальчика, едет в деревню. Ее многочасовое отсутствие, во время которого ребенок угорел, вполне оправдано, дама покупала сыну обувь.

Костин замолчал.

— Павлика она просто выгнала, — прошептала я, — и объявила умершим.

— Ага, — кивнул Вовка, — она купила соответствующий документ в сельсовете. Повезло парню, а то, думаю, и его бы она... В конце концов Альбина добилась своего, осталась одна, наконец-то стала жить в свое удовольствие. Ее боль от утраты Евгения утихла, дама впервые в жизни ощутила себя счастливой. Ведь, по большому счету, всеобъемлющая любовь к мужу изуродовала Альбину, сделала ее убийцей. Счастье пришло лишь после того, как все члены семьи оставили Ожешко. Евгения больше не было, не надо завоевывать его любовь, можно жить тихо, в свое удовольствие, не испытывая тоски от неутоленной страсти, ревности и безнадежности. Мысль: «Он меня никогда не полюбит» — более не мучила Альбину, она освободилась от проклятия, похоронила прошлое, а потом оно внезапно воскресло и стало угрожать ее благополучию и душевному комфорту.

— Странно, что она не тронула Настю, — прошептала я, — та очень многое знала.

— Но не все, — отозвался Вовка. — Ожешко просто выгнала няньку, понимая, что у той никаких доказательств нет. И о чем могла рассказать Настя. О передаче Вали в другую семью? Но это не преступление. О том, что девочку объявили мертвой? Нет, Альбина вначале не боялась няньки, чувствовала, что та ей не угроза. Вот когда появилась Влада, старуха испугалась и позвонила Насте, представилась... Каролиной Карловной, услышала от дочери няньки, что мать умерла, и успокоилась! Альбина вообще до встречи с Эвелиной была спокойна, ей казалось, что следы заметены. Даже наличие рукописи перестало ее пугать, конечно, хорошо было бы мемуары найти и сжечь, но после совершенно внезапной смерти Семена они потеряли свою значимость. Ну кто станет заниматься их изданием? Поэтому Ожешко особо и не расстроилась, не найдя бумаг, и тут встреча с Эвелиной! Выслушав экзальтированный рассказ уголовницы, которая теперь готова сообщить детали своей биографии каждому встречному, Альбина в ужасе понимает: вышла ошибка! Девочка Валечка-то жива, вот она!

Следует срочно избавиться от нее. Тина Бурская — не та Валя! Получается, что Альбина зря убила актрису! В самый кульминационный момент беседы появляется горничная, потом охранник, и выставляют Ожешко с Эвелиной. Последняя размахивает паспортом и кричит:

— Я теперь ваша хозяйка!

Но секьюрити спокойно ей отвечает:

— Может, и так, я ничего пока не знаю, спуститесь на первый этаж, прикажут на вас работать — спорить не стану, но пока я вам не подчиняюсь.

Разъяренная Эва, матерясь, уходит, Альбина семенит за ней. В голове Ожешко возник план, он все тот же. В свое время Альбина убила свекровь лекарством, налитым в воду, потом то же самое проделала с Тиной, теперь на очереди Эва. Пузырек у Ожешко в сумке, она сама принимает этот старый, давно известный препарат. Поэтому старуха мгновенно выливает весь флакончик в бокал с коньяком, берет еще один фужер для себя, подходит к Эве и смиренно говорит:

— Извините, давайте выпьем с вами за дружбу, вы теперь тут хозяйка, скоро въедете, поселитесь здесь. Дай вам бог счастья в этих стенах.

Эвелина, не чуя подвоха, хватает бакал. Она давно завязала с выпивкой, боится за свое здоровье, но уж больно велик повод, вот оно, богатство! И женщина одним махом опрокидывает бокал. Через пару секунд ей становится плохо, но, очевидно, несмотря на больные почки, Эва более крепкая, чем Тина. Актриса умерла почти сразу, а Эвелина решает выйти во двор, думая, что на свежем воздухе ей станет легче. Она покидает здание, делает несколько шагов по дорожке и падает замертво за мусорными бачками.

Все. Действие окончено, занавес. Альбине более некого бояться. Не желая вызвать подозрений, она решает поработать в театре еще пару недель и уволиться. Батурин платит техническому составу копейки, поэтому в «Лео» текучка, уход Альбины не вызовет удивления.

— Альбину арестовали?

— Да.

— Как мне хочется на нее посмотреть!

— Ты ее видела!

— Нет, не довелось, я успела познакомиться в театре лишь со считаными людьми.

— Она среди них.

— Не может быть. Щепкина?! Софья Сергеевна!!!

— Нет.

— Но больше людей пожилого возраста я там не встречала.

— Подумай! Помнишь, ты говорила, что на поминках столкнулась с пожилой дамой, вы встретились в холле, она держала в руках бокал с коньяком. Тебя слегка удивил напиток, он не вязался, так сказать, с имиджем бабуси. Между прочим, милая старушка только что, за пару минут до твоего появления, отравила Эву и шла прочь с места преступления...

— Баба Лена! Вахтерша! Такая приветливая бабулечка! Вот почему она так странно разговаривала, то как неграмотная старуха, то как интеллигентная дама.

Костин кивнул:

— Да. Старательно играла роль, но иногда забывалась. Сейчас она у нас и дала подробные показания.

Я потеряла на время дар речи, а Вовка продолжал:

— Вопросы есть?

— Да, — выдавила я из себя.

— Что-то непонятно?

— Лишь один нюанс.

— Какой?

— Эвелина знала имя сына Бурской? Зинаида ей открыла правду?

— Но она же делала документы для младенца.

— Почему тогда акушерка мне не назвала фамилию «Закревский», отчего отправила к Ожешко?

Костин вздохнул:

— Тут чистая психология, вернее, патология. Я ведь задал Зинаиде те же вопросы, а она в ответ: «Меня сильно обидела Тина. Я хотела ей отомстить, оттого и открыла Эве правду. Но, несмотря на противозаконные делишки, которые акушерка проделывала всю жизнь, рассказать несчастной, угнетаемой в детстве Эве правду показалось Зине справедливым. Да и Павлу она сообщила истину. А журналистке не стала, сочла сей поступок неблагородным.

— Но она рассказала мне про Ожешко!

— Да, я спросил у Зинаиды и об этом, а та заныла:

я храню чужие тайны свято, хотела лишь отомстить Тине, пора людям знать правду, но имени Павла не назвала, только про Альбину упомянула...

— Ну не глупо ли! — воскликнула я.

Костин развел руками:

— Ей и гадость Тине сделать хотелось, и боязно было, она никак решить не могла: наказать ей Бурскую или простить ее. Впрочем, не стоит далее обсуждать это, кстати, я обещал тебе подарок.

— Ага, — прошептала я.

— Вот он — Юра Лисица, владелец одного из лучших в Москве детективных агентств под названием «Лиса».

Я уставилась на Юрия, тот заулыбался.

— Мы когда-то работали вместе, — продолжал Вовка, — теперь Юрка частный сыщик... В общем, он берет тебя на службу, ему нужна проворная помощница, активная, любящая экстремальные ситуации, женщина-адреналин, вы сработаетесь. Юрка наслышан о твоих подвигах.

— Счастлив взять вас к себе, — сказал Лисица, — в особенности после того, что рассказал мне о госпоже Романовой Володя, я давно искал такую сотрудницу, можете приступать к работе прямо завтра.

Я икнула и сказала Костину:

— Но до сих пор ты был против моей детективной деятельности!

— Остановить Лампу невозможно, — хмыкнул Вовка, — опять влезет куда не надо. Взять тебя к себе в отдел я не могу, пусть уж Юрка с тобой сотрудничает, в конце концов, жестоко лишать тебя любимого дела!

Я бросилась Костину на шею:

— Милый! Спасибо! Поверь, я отблагодарю тебя! Котлеты будут каждый день! Пироги с мясом!

Вовка оторвал меня от себя.

— Котлеты — это хорошо, — задумчиво протянул он, — но меня греет другая мысль.

— Какая? — с обожанием глядя на майора, поинтересовалась я.

— Наконец-то госпожа Евлампия Романова перестанет быть моей головной болью, — сообщил Костин, — пусть теперь Юрка помучается!

ЭПИЛОГ

Лисица взял меня на службу, и о том, чем я теперь занимаюсь, я обязательно расскажу вам, но в другой раз.

Альбина Фелицатовна лежит в больнице, правда не в обычной, а тюремного типа, палата заперта на ключ, на окнах решетки. Но это все же не следственный изолятор с его суровыми нравами, а клиника, где вместо надзирателей врачи. Суда пока не было, он состоится тогда, когда медицина даст разрешение, а, учитывая почтенный возраст Ожешко, думаю, она не скоро очутится на скамье подсудимых, если, конечно, вообще там окажется. Пока что Альбина Фелицатовна очень больна: сердце, давление, нервы... У нее случился инсульт, но не обширный, говорить и передвигаться она вполне способна.

Павел стал наследником имущества Семена и Тины. Закревский рачительно распорядился упавшими с неба деньгами, он открыл в Москве салон и стремительно входит в моду. Жанна играет теперь в «Лео» главные роли, Павел щедро спонсирует театр, и Щепкиной пришлось прикусить раздвоенный язык. Она побаивается, что, став меценатом, Закревский не простит стареющей приме историю с красным зайцем и сделает все для того, чтобы Софью Сергеевну выгнали вон.

Павел и Жанна живут душа в душу, а Ириска носится по огромному загородному дому, кстати, Закревский хочет, чтобы «Лео» теперь назывался «Театр имени Тины Бурской».

Наша семья здравствует, никаких особых коллизий в доме не происходит, я спокойно работаю с Юрой. Впрочем, есть и кое-какие новости.

Пару недель назад я мирно собиралась на службу, но меня отвлек от сборов звонок мобильного.

— Лампа Романова? — спросил равнодушный мужской голос.

— Да, — бойко ответила я.

— Я звоню вам по поручению Каролины Карловны Хованской, знаете такую?

— Конечно.

— Она умерла и перед смертью просила напомнить вам: «Ты обещала». Понимаете о чем речь?

— Да, да, — закричала я, — кот Епифан! Когда скончалась Хованская?

— Три месяца назад, — абсолютно спокойно ответил мужик.

Трубка чуть не выпала у меня из рук.

— Но почему мне не сообщили сразу?

— Забыл, — без всяких эмоций признался собеседник, — а сейчас вспомнил.

Вымолвив эту фразу, он отсоединился, а я, бросив все дела, понеслась в Изобильный.

В домике Каролины Карловны теперь хозяйничала худощавая баба с тонкогубым, злым ртом.

— Здрасти, я по просьбе Хованской!.. — воскликнула я.

— Убирайтесь, — завизжала тетка, — домик мой, я бумагу имею, Каролина его мне завещала за уход и заботу, нечего рот на чужое добро разевать! Ты кто?

— Никто, — попыталась я успокоить алчную особу, — а вы, очевидно, Мария Николаевна, соседка? Мне ничего не нужно от вас.

— Чего тогда приперлась? — слегка сбавила тон баба.

— Приехала за Епифаном, отдайте мне его, если не жалко!

Мария Николаевна скривилась.

— Так я бы с радостью, но его нет.

— Где же кот? — испугалась я.

— Ушел!

— Ушел?

— Ага!

— Сам? Из родного дома?

Мария Николаевна уперла кулаки в тощие бока.

— Удрал, сволочь, мерзавец! Меня исцарапал, выл, как волк! Три дня визжал, а потом улетел! Небось подох! Туда ему и дорога.

— Спасибо, — прошептала я и вышла на улицу.

Над пыльной дорогой стояло жаркое солнце, слезы полились у меня из глаз, я машинально двигалась вперед. Давясь рыданиями, добрела до конца поселка, совершенно забыв про оставленную у бывшего дома Хованской машину. Бедный Епифан, милый, добрый кот, любимый ребенок Каролины Карловны, был выгнан после смерти хозяйки на улицу.

Думаю, Мария Николаевна просто вышвырнула животное вон. Странно, что Хованская оставила ей дом! Может, Мария Николаевна подделала завещание?

На краю поселка я присела на большой камень возле местной свалки и заплакала еще горше. Внезапно моих ног словно коснулся бархат, затем что-то легкое вспорхнуло на колени, тоненькие лапки обняли шею... Я открыла глаза и заорала:

— Епифан! Ты жив.

— Мр-р, мяу, — еле слышно ответило несчастное животное.

Я схватила кота в объятия.

— Милый! Что с тобой стало!

Густая, переливающаяся шубка Епифана стала тусклой, тут и там сверкали проплешины, под шкурой кота просвечивали ребра, одно ухо было порвано, хвост покрывали болячки, впрочем, лапки тоже оказались осыпаны гнойниками. Но это был Епифан, пожелавший утешить меня, ласковый кот не стал злобным от выпавших на его долю испытаний.

Прижав к себе Епифана, я понеслась к машине, баюкая кота и приговаривая:

— Сейчас, мой любимый, сейчас. Сначала к врачу, потом домой, в теплую кровать, к миске с мясом. Потерпи немного, весь ужас позади, я с тобой.

Снова хлынули слезы, но на этот раз от радости, Епифан прижался мордой к моему лицу, и, когда я положила его на сиденье, на лохматых щеках кота блестели капли, то ли это были мои слезы, то ли Епифан тоже рыдал.

Кота мы вылечили не сразу, но в конце концов болячки отступили, и сейчас он стал прежним: большим, толстым и счастливым. Наши собаки спокойно приняли его в стаю, даже Рейчел, ненавидящая кошек, оказалась милостивой, наверное, вокруг кота такая добрая аура, что она покорила стаффордшириху, заставила ее полюбить Епифана. Знаете, доброта заразна, если вы на самом деле любите мир, то и он полюбит вас. Так что Епифана можно назвать счастливым, если б не одно обстоятельство. Живя у Каролины Карловны в Изобильном, кот имел возможность гулять во дворе, у нас, в городе, он лишен этой возможности.

Сегодня — мне надо было на работу после обеда, — выспавшись до полного одурения, я сводила собак погулять, потом вымыла им лапы, покормила, вернулась в прихожую, чтобы убрать на место поводки, и увидела Епифана, сидевшего с самым грустным видом у двери.

— Тебе хочется побродить по травке? — спросила я.

— Мяу, — ответил кот.

Я задумчиво поглядела на него, вытащила из тумбочки крохотные постромки, купленные когда-то для Ириски, йоркшириха теперь любимица богатых людей, у нее десятки ошейников и поводков, простенький ремешок Жанна забыла у нас.

«Сбруя» идеально подошла Епифану, во двор я вынесла его на руках, что оказалось не так просто, сейчас наш мальчик весит больше десяти килограммов.

Очутившись на травке, Епифан принялся мурлыкать, морда его расплылась в довольной улыбке, можете мне не верить, но британцы умеют смеяться.

— Ладно, — вздохнула я, — в теплое время года буду тебя пасти в скверике.

— Это Епифан такой стал? — заверещала Анька Григорьева, как всегда, тихо подкравшись сзади. — Вау, ну и жиртрест!

— Он просто крупный, — обиделась я, — кость широкая, и потом, стандарт породы такой...

Но тощая как килька Анька перебила меня:

— Жрет много, ну-ка, можно его поднять?

— Попробуй, — пожала я плечами.

Григорьева наклонилась и взяла Епифана на руки, кот недовольно прижал уши к голове, но промолчал.

— Говорю же, обжора, — резюмировала Анька, — вон какие складки! Сажай его на диету, а то подохнет! Животные, как люди, мрут от толщины. Вот я, например...

Мне оставалось лишь вздыхать, Анька помешана на диете, она постоянно считает калории, много лет не смотрит в сторону сахара, масла, хлеба, картошки, ветчины... В результате титанических усилий Аня приобрела землистый цвет лица, фигуру, похожую на швабру, и ненависть почти всей женской половины нашего дома. Бесцеремонная Григорьева способна ткнуть в вас пальцем и громко заорать: «Ой, Лампа, что это у тебя на талии бублики образовались! Бери пример с меня, немедленно садись на диету!»

Я, чей вес никогда не зашкаливает за пятьдесят килограммов, отношусь к таким заявлениям с юмором, но кое-кто просто готов убить Аньку.

— Жирный, жирный, — верещала Григорьева, — на кефир его! Кефир первое средство от всего!

Епифан, недовольно мяукнув, попытался вывернуться из тощих рук Аньки, но соседка вцепилась в него мертвой хваткой.

— У него объем талии больше, чем у меня, — заявила она, — кстати, посмотри, я опять похудела! Скажи, шикарно выгляжу!

И тут меня осенило, как отомстить Аньке за все.

— Немедленно брось Епифана! — крикнула я.

— А че? — насторожилась она.

— Ты права, он очень толстый, знаешь почему?

— Ну... жрет много!

— Нет, нет, Епифан болен, есть такое заболевание, называется... э... жирнюга!

Григорьева мигом разжала руки, кот шмякнулся на газон.

— Что?

— Жирнюга, — стараясь не расхохотаться, повторила я, — переносится крохотными, невидимыми глазом клещами, дико заразная! Стоит одной твари на тебя попасть, и все!

— Че будет?

— Толстеть станешь бесконтрольно, за месяц в тонну превратишься.

Анька взвизгнула:

— Мама!

— Ага, — мстительно продолжала я, — ужасная вещь.

— И чего? — дрожащим голосом пролепетала Аня. — Спасения нет?

— Есть, — пытаясь справиться со смехом, ответила я. — Кефир!

— Кефир?

— Ну да, — стала на ходу выдумывать я, — ты же сама знаешь — кефир первое средство от всего, надо купить штук десять пакетов, а потом облиться им с головы до ног, клещ в кефире погибает. Кстати, процедуру лучше проделывать на улице... — Тут хохот подступил к горлу, и я еле-еле выдавила из себя: — Вот почему я Епифана прогуливаю, сейчас кефиром обливать стану.

Анька застыла с раскрытым ртом, а меня согнуло пополам от хохота.

— Смешно тебе, — проблеяла Григорьева, — очень весело! Прямо уржаться!

Потом она развернулась и убежала, а я, всхлипывая и утирая выступившие на глазах слезы, пошла домой. Эх, не надо было врать про кефир. Анька-то вначале поверила в жирнюгу, следовало помучить ее подольше, только Григорьева, услышав про кефир, мигом поняла: ее дурачат.

Вечером сначала пришли дети, потом примчался Костин.

— Ты обещал быть в семь, — напомнила я Вовке, — мясо в духовке перестояло, сейчас уже полвосьмого, нельзя было вовремя явиться?

— Да я подъехал в шесть пятьдесят, — ответил приятель, — но во дворе застрял, никак в подъезд войти не мог! Народ стеной стоял!

— Почему? — удивилась я.

— Аню Григорьеву в психушку увозили, — вздохнул Костя, — прямо беда! Представляешь, она вышла во двор в халате, не успели бабки удивиться, как Анька из него выскользнула, вытащила из сумки пакет с кефиром и давай обливаться. Народ вначале офигел, а потом попытался ее домой отправить. Она не давалась, кричала: «Отстаньте, я жирнюгу смываю! Это заразно!» Надо же, молодая еще, а из ума выжила.

Я обомлела, потом бросилась к двери.

— Эй, ты куда? — насторожился Костин.

— К Мишке, мужу Ани, — крикнула я, — мне надо срочно с врачом больницы, куда Григорьеву повезли, поговорить!

Ну кто бы мог подумать, что Аня мне поверит? Теперь надо выручать ее из психушки! Да уж, умным человеком можно стать, выучиться, почитав всякие книги, а дурак — это талант, дураком надо родиться.

Донцова Д. А.

Д 67   Любовь-морковь и третий лишний: Роман. — М.:
Изд-во Эксмо, 2005. — 384 с. — (Иронический детектив).

ISBN 5-699-12470-5

Голову даю на отсечение — каждому из вас хоть раз хотелось выступить на сцене и сорвать шквал аплодисментов! А мне, Евлампии Романовой, представилась эта потрясающая возможность! Дело было так: меня попросила выйти вместо нее на подмостки Жанна, актриса театра «Лео». И не думайте, что я совсем завралась! Никто бы не заметил подмены: роль горничной была без слов, а все актеры в этой странной пьесе играли в масках. И вдруг прямо во время спектакля скончалась известная театральная прима Тина Бурская. Ее отравили! Все уверены: убийца — Жанна. Именно она подала Тине сосуд с водой. Лишь я одна точно знаю, что Жанна невиновна. Ведь отравительница под маской — это я! Что же делать? Уносить ноги?! Но я решила поступить в точности наоборот — прыгнуть в самое пекло...

УДК 82-3
ББК 84(2Рос-Рус)6-4

Оформление серии художника *В. Щербакова*

Литературно-художественное издание

Донцова Дарья Аркадьевна

ЛЮБОВЬ-МОРКОВЬ И ТРЕТИЙ ЛИШНИЙ

Ответственный редактор *О. Рубис*
Редактор *Т. Семенова*
Художественный редактор *В. Щербаков*
Художник *Е. Рудько*
Технический редактор *Н. Носова*
Компьютерная верстка *А. Григорьев*
Корректоры *Н. Овсяникова, Е. Самолетова*

ООО «Издательство «Эксмо»
127299, Москва, ул. Клары Цеткин, д. 18, корп. 5. Тел.: 411-68-86, 956-39-21.
Home page: www.eksmo.ru   E-mail: info@ eksmo.ru

Подписано в печать 25.05.2005
Формат 84×108 $^1/_{32}$. Гарнитура «Таймс». Печать офсетная.
Бум. газетная. Усл. печ. л. 20,16. Уч.-изд. л. 16,5.
Тираж 250 000 экз. Заказ № 0507830.

Отпечатано в ОАО «Ярославский полиграфкомбинат»
150049, Ярославль, ул.Свободы, 97

"Записки безумной оптимистки"

«Прочитав огромное количество печатных изданий, я, Дарья Донцова, узнала о себе много интересного. Например, что я была замужем десять раз, что у меня искусственная нога... Но более всего меня возмутило сообщение, будто меня и в природе-то нет, просто несколько предприимчивых людей пишут иронические детективы под именем «Дарья Донцова».

Так вот, дорогие мои читатели, чаша моего терпения лопнула, и я решила написать о себе сама».

Дарья Донцова открывает свои секреты!